M. Piantoni, C. Ghezzi, R. Bozzone Costa

Contatto

Corso di italiano per stranieri

LOESCHER EDITORE

Ristampe

6 5 4

2013 2012 2011

Loescher Editore S.r.l. opera con sistema qualità certificato CERMET n° 1679-A secondo la norma UNI EN ISO 9001-2000

Coordinamento editoriale: Laura Cavaleri
Redazione: Studio GradoZero - Bologna
Ricerca iconografica: Emanuela Mazzucchetti, Floriana Montani
Disegni: Marco Francescato, Rino Zanchetta
Progetto grafico: Bussi & Gastaldi
Impaginazione: Studio GradoZero - Bologna
Fotolito: Graphic Center - Torino

Stampa: Sograte – Città di Castello (PG)

Referenze iconografiche. **p. 2:** ICPonline; Domenico di Michelino, particolare del "Dante con la Divina Commedia", affresco, Firenze, Santa Maria Novella; **p. 3:** J. Downing; "La Repubblica delle donne", n. 264, 2001; EF, 2000-2001; **pp. 4-5:** ICPonline; **p. 8:** O. Stemme / IPS International; **pp. 10, 17:** ICPonline; **p. 18:** J. Downing; **p.19:** Università di Parma; G. Giovannetti / Effige / Fabbri, Bompiani, Sonzogno, Etas S.p.A., Milano; **p. 20:** ICPonline; **p. 22:** ICPonline; C. Bencini, 1995/ "Airone", n. 172, agosto 1995; **p. 35:** Lega Nazionale per la Difesa del cane / "Specchio", n. 79, 1997; **pp. 36-37:** ICPonline; **p. 38:** ICPonline; **p. 40:** White Star 96; **p. 41:** ICPonline; **p. 44:** ICPonline; **p. 53:** ICPonline; **p. 55:** "In Viaggio- Venezia"; **p. 56, 58, 60:** ICPonline; **p. 72:** Trapeze & Jacob's Ladder / Adventure Ropes Coourse / "Activity holidays 2002"; **p. 74:** ICPonline; M. Guglielminotti; **p. 75, 76, 77:** ICPonline; **p. 78:** "Bella!", n. 14, 2000; "Joy" novembre 2002; CFBT-West London Careers; **p. 83, 90:** ICPonline; **p. 92:** FIAT Auto Press; Y. Arthus Bertrand / WhiteStar; **p. 93:** ICPonline; **p. 94:** ICPonline; LegaAmbiente; **p. 96:** ICPonline; **p. 97:** Croce Rossa Italiana; **p. 102, 107:** ICPonline; **p. 111:** Rio Movie, 1999; **p. S1:** J. Downing; **p. S4:** "Mizz", n. 476, agosto 2003; **p. S25:** ICPonline; **p. S32:** ICPonline; **p. S57:** De Agostini, 1996;

Temi e funzioni
- presentarsi e parlare di sé
- studiare l'italiano in Italia
- riflettere sull'apprendimento di una lingua straniera
- riflettere sulla grammatica italiana
- fare il punto sugli argomenti grammaticali acquisiti
- chiedere informazioni su un corso di lingua
- ○ capire gli annunci ai viaggiatori

Lessico
- imparare una lingua straniera:
  – le parole della grammatica (*congiunzione, desinenza, ausiliare*)
  – la comunicazione in classe (*Che cosa vuol dire...?*)
- iscriversi a un corso: *durata, costo, alloggio lezione, corso intensivo, scadenza*
- parlare di sé:
  – gusti e abitudini: *detesto andare a teatro*
  – professioni
- *sapere vs. conoscere*

Grammatica
- presente, passato prossimo, imperfetto[R]
- pronomi riflessivi, diretti e indiretti[R]
- gruppo nominale: accordo tra articolo, nome e aggettivo[R]
- preposizioni semplici e articolate[R]
- ○ preposizioni locative[R]
- passato prossimo:
  – scelta ausiliari con verbi come *finire, diminuire* (*è finito / ha finito*) e con i verbi modali (*ho dovuto prendere / sono dovuto tornare*)
- ○ participi passati irregolari
- imperfetto: forme e funzioni[R]
- ○ connettivi[R]: *ma, perché, così, se, mentre, siccome*

Pronuncia e ortografia
- divisione sillabica
- accento di parola
- ○ accento grafico (*più*)

Cultura
- aspetti della vita e della cultura italiana
- gli italiani all'estero
- emigrare
- ○ soggiorni di studio e lavoro all'estero

Funzioni
- capire/raccontare fatti di cronaca
- raccontare fatti passati
- descrivere persone
- esprimere sentimenti e stati d'animo

Lessico
- la cronaca: *incidente, truffa, furto, arresto, tamponare, ferire*
- descrivere una persona:
  – abbigliamento e aspetto[R]
  – personalità: qualità e difetti (*comprensivo, generoso, pigro, idealista*)
- esprimere sentimenti ed emozioni: *mi fa paura, sono arrabbiato, mi mette allegria*
- ○ sicurezza: *polizia, carabinieri, pompieri, vigili urbani, guardia di finanza*
- ○ metafore con animali: *dormire come un ghiro, essere un pesce fuor d'acqua*
- ○ metafore per esprimere sentimenti: *sono al settimo cielo!*

Grammatica
- opposizione passato prossimo e imperfetto
- ○ imperfetto e passato prossimo con i verbi modali (*Volevo comprare una bici nuova ma...*)
- trapassato prossimo
- pronome *ci*: *se ci tieni, ci devi provare*
- forma passiva (riconoscimento)
- ○ *stare* + gerundio vs. *stare per*
- ○ avverbi in *-mente* (*lentamente, facilmente*)
- ○ preposizioni temporali[R]: *tra, da, per, due minuti fa, a*
- ○ connettivi: *infatti, intanto, tuttavia, poi, anche*

Pronuncia e ortografia
- intonazioni che esprimono stati d'animo
- accento di parola in frase
- enfasi
- ○ accento di enunciato

Cultura
- iniziative per la tutela dei diritti degli animali
- difesa e protezione dei cittadini
- l'espressione dei sentimenti

Temi e funzioni
- ● parlare delle vacanze
- ● sport e attività all'aria aperta
- ● descrivere una località turistica
- ● fare delle ipotesi
- ● dare consigli e esprimere opinioni
- ○ capire le previsioni del tempo
- ○ capire un notiziario del traffico
- ○ capire un contratto di viaggio

Lessico
- ● sport e attività: *andare a cavallo, arrampicata su roccia*
- ● la montagna: *cima, ruscello, sentiero, ghiacciaio*
- ● il mare: *baia, spiaggia, scogli, porto*
- ● i villaggi turistici: *alta / bassa stagione, pineta, tenda*
- ● diminutivi in *-ino, -etto* (*localino, casetta*)
- ● aggettivi in *-abile / -ibile* (*indimenticabile*)
- ○ parlare del tempo atmosferico: *temporale, nuvoloso, miglioramento*
- ○ il traffico: *coda, corsia, casello, bivio*
- ○ mezzi di trasporto[R]
- ○ alterati in *-accio, -one* (*tempaccio, omone*)
- ○ prefissi di negazione: *in-, dis-, s-* (*inutile, disonesto, sgonfio*)

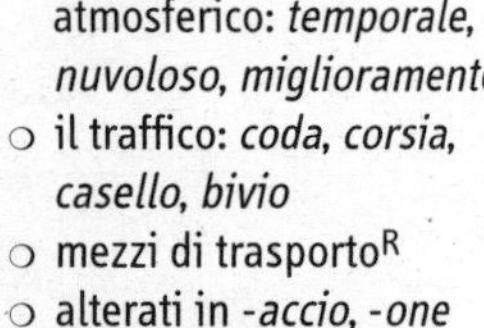

Grammatica
- ● condizionale presente: forme e funzioni
- ● imperativo[R] (*tu, voi, Lei*)
- ● il pronome *ne*:
  - – valore partitivo (*ne ho letti due*)
  - – ripresa di complementi con *di* + nome/proposizione (*Ha scritto un libro ma non ne parla mai*)
  - – *ci* vs. *ne*
- ● l'aggettivo e pronome dimostrativo *quello*
- ○ futuro vs. condizionale
- ○ le forme dell'aggettivo *bello*
- ○ preposizioni semplici e articolate[R]
- ○ connettivi: *anzi, invece di, piuttosto che*

Pronuncia e ortografia
- ● *partiremo* vs. *partiremmo*
- ● intonazioni: accettare o rifiutare un consiglio
- ○ <sc> / <sci> e <c> / <cc> <ch>[R]
- ○ plurale dei nomi in *-co / -go*
- ○ <qu>, <cqu> / <cu>

Cultura
- ● isole (Sardegna, Elba, Eolie) e montagne d'Italia (Gran Paradiso, Parco Nazionale d'Abruzzo)
- ● feste tradizionali a Ferragosto
- ○ luoghi ed edifici di interesse culturale-turistico

Temi e funzioni
- ● parlare di tempo libero e divertimenti
- ● descrivere e parlare di spettacoli
- ● parlare di gusti musicali
- ● convincere
- ● accordarsi
- ● esprimere accordo e disaccordo
- ● discutere sul modo di divertirsi dei giovani

Lessico
- ● divertimenti: *concerto, mostra, tifare*
- ○ cinema e film: *colonna sonora, avvincente, film d'azione*
- ● la lingua dei giovani: *strabello, cazzate, figo*
- ● parole di origine straniera: *e-mail, teenager, serial*
- ○ gli SMS
- ○ aggettivi in *-ale, -ile, -oso* (*mortale, signorile, pauroso*)
- ○ nomi in *-eria, -teca* (*birreria, videoteca*)

Grammatica
- ● comparativo di maggioranza e minoranza:
  - – regolari[R]
  - – irregolari (*migliore/peggiore, maggiore/minore, superiore/inferiore*)
  - – *di / che* per secondo termine di paragone
- ○ superlativo relativo e assoluto
- ● pronomi combinati (1^a e 2ª persona singolare)
- ○ accordo del participio passato con i pronomi[R]
- ● pronomi relativi: *che, chi*
- ○ passato prossimo, imperfetto, trapassato prossimo[R]
- ○ preposizioni verbali ϕ, *di, a*: *voglio* ϕ, *cerco di, riesco a*
- ○ connettivi: *sì... sia / che, né...né*

Pronuncia e ortografia
- ● conversare: intonazione e segnali discorsivi (*Allora?, Ma dai!, Ah! Eh!*)
- ○ consonanti doppie[R]

Cultura
- ● calcio e sport
- ● la lingua dei giovani
- ● il mondo dei giovani:
  - – tempo libero
  - – musica
- ○ I giovani e i media
- ○ I giovani e gli SMS

com'è fatto questo libro

Il volume del corso è articolato in 6 unità didattiche, suddivise in 6 sezioni (Per cominciare, Per capire, Lessico, Grammatica, Pronuncia, Produzione libera).
Ogni unità si apre con una sintesi degli obiettivi didattici.

Per cominciare: presentazione dei temi dell'unità e di alcune parole chiave.

Per capire: ascolti e letture per la comprensione orale e scritta.

Nel box Confronto tra culture sono proposte delle riflessioni sulla cultura italiana attraverso un parallelo con il proprio Paese.

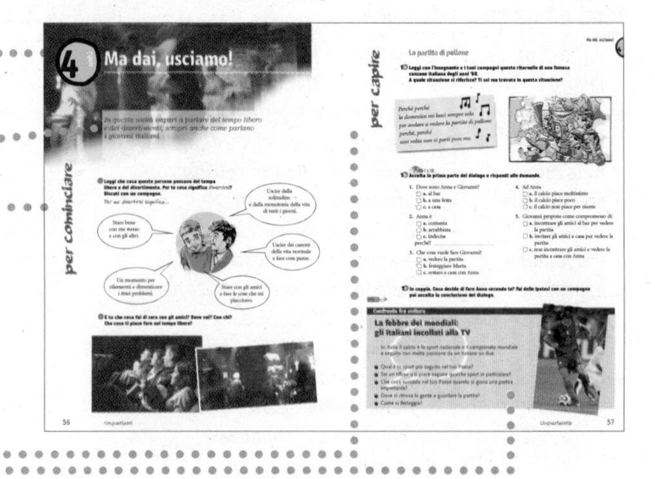
4 Ma dai, usciamo!
per cominciare
per capire
La partita di pallone
Confronto tra culture
La febbre dei mondiali: gli italiani incollati alla TV

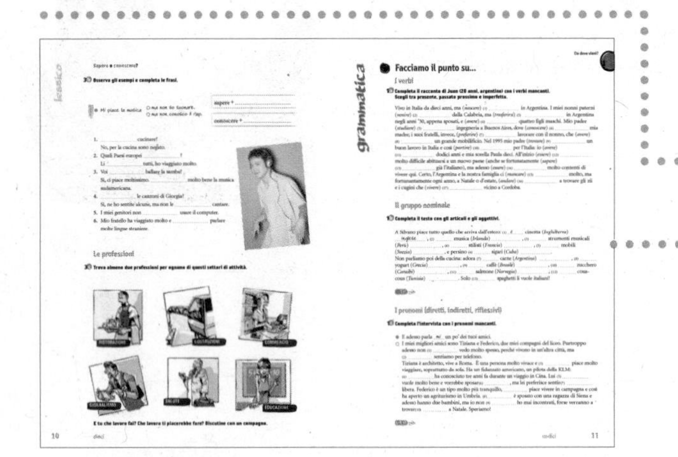
lessico
grammatica
Facciamo il punto su...
I verbi
Il gruppo nominale
Le professioni

Lessico: attività di rinforzo, memorizzazione e ampliamento del lessico che riguarda i temi dell'unità.

Grammatica: percorsi di riflessione ed esercizi sulle strutture grammaticali incontrate nei testi.

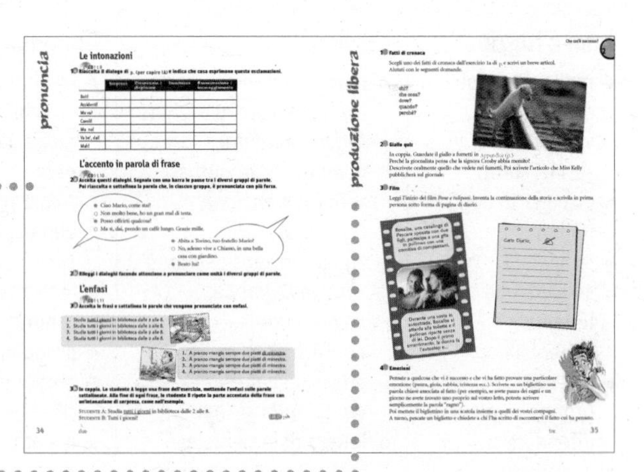
pronuncia
Le intonazioni
L'accento in parola di frase
L'enfasi
produzione libera

Pronuncia: esercizi sull'intonazione, la fonetica e l'ortografia.

Produzione libera: attività orali e scritte per riutilizzare in modo libero e creativo ciò che si è imparato nell'unità.

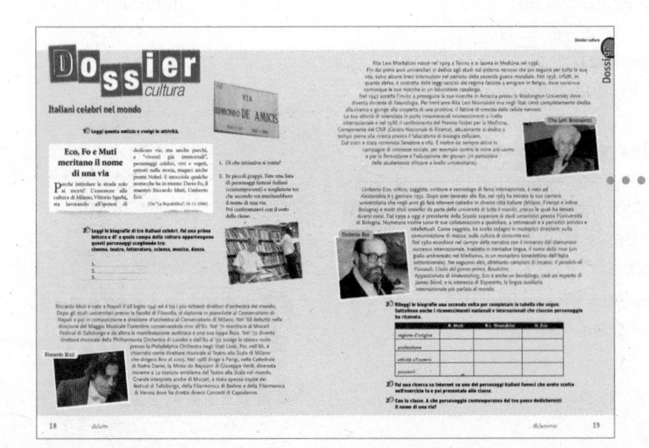
Dossier cultura
Italiani celebri nel mondo
Eco, Fo e Muti meritano il nome di una via

Ogni unità si chiude con un Dossier cultura che approfondisce con testi e immagini uno dei temi dell'unità.

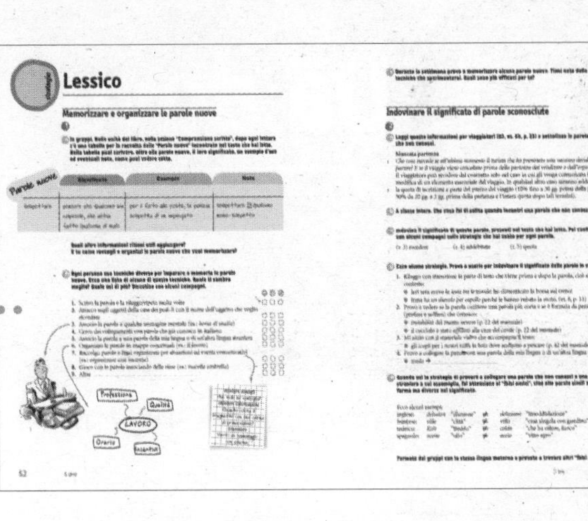

Lessico

Memorizzare e organizzare le parole nuove

Indovinare il significato di parole sconosciute

Nella sezione **Strategie per imparare** si trovano delle schede per riflettere su come migliorare la propia capacità di parlare, leggere, scrivere, ampliare il vocabolario e usare il dizionario.

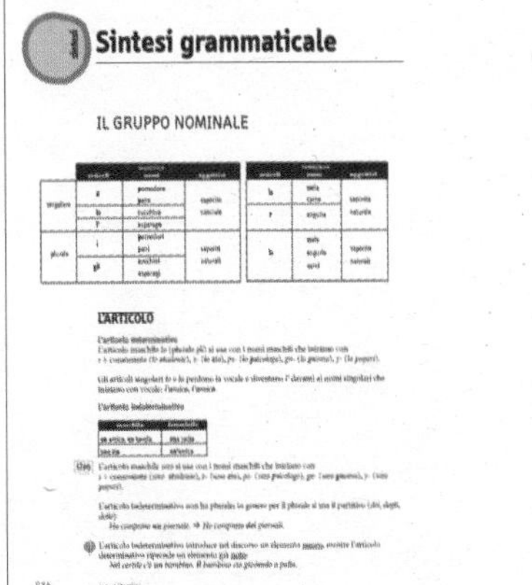

Sintesi grammaticale

IL GRUPPO NOMINALE

L'ARTICOLO

IL NOME

La **Sintesi grammaticale** contiene le strutture linguistiche presentate nelle unità di Contatto 1 e Contatto 2A.

Icone

- Funzioni linguistiche
- Esercizi di espansione
- Attenzione
- E2 Rimando alla sezione esercizi
- Ripasso

1 unità Da dove vieni?

In questa unità conosci i tuoi compagni di corso e fai il punto su quello che già sai dell'Italia e dell'italiano.

per cominciare

Che cosa conosci dell'Italia?

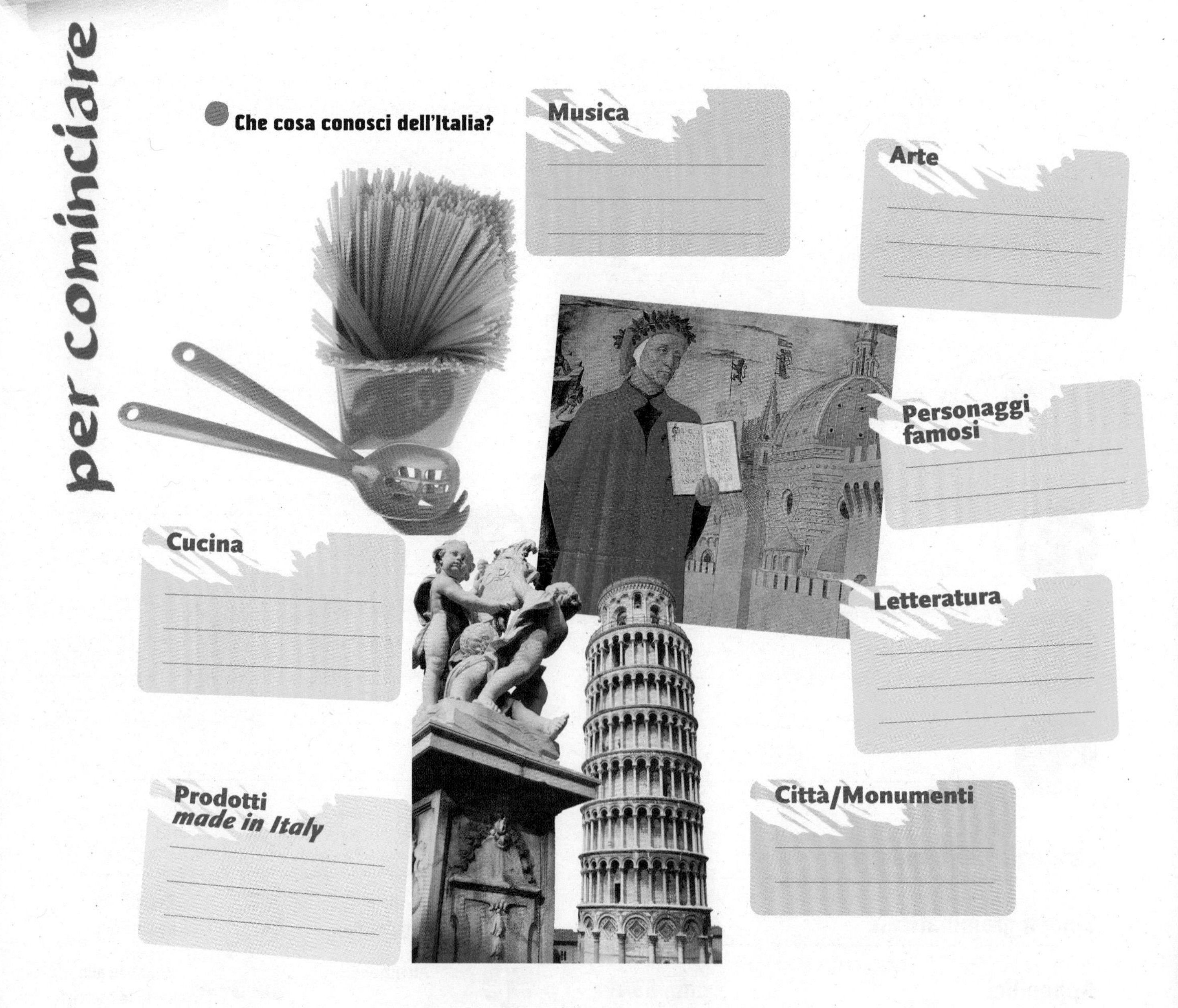

Indica due aspetti dell'Italia che ti piacciono molto e due che non ti piacciono.

per capire

Conoscersi

CD1 t.1

1a Ascolta le interviste a tre ragazzi che studiano in Italia e completa la tabella.

Paese d'origine			
da quanto tempo è in Italia			
perché			
che cosa le/gli piace			
che cosa non le/gli piace			

1b Riascolta le interviste e scrivi le domande fatte agli studenti.

1c In coppia. Intervista il tuo compagno usando le domande che hai scritto.

1d Presenta alla classe il compagno che hai intervistato.

E8 →

Gli italiani all'estero

2a Pensa agli italiani che vivono nel tuo Paese. Che cosa fanno? Ne conosci qualcuno? Che cosa si dice nel tuo Paese degli italiani?

2b Leggi l'articolo e scegli la risposta corretta.

ANDARE A VIVERE ALL'ESTERO?

Un italiano su tre vorrebbe partire...

L'emigrazione. Un fenomeno antico e, al tempo stesso, un costume oggi molto più diffuso di quanto si pensi, anche nel nostro paese. Un tempo gli emigranti italiani partivano verso la Germania, l'Australia, gli Stati Uniti.
E oggi?
Dove vanno a vivere i nostri connazionali che decidono di trasferirsi in altri paesi?
E soprattutto, perché lo fanno?
Da un'indagine "Eurispes", realizzata attraverso l'elaborazione dei dati del Ministero dell'Interno, al 2005, sono quasi quattro milioni gli italiani residenti all'estero (più di un milione di famiglie) e più della metà di questi proviene, come da sempre, dalle regioni meridionali e dalle isole: la Sicilia è in testa con il 17%. Il 30% dei nostri connazionali viene invece dalle regioni centrali e il 14% dal Nord.
Gli emigranti scelgono soprattutto l'Europa (57,7%), in particolare la Germania (20%), seguita dall'Argentina, dalla Svizzera e dalla Francia (10, 2%).
Le motivazioni che li spingono a emigrare sono molto diverse, ma la maggior parte sono legate al lavoro: i paesi stranieri sembrano offrire maggiori opportunità e una migliore organizzazione nei servizi, nei trasporti e nelle infrastrutture.
Contrariamente agli stereotipi più comuni, gli italiani non lavorano solo nelle pizzerie, nei ristoranti o nel campo nella moda, ma nei settori più diversi. Dalla finanza alle costruzioni, dal commercio al giornalismo, e addirittura nella politica.
Ma l'indagine dell'"Eurispes" mette in luce anche un dato allarmante, perché il sondaggio ha raccolto dati anche su quanti italiani vorrebbero vivere all'estero: secondo i dati raccolti il 37,8% degli italiani sarebbe pronto a trasferirsi, e la percentuale sale notevolmente se si considerano i giovani tra i 18 e i 24 anni (54,1%), soprattutto diplomati e laureati, e le persone tra i 25 e i 34 anni (50,5%).
La maggior parte degli intervistati vorrebbe vivere in altri paesi perché questi offrono maggiori opportunità lavorative (25,7%), oppure perché spinti dalla curiosità (22,9%). Il 14,2% ha indicato come motivazione la vivacità culturale e il 13,1% le maggiori opportunità per i figli. A queste seguono altre possibilità di risposta: la maggiore sicurezza, il clima politico migliore, il minor costo della vita e un maggiore contatto con la natura.
Il paese dove gli italiani vivrebbero più volentieri è la Spagna, che affascina maggiormente i dirigenti, gli imprenditori, gli artisti e anche gli insegnanti. Gli operai e le casalinghe, invece, prediligono la Svizzera, e coloro che lavorano in proprio hanno una spiccata preferenza per gli Stati Uniti d'America. Gli studenti sono attratti dall'Inghilterra, mentre i pensionati preferiscono la Francia. Il 2, 2% degli italiani, inoltre, sarebbe felice di andare nel continente autraliano e l'1,4% in quello africano.

(Da un'indagine "Eurispes", marzo 2005)

1. La maggior parte degli italiani emigrati vive
   - ☐ a. negli Stati Uniti
   - ☐ b. in Germania
   - ☐ c. in Spagna

2. Il fenomeno dell'emigrazione riguarda soprattutto
   - ☐ a. il sud Italia
   - ☐ b. il centro
   - ☐ c. il nord

3. Gli italiani all'estero lavorano
   - ☐ a. principalmente nella ristorazione
   - ☐ b. nei settori delle costruzioni e della moda
   - ☐ c. in molti settori diversi

4. Vorrebbero trasferirsi all'estero soprattutto
   - ☐ a. i giovani che hanno studiato
   - ☐ b. i disoccupati
   - ☐ c. i dirigenti e gli imprenditori

per capire

2c Rileggi il testo e completa la tabella.

	italiani che vivono all'estero	italiani che vorrebbero vivere all'estero
numero		%
Paese preferito		

1. Qual è la regione che ha un maggior numero di emigranti?
____

2. In quale Paese vorrebbero vivere queste categorie di italiani?

a. Artisti, imprenditori e insegnanti _______________

b. Casalinghe e operai _______________

c. Studenti _______________

d. Pensionati _______________

Parole nuove

	Significato	Esempio	Note

Confronto fra culture

Emigrare

- Ci sono molte persone del tuo Paese che vivono o vorrebbero vivere all'estero? Perché partono? In quali Paesi vanno preferibilmente? Che lavoro fanno?
- Tra i giovani è diffusa l'abitudine di fare lunghi soggiorni in altri Paesi, per studio o per lavoro?

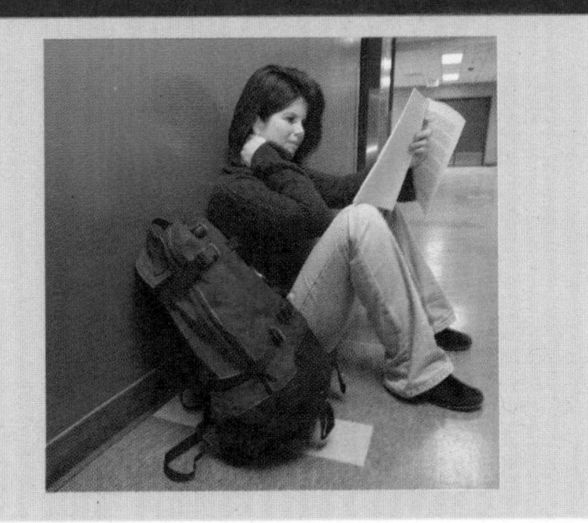

lessico

Imparare una lingua straniera

1a Rispondi al questionario. Poi confronta con un compagno le tue risposte.

1a. Perché hai deciso di imparare l'italiano?
- ☐ perché vivo in Italia
- ☐ per i miei studi
- ☐ per turismo
- ☐ per lavoro
- ☐ perché mi piace
- ☐ altro: ____________

1b. L'italiano secondo te è una lingua
- ☐ facile
- ☐ abbastanza difficile
- ☐ difficile

- Che cosa ti sembra più difficile dell'italiano?

____

1c. Quali sono gli obiettivi che vorresti raggiungere con questo corso?
INDICA TRE RISPOSTE IN ORDINE DI PREFERENZA (1 PER LA PIÙ IMPORTANTE, 3 PER LA MENO IMPORTANTE)
- ☐ parlare con italiani di argomenti familiari
- ☐ leggere brevi testi
- ☐ scrivere brevi messaggi
- ☐ studiare la grammatica
- ☐ conoscere la cultura italiana
- ☐ altro: ____________

2a. Conosci altre lingue straniere?

____

2b. Che cosa vuol dire per te "conoscere" una lingua straniera?
INDICA TRE RISPOSTE IN ORDINE DI PREFERENZA (1 PER LA PIÙ IMPORTANTE, 3 PER LA MENO IMPORTANTE)
- ☐ capire le persone quando parlano
- ☐ capire la lingua scritta
- ☐ parlare con i madrelingua
- ☐ scrivere
- ☐ conoscere le regole grammaticali
- ☐ conoscere molti vocaboli

2c. Come si impara meglio una lingua straniera, secondo te?
INDICA TRE RISPOSTE IN ORDINE DI PREFERENZA (1 PER LA PIÙ IMPORTANTE, 3 PER LA MENO IMPORTANTE)
- ☐ seguendo un corso
- ☐ vivendo sul posto per un periodo
- ☐ leggendo giornali e notizie su Internet
- ☐ facendo molti esercizi di grammatica
- ☐ ascoltando la radio e la televisione
- ☐ parlando con le persone del posto
- ☐ altro: ____________

3a. Che tipo di attività ti piace di più, quando studi una lingua straniera?
- ☐ ascoltare
- ☐ leggere
- ☐ fare esercizi sul lessico
- ☐ fare esercizi sulla grammatica
- ☐ parlare
- ☐ scrivere
- ☐ altro: ____________

3b. Impari meglio le cose che
- ☐ ascolti
- ☐ leggi
- ☐ vedi

3c. In classe preferisci lavorare
- ☐ da solo
- ☐ in coppia
- ☐ a gruppi
- ☐ con tutta la classe

lessico

1b Che cosa trovi difficile nello studio dell'italiano?
Leggi le affermazioni fatte da alcuni studenti stranieri e indica a fianco di ognuna se sei d'accordo. Poi confronta le tue opinioni con un compagno.

	molto d'accordo (++)	abbastanza d'accordo (+-)	poco d'accordo (--)
1. L'italiano per me è difficile, perché è una lingua molto diversa dalla mia.			
2. L'italiano non è molto diverso dalla mia lingua, molte parole sono simili, così spesso faccio confusione.			
3. Per me è molto difficile la pronuncia, e poi non so mai dove va l'accento sulle parole.			
4. Non riesco a capire quando ascolto, gli italiani parlano troppo velocemente.			
5. La grammatica dell'italiano è molto difficile, non riesco a ricordarmi tutte le regole e così sbaglio soprattutto i verbi e i pronomi.			
6. Capisco abbastanza bene, ma poi quando devo parlare non mi vengono in mente le parole.			
7. Per me è difficile studiare la grammatica, perché non conosco la grammatica in generale e così non capisco bene le regole.			
8. La grammatica è difficile, ma per me non è così importante: è più difficile imparare e ricordare le parole nuove.			

Le parole della grammatica

1c Conosci le parole elencate sotto che si usano per parlare della grammatica italiana? Trova nelle frasi almeno un esempio per ciascuna di queste categorie grammaticali.

articolo
nome
pronome
aggettivo
verbo
ausiliare
preposizione
congiunzione

L'italiano? L'ho studiato a scuola per 5 anni, poi l'anno scorso sono andato in Italia per una vacanza studio. Ci sono stato per un mese intero, così ho conosciuto molti ragazzi italiani e adesso lo capisco e parlo molto meglio.

Quali categorie non ci sono nella tua lingua?

E5, 6, 7 →

La comunicazione in classe

1 d Che cosa posso dire se mi trovo in una di queste situazioni?

1. Trovo una parola che non conosco. → Che cosa significa "…"?
2. Voglio sapere se una frase è corretta (es. "*io mi piace*"). → ______
3. Non ho capito quello che ha detto l'insegnante. → ______
4. Non ho capito quello che ha detto il mio compagno. → ______
5. Voglio sapere qual è la parola italiana per dire... (es: *exercise*) → ______
6. Non ho capito che esercizi devo fare a casa. → ______
7. Voglio dire a un mio compagno che quello che ha detto mi sembra sbagliato. → ______

Iscriversi a un corso

CD 1 t. 2

2 a La signora Torri vuole avere informazioni su un corso di italiano per stranieri. Ascolta la telefonata e completa gli appunti.

CORSI ESTENSIVI
periodo: ______
durata: ______
costo: ______
ore di lezione: ______

CORSI INTENSIVI
periodo: ______
durata: ______
costo: ______
ore di lezione: ______

ALLOGGIO: ______

TERMINE ISCRIZIONI: ______

ALTRE INFORMAZIONI: ______

lessico

2b Completa la lettera di Jeanne. Coniuga i verbi se necessario.

durare iscriversi imparare spiegare esami corso classe lezioni compiti insegnante

Posta in arrivo | Oggetto | Inizia con
Da | Oggetto | Inviato
Jeanne | R: Venezia!

Da: Jeanne@yahoo.com (popmail.yahoo.com) A: Luca@yahoo.com
Oggetto: R: Ciao!

Caro Luca,
finalmente sono in Italia! Sono arrivata a Venezia da una settimana e (1) __________ a un (2) __________ di italiano intensivo che è iniziato ieri. (MOLTO intensivo: le (3) __________ sono di mattina (3 ore) e di pomeriggio (2 ore) e poi abbiamo ancora dei (4) __________ da fare a casa!). In (5) __________ con me ci sono moltissimi ragazzi stranieri, un po' da tutto il mondo, così l'(6) __________ deve (7) __________ tutto in italiano e per me qualche volta questo è un po' difficile.
Il corso (8) __________ un mese, ma io farò solo tre settimane, perché poi devo tornare in Francia per fare gli (9) __________ all'università (anche quello di italiano, perciò devo (10) __________ il più possibile!).
E tu? Come vanno le tue vacanze? Se vuoi passare un weekend a Venezia... ti aspetto!!
Baci, Jeanne

2c Scrivi un e-mail a un amico per raccontargli del tuo nuovo corso di italiano.

Parlare di sé

Gusti e abitudini

3a In coppia. Osserva le immagini e chiedi a un tuo compagno quali sono le cose che gli piace fare e quanto spesso le fa. Aggiungi liberamente altre domande sui suoi gusti. Per rispondere, puoi utilizzare le espressioni elencate nei fumetti.

- Ti piace andare al cinema?
  - Sì, moltissimo. Ci vado almeno due volte alla settimana.
  - Abbastanza, ma solo ogni tanto: preferisco il teatro.
  - Per niente, non ci vado mai.

Sapere o conoscere?

3b Osserva gli esempi e completa le frasi.

● Mi piace la musica ○ ma non so suonare.
○ ma non conosco il rap.

sapere + ______________

conoscere + ______________

1. ______________ cucinare?
   No, per la cucina sono negato.
2. Quali Paesi europei ______________ ?
   Li ______________ tutti, ho viaggiato molto.
3. Voi ______________ ballare la samba?
   Sì, ci piace moltissimo. ______________ molto bene la musica sudamericana.
4. ______________ le canzoni di Giorgia?
   Sì, ne ho sentite alcune, ma non le ______________ cantare.
5. I miei genitori non ______________ usare il computer.
6. Mio fratello ha viaggiato molto e ______________ parlare molte lingue straniere.

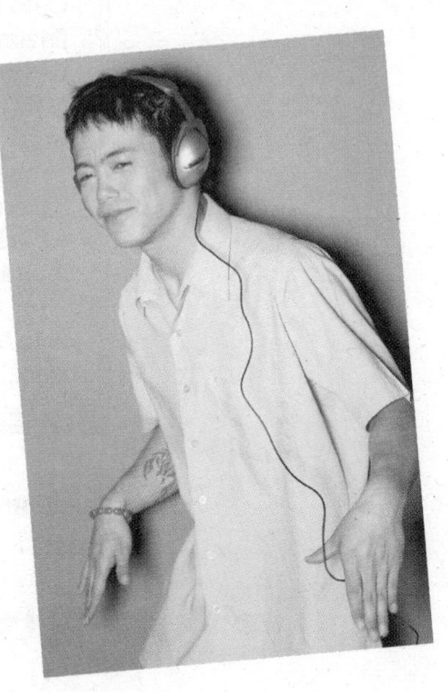

Le professioni

3c Trova almeno due professioni per ognuno di questi settori di attività.

E tu che lavoro fai? Che lavoro ti piacerebbe fare? Discutine con un compagno.

grammatica

Facciamo il punto su...

I verbi

1a Completa il racconto di Juan (20 anni, argentino) con i verbi mancanti. Scegli tra presente, passato prossimo e imperfetto.

Vivo in Italia da dieci anni, ma (*nascere*) (1) ____________ in Argentina. I miei nonni paterni (*venire*) (2) ____________ dalla Calabria, ma (*trasferirsi*) (3) ____________ in Argentina negli anni '30, appena sposati, e (*avere*) (4) ____________ quattro figli maschi. Mio padre (*studiare*) (5) ____________ ingegneria a Buenos Aires, dove (*conoscere*) (6) ____________ mia madre; i suoi fratelli, invece, (*preferire*) (7) ____________ lavorare con il nonno, che (*avere*) (8) ____________ un grande mobilificio. Nel 1995 mio padre (*trovare*) (9) ____________ un buon lavoro in Italia e così (*partire*) (10) ____________ per l'Italia: io (*avere*) (11) ____________ dodici anni e mia sorella Paula dieci. All'inizio (*essere*) (12) ____________ molto difficile abituarsi a un nuovo paese (anche se fortunatamente (*sapere*) (13) ____________ già l'italiano), ma adesso (*essere*) (14) ____________ molto contenti di vivere qui. Certo, l'Argentina e la nostra famiglia ci (*mancare*) (15) ____________ molto, ma fortunantamente ogni anno, a Natale o d'estate, (*andare*) (16) ____________ a trovare gli zii e i cugini che (*vivere*) (17) ____________ vicino a Cordoba.

Il gruppo nominale

1b Completa il testo con gli articoli e gli aggettivi.

A Silvano piace tutto quello che arriva dall'estero: (1) _il_ cinema (*Inghilterra*) _inglese_, (2) ______ musica (*Irlanda*) ____________, (3) ______ strumenti musicali (*Perù*) ____________, (4) ______ stilisti (*Francia*) ____________, (5) ______ mobili (*Svezia*) ____________, e persino (6) ______ sigari (*Cuba*) ____________.
Non parliamo poi della cucina: adora (7) ______ carne (*Argentina*) ____________, (8) ______ yogurt (*Grecia*) ____________, (9) ______ caffè (*Brasile*) ____________, (10) ______ zucchero (*Caraibi*) ____________, (11) ______ salmone (*Norvegia*) ____________, (12) ______ cous-cous (*Tunisia*) ____________. Solo (13) ______ spaghetti li vuole italiani!

E11 →

I pronomi (diretti, indiretti, riflessivi)

1c Completa l'intervista con i pronomi mancanti.

- E adesso parla _mi_ un po' dei tuoi amici.
- I miei migliori amici sono Tiziana e Federico, due miei compagni del liceo. Purtroppo adesso non (1) ____________ vedo molto spesso, perché vivono in un'altra città, ma (2) ____________ sentiamo per telefono.
  Tiziana è architetto, vive a Roma. È una persona molto vivace e (3) ____________ piace molto viaggiare, soprattutto da sola. Ha un fidanzato americano, un pilota della KLM: (4) ____________ ha conosciuto tre anni fa durante un viaggio in Cina. Lui (5) ____________ vuole molto bene e vorrebbe sposar(6) ____________, ma lei preferisce sentir(7) ____________ libera. Federico è un tipo molto più tranquillo, ____________ piace vivere in campagna e così ha aperto un agriturismo in Umbria. (8) ____________ è sposato con una ragazza di Siena e adesso hanno due bambini, ma io non (9) ____________ ho mai incontrati, forse verranno a trovar(10) ____________ a Natale. Speriamo!

E12, 13 →

Le preposizioni

1d Completa il testo con le preposizioni semplici o articolate.

Mi chiamo John, vengo __________ Irlanda, ma abito __________ Milano. Vivo __________ Italia __________ sei anni: sono venuto qui __________ 2000, __________ lavoro, e un anno dopo ho sposato Chiara, una mia collega italiana. Adesso abbiamo due bambini, due gemellini __________ tre anni.
Milano però non ci piace, è troppo caotica, così abbiamo deciso __________ trasferirci __________ campagna. Abbiamo comprato una piccola casa __________ giardino e andremo __________ vivere lì __________ qualche mese.

E14

Il passato prossimo

2a Leggi il racconto di Susan e rispondi alle domande.

IRC Server | Stanze e Canali

Forum > Volontariato all'estero

Mi chiamo Susan, ho 20 anni, vengo dall'Olanda e sono stata in Italia tre mesi.
A giugno, quando ho finito la scuola superiore, ho deciso, prima di cominciare l'università, di viaggiare per un po' all'estero per conoscere gente di un'altra cultura. Avevo la passione dell'archeologia e ho scoperto che a Pompei c'erano dei campi internazionali di lavoro, e così sono partita. (5)
È stata un'esperienza bellissima, anche se devo dire che l'inizio non è stato facile. Non mi sono mai sentita così sola, perché non parlavo italiano, quindi all'inzio non capivo niente e non riuscivo a dire niente. Inoltre, secondo me, tutti pensavano "Che fa qui questa ragazza olandese?". Il campo era internazionale, ma in realtà gli stranieri erano solo tre (due spagnoli e una francese), gli altri ragazzi (10) erano tutti italiani.
Ho fatto fatica anche ad abituarmi alla vita di tutti i giorni, e soprattutto alla cucina. In Olanda la colazione è più abbondante, ma il pranzo è leggero e di sera alle sei mangiamo un pasto caldo, ma solo un piatto. In Italia, invece, alla mattina bevevo un caffè con due biscotti, a pranzo c'erano il primo e il secondo e per (15) cena, alle otto, ancora due piatti: la prima settimana mi è venuto il mal di pancia, poi mi sono abituata.
Dopo i primi giorni ho anche cominciato a imparare la lingua italiana e soprattutto a lavorare agli scavi, cosa che mi è piaciuta moltissimo (infatti mi sono iscritta alla Facoltà di Archeologia). Ho conosciuto anche gli altri ragazzi che (20) erano molto simpatici: la sera si rimaneva fino a tardi a chiacchierare e qualche volta a cantare, oppure si usciva a bere qualcosa.
Ho avuto anche il tempo di visitare alcune città italiane: sono stata diverse volte a Napoli e quattro giorni a Roma, a casa di una ragazza che ho incontrato al campo, così ho potuto conoscere anche una vera famiglia italiana. (25)
Adesso che il campo è finito sono tornata a casa per i miei studi: ho tanta nostalgia dell'Italia e degli amici che ho conosciuto laggiù, ma sono sicura che tornerò per altri campi il prossimo anno.

grammatica

Vero o falso? V F

1. Susan ha studiato archeologia in Italia. ☐ ☐
2. È venuta in Italia per un campo di lavoro agli scavi di Pompei. ☐ ☐
3. Con lei c'erano molti altri ragazzi stranieri. ☐ ☐
4. Susan era ospite di una famiglia italiana. ☐ ☐
5. A Susan è piaciuta molto la cucina italiana. ☐ ☐
6. I pasti in Italia sono più abbondanti che in Olanda. ☐ ☐
7. Susan è stata quattro volte a Roma e a Napoli. ☐ ☐

2b Sottolinea nel testo con due colori diversi i verbi al passato prossimo che hanno l'ausiliare avere e quelli che hanno l'ausiliare essere. Poi, utilizzando gli esempi, prova a ricostruire la regola.

il passato prossimo si forma	
con l'ausiliare avere se...	con l'ausiliare essere se...

2c Osserva il participio passato dei verbi che hai sottolineato.

Quando si accorda con il soggetto?

____

____

Quali participi passati sono irregolari?

____

____

2d Completa utilizzando l'ausiliare essere o avere e accordando il participio passato.

1. Mio padre e mia madre sono tedeschi. Si (1) ________ conosciut___ in Italia, durante una vacanza, e due anni dopo si (2) ________ sposat___ e (3) ________ andat___ a vivere a Berlino dove, nel 1990, (4) ________ nat___ io. Nel 1995 mio padre (5) ________ cambiat___ lavoro e (noi) (6) ________ venut___ a vivere in Italia. (7) ________ stat___ 3 anni a Milano e poi ci (8) ________ trasferit___ a Bologna, dove (9) ________ nat___ mia sorella Birgitte.

2. L'estate scorsa (10) ________ fatt___ un viaggio in camper con due miei amici. (11) (noi) ________ partit___ da Ancona con il traghetto, (12) ________ attraversat___ la Grecia e (13) ________ arrivat___ fino a Istambul. (14) ________ stat___ una bellissima vacanza, la Turchia mi (15) ________ piaciut___ molto, ma spero di poter tornare il prossimo anno perché non (noi) (16) ________ riuscit___ a visitare la Cappadocia che dev'essere bellissima.

E9,10 →

Verbi con *essere* e *avere*

2e Completa le frasi con il passato prossimo dei verbi finire, cominciare / iniziare, cambiare, diminuire, aumentare.

Quando **ho finito** la scuola superiore ho deciso di viaggiare un po'.
Adesso che il campo **è finito** sono tornata a casa per i miei studi.

1. Il mio corso di italiano _________________ da una settimana.
2. Paolo _________________ casa, adesso abita vicino a me.
3. Ieri pioveva, ma oggi il tempo _________________: finalmente c'è il sole!
4. Ieri sera sono tornata tardi perché il film _________________ a mezzanotte.
5. Una volta viaggiare in aereo era molto costoso, ma oggi i prezzi _________________.
6. Ieri sera _________________ di leggere un libro di Camilleri.
7. Quando _________________ a studiare il cinese?
8. Il numero di stranieri in Italia _________________ negli ultimi anni.

Alcuni verbi, come per esempio *cominciare / finire, salire / scendere, aumentare / diminuire, girare, cambiare*, possono essere usati in modo transitivo (con l'ausiliare *avere*) o intransitivo (con l'ausiliare *essere*), a seconda del contesto e del significato.

2f Completa le frasi con l'ausiliare essere o avere.

Ho perso il treno delle 19 e così
- ho dovuto prendere quello delle 19:45 (prendere → **ho** preso)
- sono dovuto tornare con il pullman (tornare → **sono** tornato)

1. Non _________________ potuto cenare perché _________________ dovuti andare a prendere Matteo che è arrivato in aeroporto alle 20.
2. Jenny non _________________ potuta venire al cinema perché stava preparando un esame e _________________ dovuto studiare fino a tardi.
3. Lo scorso week-end siamo andati a Rimini, ma Terry e Paolo non _________________ voluti venire perché non amano la vita da spiaggia.
4. Abbiamo comperato via Internet un biglietto per il concerto di Carmen Consoli ma non _________________ potuti entrare perché c'era troppa gente, così (loro) _________________ dovuto restituirci i soldi.
5. Non _________________ potuto prendere la macchina perché era dal meccanico, così _________________ dovuto rientrare a piedi.
6. Giacomo ci ha invitati a restare da lui a dormire, ma non _________________ voluto disturbarlo e così siamo andati in albergo.
7. Per lavoro ho molti contatti con delle aziende austriache, così mi _________________ dovuto iscrivere a un corso di tedesco.

I verbi *volere, potere, dovere* hanno l'ausiliare richiesto dal verbo che segue.

grammatica

L'imperfetto

**3a Rileggi il racconto di Susan a pagina 12 e cerchia i verbi all'imperfetto.
Trova almeno tre esempi di imperfetto usato per:**

descrivere una situazione, stati fisici o psicologici: ________ ________ ________

raccontare fatti del passato che si ripetono con abitudine: ________ ________ ________

**3b Trasforma all'imperfetto il racconto di Vito, un ragazzo italiano che ha lavorato per un periodo a Devon, in Inghilterra. Lascia invariate le parti in corsivo.
Rifletti su come cambia il significato del testo.**

All'inizio la cosa che mi è mancata di più è la cucina italiana. *Non sapevo cucinare*, così sono andato al ristorante, sperando di mangiare qualche specialità locale, e invece mi hanno proposto un bel piatto di spaghetti alla bolognese per l'equivalente di 10 euro! E non ci hanno messo nemmeno il parmigiano, ma solo una specie di emmenthal grattugiato! Sigh, quanto ho rimpianto la cucina della mia mamma, le sue melanzane alla parmigiana e i suoi spaghetti al dente!
Così per consolarmi ho preso una bella bottiglia di vino e ho speso un capitale. Ma il momento più difficile è stato quello del caffè, quando mi hanno chiesto: "*small, large or supersized?*". Ovviamente l'ho chiesto small, ma non ho capito bene la differenza, perché il caffè *era sempre* lo stesso (molto acquoso), solo la quantità *era diversa*. Perché allora non hanno chiesto: "Poco, tanto o tantissimo?"
Ma tutto questo a qualcosa è servito: ho imparato a cucinare!

3c Scrivi una lettera a un blog di viaggiatori per raccontare il tuo primo viaggio all'estero. Racconta che cosa ti ha colpito di più, se parlavi/capivi la lingua (o come cercavi di spiegarti), quali sono state le tue difficoltà.

pronuncia

L'accento di parola

CD1 t.3

**1a Leggi le parole, dividile in sillabe e sottolinea la sillaba accentata.
Poi ascolta e controlla.**

1. <u>es</u>tero	**5.** Svizzera	**9.** continente
2. straniero	**6.** residenti	**10.** Sicilia
3. Paese	**7.** sondaggio	**11.** indagine
4. Europa	**8.** città	**12.** Austria

pronuncia

CD 1 t.4

1b Ascolta le parole e indica a quale schema corrispondono.
I pallini rappresentano le sillabe; il pallino grosso è la sillaba accentata.

	|· ● ·| (es: Sicilia)	|· · ● ·| (es: residenti)	|● · ·| (es: Svizzera)	|· ● · ·| (es: indagine)	|· ●| (es: città)
1.					
2.					
3.					
4.					
5.					
6.					
7.					
8					
9.					
10.					
11.					
12.					

1c Leggi queste parole di tre sillabe e dividi quelle che hanno l'accento sulla seconda sillaba, come in Sicilia |· ● ·| da quelle che hanno l'accento sulla prima sillaba, come in Svizzera |● · ·|.

giornale, lavoro, numero, armadio, tavolo, dodici, biglietto, bandiera, chiacchiere, vendere

|· ● ·|	|● · ·|

CD 1 t.5

1d Leggi le diverse voci di questi verbi e sottolinea la sillaba accentata. Poi ascolta e controlla.

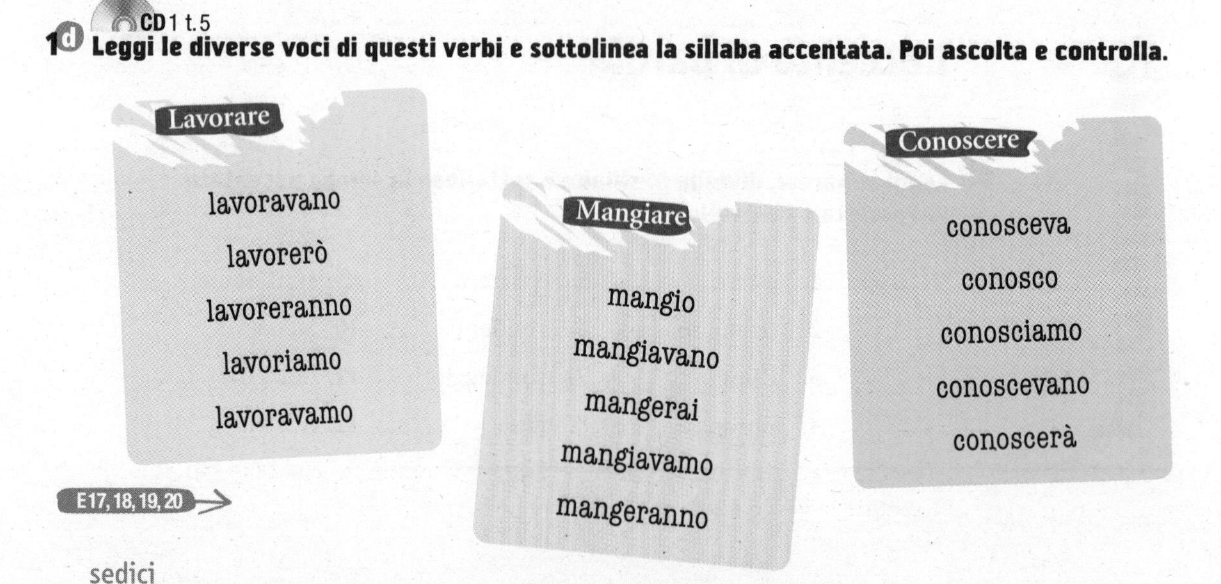

E17, 18, 19, 20

produzione libera

1 Il sito di Italy Fun Club

A gruppi. Con alcuni amici hai deciso di creare un Italy Fan Club su Internet. Decidete insieme come sarà la *home page* del vostro sito (colori, grafica, immagini) e scrivete un testo per mettere in evidenza gli aspetti che più amate dell'Italia.

2 Gioco. A come...

A gruppi di tre. Preparate un foglio con una tabella come quella disegnata sotto. Poi seguite le istruzioni dell'insegnante.

lettera	città	artista / opera d'arte	cibo / piatto	oggetto	professione
A	Asti	Asia Argento	Arance	Armadio	Architetto

3 Corsi di italiano per stranieri

Stai per partire per un soggiorno di sei mesi a Urbino per lavoro e hai saputo che la scuola "Lingua Viva" organizza dei corsi di italiano per stranieri.
Scrivi un e-mail alla segreteria per chiedere informazioni sulla durata dei corsi, le ore di lezione giornaliere, le soluzioni per l'alloggio, i costi.

Da:
Oggetto: corso di italiano per stranieri Linguaviva@libero.it

Egregi signori,

____

____

____

____

Vi ringrazio per l'attenzione.
Cordiali saluti,

____

4 Gioco. Gli stereotipi

Leggete cosa dicono alcuni ragazzi stranieri dei turisti italiani.

I turisti italiani si riconoscono perché...

E voi da cosa riconoscete i turisti italiani nel vostro Paese?
Giocate ora a riconoscere gli stereotipi sugli stranieri. Dividetevi in due squadre e seguite le istruzioni dell'insegnante.

Italiani celebri nel mondo

1a Leggi questa notizia e svolgi le attività.

Eco, Fo e Muti meritano il nome di una via

Perché intitolare le strade solo ai morti? L'assessore alla cultura di Milano, Vittorio Sgarbi, sta lavorando all'ipotesi di dedicare vie, ma anche parchi, a "viventi già immortali", personaggi celebri, vivi e vegeti, entrati nella storia, magari anche premi Nobel. E snocciola qualche nome che ha in mente: Dario Fo, il maestro Riccardo Muti, Umberto Eco.

(Da "La Repubblica", 10-11-2006)

1. Di che iniziativa si tratta?
2. In piccoli gruppi. Fate una lista di personaggi famosi italiani (contemporanei) e sceglietene tre che secondo voi meriterebbero il nome di una via.
   Poi confrontatevi con il resto della classe.

2a Leggi le biografie di tre italiani celebri. Fai una prima lettura e di' a quale campo della cultura appartengono questi personaggi scegliendo tra:
cinema, teatro, letteratura, scienza, musica, danza.

1. ____________________
2. ____________________
3. ____________________

Riccardo Muti è nato a Napoli il 28 luglio 1941 ed è tra i più richiesti direttori d'orchestra del mondo. Dopo gli studi universitari presso la facoltà di Filosofia, si diploma in pianoforte al Conservatorio di Napoli e poi in composizione e direzione d'orchestra al Conservatorio di Milano. Nel '68 debutta nella direzione del Maggio Musicale Fiorentino conservandola sino all'80. Nel '71 esordisce al Mozart Festival di Salisburgo e da allora la manifestazione austriaca è una sua tappa fissa. Nel '72 diventa direttore musicale della Philharmonia Orchestra di Londra e dall'80 al '92 svolge lo stesso ruolo presso la Philadelphia Orchestra negli Stati Uniti. Poi, nell'86, è chiamato come direttore musicale al Teatro alla Scala di Milano che dirigerà fino al 2005. Nel 1988 dirige a Parigi, nella Cattedrale di Notre Dame, la *Messa da Requiem* di Giuseppe Verdi, divenuta insieme a *La traviata* emblema del Teatro alla Scala nel mondo. Grande interprete anche di Mozart, è stato spesso ospite del festival di Salisburgo, della Filarmonica di Berlino e della Filarmonica di Vienna dove ha diretto diversi Concerti di Capodanno.

Riccardo Muti

Rita Levi Montalcini nasce nel 1909 a Torino e si laurea in Medicina nel 1936.
Fin dai primi anni universitari si dedica agli studi sul sistema nervoso che poi seguirà per tutta la sua vita, salvo alcune brevi interruzioni nel periodo della seconda guerra mondiale. Nel 1938, infatti, in quanto ebrea, è costretta dalle leggi razziali del regime fascista a emigrare in Belgio, dove continua comunque le sue ricerche in un laboratorio casalingo.
Nel 1947 accetta l'invito a proseguire le sue ricerche in America presso la Washington University dove diventa docente di Neurologia. Per trent'anni Rita Levi Montalcini vive negli Stati Uniti completamente dedita alla ricerca e giunge alla scoperta di una proteina, il fattore di crescita delle cellule nervose.
La sua attività di scienziata le porta innumerevoli riconoscimenti a livello internazionale e nel 1986 il conferimento del Premio Nobel per la Medicina.
Componente del CNR (Centro Nazionale di Ricerca), attualmente si dedica a tempo pieno alla ricerca presso il laboratorio di biologia cellulare.
Dal 2001 è stata nominata Senatore a vita. È inoltre da sempre attiva in campagne di interesse sociale, per esempio contro le mine anti-uomo e per la formazione e l'educazione dei giovani (in particolare delle studentesse africane a livello universitario).

Rita Levi Montalcini

Umberto Eco, critico, saggista, scrittore e semiologo di fama internazionale, è nato ad Alessandria il 5 gennaio 1932. Dopo aver lavorato alla Rai, nel 1963 ha iniziato la sua carriera universitaria che negli anni gli farà ottenere cattedre in diverse città italiane (Milano, Firenze e infine Bologna) e molti titoli onorifici da parte delle università di tutto il mondo, presso le quali ha tenuto diversi corsi. Dal 1999 a oggi è presidente della Scuola superiore di studi umanistici presso l'Università di Bologna. Numerose inoltre sono le sue collaborazioni a quotidiani, a settimanali e a periodici artistici e intellettuali. Come saggista, ha svolto indagini in molteplici direzioni: sulla comunicazione di massa, sulla cultura di consumo ecc.
Nel 1980 esordisce nel campo della narrativa con il romanzo dal clamoroso successo internazionale, tradotto in trentadue lingue, *Il nome della rosa* (un giallo ambientato nel Medioevo, in un monastero benedettino dell'Italia settentrionale). Ne seguono altri, altrettanto campioni di incassi: *Il pendolo di Foucault*, *L'isola del giorno prima*, *Baudolino*.
Appassionato di *birdwatching*, Eco è anche un bondologo, cioè un esperto di James Bond, e si interessa di Esperanto, la lingua ausiliaria internazionale più parlata al mondo.

Umberto Eco

2b Rileggi le biografie una seconda volta per completare la tabella che segue. Sottolinea anche i riconoscimenti nazionali e internazionali che ciascun personaggio ha ricevuto.

	R. Muti	R.L. Montalcini	U. Eco
regione d'origine			
professione			
attività all'estero			
passioni			

2c Fai una ricerca su Internet su uno dei personaggi italiani famosi che avete scelto nell'esercizio 1a e poi presentalo alla classe.

2d Con la classe. A che personaggio contemporaneo del tuo paese dedicheresti il nome di una via?

2 unità Che cosa è successo?

In questa unità impari a raccontare dei fatti di cronaca e a descrivere persone e stati d'animo.

per cominciare

● **Osserva i disegni e spiega che cosa è successo.**

● **Leggi questi titoli di cronaca e prova a immaginare di che cosa parlano gli articoli.**

Si getta dal ponte, ritrovato il cadavere

NASSIRIYA, ALTRA BOMBA CONTRO GLI ITALIANI

Beckham, follie milionarie per Victoria

L'ITALIA C'È, BATTUTA LA GEORGIA

Ma che cosa è successo?

CD1 t.6

1a Ascolta il dialogo e metti in ordine le vignette.

a. ☐

b. ☐

c. ☐

d. ☐

e. ☐

f. ☐

1b Vero o falso?

	V	F
1. Un amico di Angela ha avuto un incidente in motorino.	☐	☐
2. Angela sta andando al lavoro.	☐	☐
3. Angela si è tolta lo zainetto per rispondere al telefono.	☐	☐
4. Angela aveva nel portafogli il bancomat di suo fratello.	☐	☐
5. Stefano le aveva appena regalato una collana e degli orecchini.	☐	☐
6. Stefano è sempre molto gentile e comprensivo.	☐	☐

1c Indica almeno cinque oggetti che Angela aveva nello zaino.

1d In coppia. Immagina di essere Angela e di raccontare alla polizia quello che ti è successo.

E2 →

per capire

I fatti di cronaca

2a Leggi rapidamente la prima parte delle notizie di cronaca e abbinala alla conclusione dei rispettivi articoli.

1. SHOPPING PER 7MILA EURO CON CARTE CLONATE: ARRESTATI
Sono arrivati alla cassa con un telefonino satellitare e due computer portatili.
Poi hanno tentato di pagare il tutto - 7mila euro di merce - con una carta VISA clonata.

2. INCIDENTE IN A4: CHIUSA PER UN'ORA
Ieri pomeriggio, intorno alle 14:40, il tamponamento tra quattro mezzi pesanti ha provocato la chiusura del tratto autostradale tra Vicenza e Montebello.

3. FURTO ALLE POSTE
Furto da 35.000 euro alle poste di via Sorelle Girelli. Il furto è avvenuto probabilmente nella notte tra giovedì e venerdì, ma è stato scoperto soltanto lunedì al rientro dal fine settimana dai dipendenti.

4. VALANGA A CORTINA: UN MORTO E UN FERITO
Tragedia sulla neve ieri a Cortina. Due giovani che sciavano fuori pista sono stati travolti da una valanga: uno è morto, mentre l'amico è ricoverato in ospedale.

5. CANE ABBANDONATO SU UN INTERCITY
Dopo gli abbandoni in autostrada, quelli in treno: sabato sera qualcuno è salito sull'Intercity Lecce-Torino delle 20 all'altezza di Bari, e prima che il treno partisse, ha lasciato il cane legato con il guinzaglio all'appendiabiti.

a. Il colpo è stato organizzato nei minimi particolari: i ladri avevano scelto la data con cura (lunedì erano previsti i pagamenti delle pensioni) e studiato nei dettagli il percorso per la fuga. Un'operazione durata probabilmente in tutto un paio d'ore, senza che nessuno potesse accorgersi di nulla.

b. Secondo gli uomini del soccorso alpino è stata l'imprudenza a provocare la disgrazia: la temperatura, già piuttosto elevata per la stagione, era progressivamente aumentata con il passare delle ore, provocando l'instabilità del manto nevoso. L'incidente è avvenuto alle 12:45: i due sciatori erano partiti dal Passo delle Tre Croci e stavano per raggiungere la Forcella del Cristallo, quando improvvisamente si è staccata una massa di neve che li ha trascinati verso il basso per più di 300 metri.

c. Un'autocisterna che trasportava Gpl (e quindi ad alto rischio di esplosione) e viaggiava in direzione Verona è finita contro il camion che la precedeva, provocando l'urto a catena con altri due TIR. Ferito grave il conducente dell'autobotte, M.F., 41 anni di Vicenza, che è stato soccorso dalla polizia stradale e ricoverato in prognosi riservata.

d. Per quasi un'ora il povero animale - di circa un anno, bianco con lunghe orecchie e il muso nero - è rimasto così, poi, vicino alla stazione di Foggia, un viaggiatore si è accorto di quel "particolare" passeggero solitario e lo ha segnalato al personale di Trenitalia.
Il cucciolo è stato ora affidato alle cure del canile municipale di Foggia.

e. Ma la cassiera, insospettita dall'aspetto trasandato dei due clienti, ha chiamato i carabinieri. I due, un 27enne e una 30enne della provincia di Vercelli, sono stati portati in caserma e perquisiti: avevano in totale 9 carte di credito false. Entrambi sono stati arrestati per tentata truffa.

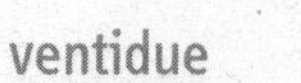

per capire

2b In coppia. Rileggi gli articoli e racconta a un compagno le notizie che hai letto. Insieme completate la griglia.

	chi?	che cosa?	dove?	quando?
1.				
2.				
3.				
4.				
5.				

Parole nuove

	Significato	Esempio	Note

E1, 3, 19 →

Confronto fra culture

Cani abbandonati

La Lega Anti Vivisezione calcola che circa centomila cani e cinquantamila gatti vengono abbandonati ogni anno, soprattutto durante il periodo estivo.

- Com'è la situazione nel tuo Paese? Gli animali sono rispettati e protetti?
- Esiste il fenomeno dell'abbandono degli animali durante l'estate (il periodo delle vacanze)?
- Ci sono delle campagne pubblicitarie (come quelle nelle immagini) per combattere questo problema?
- Ci sono delle associazioni per la protezione degli animali?

La legge 189 del 2004 prevede pene più severe contro chi abbandona, maltratta o uccide animali. In particolare sono puniti:
- l'abbandono (arresto fino a un anno o multa da 1.000 a 10.000 euro);
- il maltrattamento (arresto da tre mesi a un anno o multa da 3.000 a 15.000 euro);
- l'impiego di animali in competizioni o combattimenti clandestini (reclusione da uno a tre anni e multa da 5.000 a 160.000 euro);
- la produzione, commercializzazione e importazione di pelli di cani o gatti (arresto da tre mesi a un anno o multa da 5.000 a 100.000 euro).

Per l'applicazione della legge è stato creato un coordinamento interforze tra Polizia di Stato, Carabinieri, Guardia di Finanza, Corpo Forestale dello Stato e Polizie municipali e provinciali, che possono contare sulla collaborazione delle associazioni per la difesa dei diritti degli animali (ENPA, LAV, WWF Italia).

lessico

Le parole della cronaca nera

1a Scegli la definizione più adatta per questi fatti di cronaca.

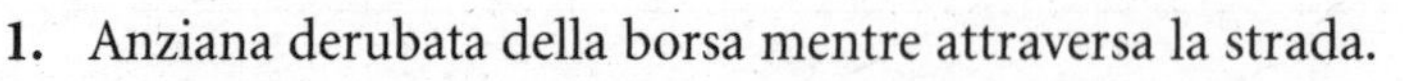

incidente stradale furto truffa scippo arresto disgrazia

1. Anziana derubata della borsa mentre attraversa la strada.
2. Tamponamento tra due auto all'incrocio di Piazza Dante.
3. Catturati i ladri che ieri hanno rapinato la Banca Popolare.
4. Falso postino si fa pagare per la consegna di pacchi vuoti.
5. Bambino investito sulle strisce pedonali: si cerca il conducente dell'auto.
6. Operaio siciliano muore per salvare due bambini travolti dalle onde del mare.
7. In manette una banda di ladri specializzata in furti in appartamento.
8. Acquista una vacanza su Internet per 2000 euro, ma l'agenzia di viaggi non esiste.
9. Computer rubati nella notte in un negozio del centro.
10. Antiquario di Treviso imbrogliato da un cliente: il quadro era falso.
11. Alpinista colpito da un fulmine durante un temporale.

1b Per ciascun nome trova il verbo corrispondente.

rapina -> rapinare

1. scippo	______	5. sospetto	______
2. tamponamento	______	6. truffa	______
3. incendio	______	7. morte	______
4. arresto	______	8. ferimento	______

Estate: rischio "topi d'appartamento"

1c Stai per ascoltare l'intervista a un vice-questore di polizia che dà consigli per difendersi dai furti in appartamento durante l'estate. Che consigli pensi che darà?

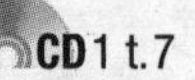

CD1 t.7

1d Ascolta l'intervista almeno due volte e indica quali sono i consigli dati dalla polizia e quali dai conduttori della trasmissione radiofonica.

	polizia	conduttori
1. Non dire sulla propria segreteria telefonica che si è in vacanza.		
2. Non lasciare la posta accumulata nella cassetta.		
3. Chiedere a qualcuno di aprire le finestre per far credere che si è in casa.		
4. Mettere degli allarmi.		
5. Chiedere ai vicini di controllare la casa.		
6. Blindare le porte e le finestre soprattutto ai piani bassi.		

Hanno mai rubato nella tua casa?
Che cosa fai per proteggere la tua casa dai furti quando parti per lunghi periodi?
Confrontati con un compagno.

E4,5

Descrivere una persona

L'abbigliamento e l'aspetto

CD1 t.8

2a Ascolta la descrizione che la cassiera ha fatto dei due truffatori che facevano acquisti con carte clonate (articolo n. 1, esercizio 2a, p. 22) e completa il testo.

Li avevo già notati mentre giravano per il negozio e quando sono arrivati alla cassa mi sono insospettita perché non avevano l'aria di due che possono spendere tutti quei soldi in una volta sola. Avevano un (1) ____________ trasandato, soprattutto il ragazzo aveva la (2) ____________ (3) ____________ e i (4) ____________ (5) ____________, sporchi; portava un vecchio (6) ____________ (7) ____________ e dei (8) ____________ (9) ____________. La ragazza invece alla prima occhiata sembrava più curata: portava i (10) ____________ (11) ____________, le unghie con lo (12) ____________ e aveva un completo (13) ____________ e (14) ____________ abbastanza (15) ____________ che però era piuttosto sciupato e poco (16) ____________. E poi aveva l'aria spaventata, sembrava a disagio e teneva gli (17) ____________ bassi.

2b L'interrogatorio. Hai partecipato a una festa di VIP durante la quale è stato rubato un diamante di grande valore. Un poliziotto interroga anche te: "Ha notato dei personaggi strani?".

In coppia. L'interrogato (studente A) risponde descrivendo due di questi personaggi; il poliziotto (studente B) prende appunti e può fare altre domande. Poi scambiatevi i ruoli. Alla fine dell'interrogatorio scrivete insieme una relazione per il commissario di polizia.

2c E tu? Com'eri vestito l'ultima volta che sei andato a una festa?

E6 →

La personalità

2d Leggi quello che Angela e Sabina dicono di Stefano (*Per capire*, 1a) e sottolinea gli aggettivi.

- ● Dici sempre che è una persona chiusa, un po' brusca...
- ○ Sì, è un po' "orso"...
- ● E invece è stato comprensivo, rassicurante...

Collega gli aggettivi con le definizioni.

Una persona	brusca chiusa comprensiva rassicurante	è una persona	1. riservata, che non comunica facilmente. 2. che aiuta gli altri a sentirsi tranquilli. 3. che cerca di capire gli altri. 4. dai modi poco gentili.

2e Che cosa diciamo di una persona che...

1. dà facilmente agli altri quello che ha → generosa
2. pensa solo a se stessa → ______
3. non è molto interessante, fa o dice sempre le stesse cose → ______
4. non è sincera → ______
5. ha molta fantasia → ______
6. non ha voglia di fare fatica, di prendersi impegni → ______
7. piace, ha fascino → ______
8. È chiusa, arrossisce facilmente → ______

2f Leggi una prima volta l'articolo e abbina i titoli alle descrizioni.

1. Non è un pesce fuor d'acqua

2. Un compagno da prendere al volo

3. Fedele come un cagnolino

4. Chiamalo, sarà il tuo micione

ATTRAZIONE BESTIALE

Il tuo partner adora gli animali: e questa è già una buona notizia. Ma può essere utile sapere che, dall'animale che preferisce, puoi capire i lati nascosti del suo carattere. Ecco qualche esempio.

______

Generoso, affettuoso e affidabile, il tuo partner ama prendersi cura degli altri e non teme di assumersi le sue reponsabilità.
Sicuro e tranquillo, non perde mai la calma. Hai paura che sia un po' noioso? Non è detto, se preferisce i pit-bull ai barboncini!

______

Sexy, affascinante e indipendente. Ama fare la corte, ma vuole anche essere corteggiato. È pigro ed è difficile che faccia il primo passo. Però può diventare il compagno perfetto: non è invadente né oppressivo e cerca un rapporto alla pari. Occhio, però, a non farlo mai sentire in trappola, va su tutte le furie e tira fuori le unghie.

______

Il tuo partner è un amante del bello: sceglie l'acquario perché dà colore e allegria alla sua casa. È attento all'immagine ed è anche una persona creativa e ricca di fantasia. Rovescio della medaglia: potrebbe essere poco portato per i rapporti seri e duraturi, visto che ha scelto gli animali che richiedono meno cure e impegno.

______

I canarini ispirano tenerezza. Infatti lui/lei ha un animo sensibile e apprezza l'arte e la poesia.
È idealista e con gli altri creca un contatto vero, intimo. Però ama le gabbie: quindi è un po' egoista, e forse anche un po' geloso/a, e vorrebbe tenerti sotto controllo. Sì, in fondo è un insicuro/a e ha tanta paura di vederti scappare via.

lessico

2g Rileggi l'articolo e sottolinea gli aggettivi e le espressioni che si riferiscono alla personalità. Scrivi nei box quelli che ti sembrano positivi (qualità) e quelli che invece secondo te sono negativi (difetti). Aggiungi alla lista altre qualità e difetti che conosci.

Qualità

Difetti

Quali qualità dovrebbe avere il tuo partner? Quali difetti ti sembrano più gravi? Confrontati con un compagno.

2h In coppia. Provate a spiegare con degli esempi il significato di questi aggettivi.

Com'è una persona...?

● Indipendente ○ È libera, autonoma, non si lascia influenzare dagli altri.

1. sensibile
2. idealista
3. affidabile
4. gelosa
5. insicura
6. invadente

E7

2i Conosci il significato di queste espressioni?

- ☐ 1. fare il primo passo
- ☐ 2. occhio!
- ☐ 3. andare su tutte le furie
- ☐ 4. tirare fuori le unghie
- ☐ 5. essere un pesce fuor d'acqua
- ☐ 6. il rovescio della medaglia
- ☐ 7. essere portato per...

a. La parte meno bella, l'aspetto negativo di una situazione.
b. Mostrarsi aggressivi, anche per difendersi.
c. Essere a disagio (per esempio in mezzo a gente che non si conosce).
d. Prendere per primo l'iniziativa.
e. Fai/fate attenzione!
f. Riuscire bene in qualcosa.
g. Arrabbiarsi violentemente.

2l Scegli tre delle espressioni dell'eserczio 2i e prova a utilizzarle in una frase inventata da te.

2m Pensa alle caratteristiche di una persona che conosci bene e associa questa persona all'animale che più gli assomiglia. Scrivi un breve profilo come negli esempi che hai visto nel testo di p. 26.

Esprimere sentimenti

3a Leggi la lettera che un ragazzo ha scritto a un giornale e il parere di alcuni lettori. Tu cosa ne pensi? Confrontati con un compagno.

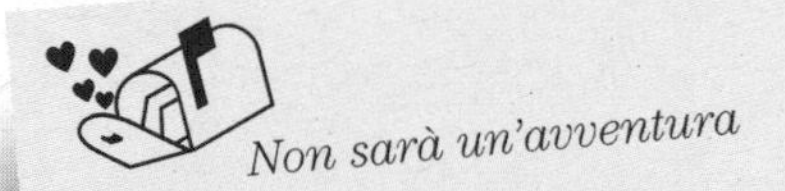

Non sarà un'avventura

L'altra sera, la mia ragazza era particolarmente euforica e mi ha invitato a cena fuori. Era da tempo che non succedeva e ho subito capito che nell'aria c'era qualcosa di speciale. Infatti doveva annunciarmi un'importante novità: aveva appena ottenuto la sudata promozione con relativo aumento di stipendio. Ma a una condizione: quella di trasferirsi nella sede che l'azienda ha in Brasile. Ho cercato di dimostrare tutta la mia gioia e di farle capire che ero molto fiero di lei, ma dentro di me ero un po' arrabbiato, perché capivo che non prendeva nemmeno in considerazione l'idea di rinunciare. La sua decisione era già presa, avrebbe accettato. Ora sono a un bivio "fatale": vivere separati e continuare un amore a distanza, oppure trasferirmi con lei e lasciare la famiglia e gli amici? La mia fidanzata cerca di non pesare sulla mia decisione, ma, nonostante i tanti ragionamenti, ho le idee confuse. Da un lato so che potrei trovare facilmente lavoro laggiù, ma dall'altro l'idea di allontanarmi dalle persone care e sentirmi senza radici in un paese straniero mi terrorizza. Un bel dilemma... voi cosa mi consigliate?

Roberto 85

Il parere dei nostri lettori

Anna, 28 anni: "Devi provare e vedere come va, se no rischi di rimanere con tanti rimpianti."

Giacomo, 25 anni: Io ti capisco, subire le decisioni degli altri fa sentire frustrati e impotenti. Però se ci tieni, ci devi provare.

Andrea, 23 anni: Anch'io sono come te e partire mi spaventa, ma se vai a vivere con lei potrai capire molte cose sul vostro rapporto e chiarirti le idee.

Lia, 27 anni: Il Brasile è dall'altra parte del mondo, mi sembra un cambiamento troppo importante che non hai scelto tu! Non andarci subito, vedi prima come vanno le cose a distanza, poi deciderai.

Barbara, 19 anni: Se hai così paura, forse quello che provi per lei non è così forte.

3b In coppia. Rileggete il testo e sottolineate tutte le espressioni (nomi, verbi) che fanno riferimento a dei sentimenti. Poi, tenendo presente gli stati d'animo descritti nella lettera, provate a immaginare il dialogo tra Roberto e la sua ragazza.

es.: "... la mia ragazza era euforica..." -> *"Ho una splendida notizia riguardo al mio lavoro. Sono felicissima! Dai, ti invito a cena, così ti racconto."*

3c In classe. Recitate il dialogo che avete scritto.

lessico

3d Leggi alcune delle risposte che i lettori di un blog hanno dato alla domanda "Qual è la cosa che vi fa più arrabbiare?"

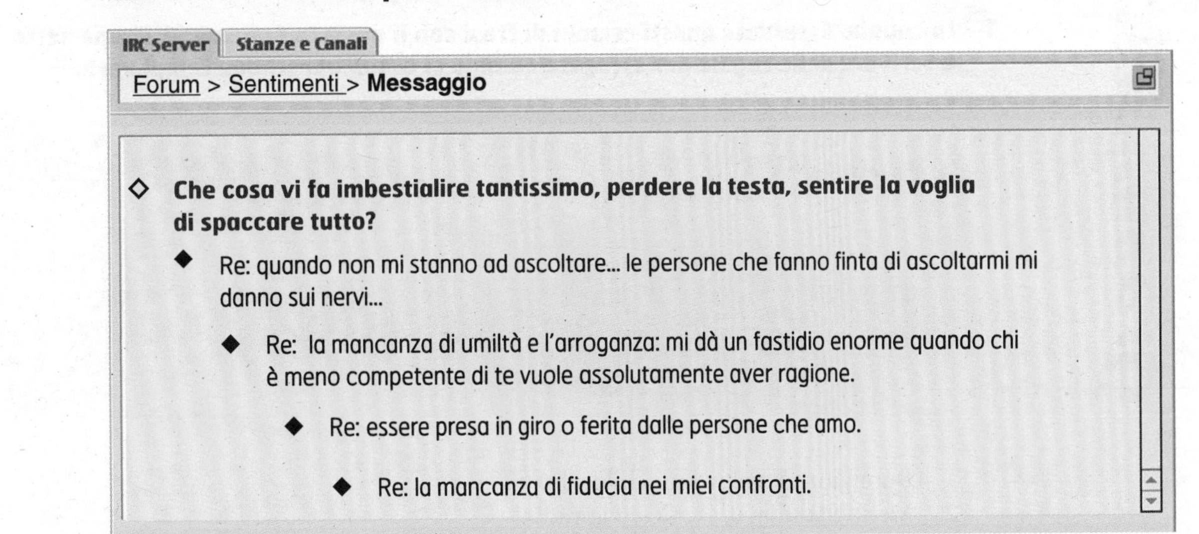

IRC Server | Stanze e Canali

Forum > Sentimenti > **Messaggio**

◇ **Che cosa vi fa imbestialire tantissimo, perdere la testa, sentire la voglia di spaccare tutto?**

- ◆ Re: quando non mi stanno ad ascoltare... le persone che fanno finta di ascoltarmi mi danno sui nervi...
  - ◆ Re: la mancanza di umiltà e l'arroganza: mi dà un fastidio enorme quando chi è meno competente di te vuole assolutamente aver ragione.
    - ◆ Re: essere presa in giro o ferita dalle persone che amo.
      - ◆ Re: la mancanza di fiducia nei miei confronti.

3e E a te? Che cosa ti fa più arrabbiare in queste situazioni? Discutine con un compagno.

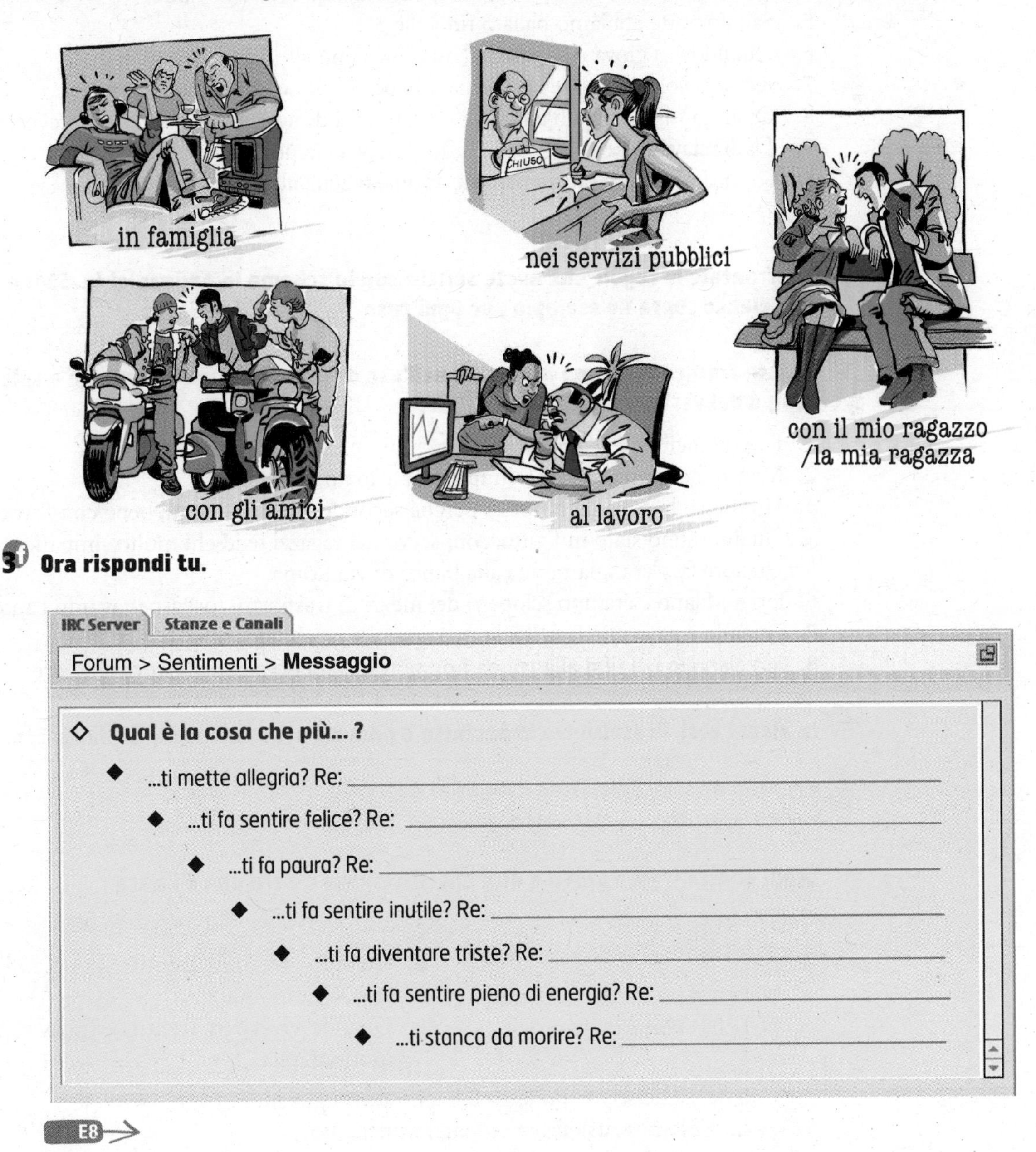

3f Ora rispondi tu.

IRC Server | Stanze e Canali

Forum > Sentimenti > **Messaggio**

◇ **Qual è la cosa che più... ?**

- ◆ ...ti mette allegria? Re: ____________________
  - ◆ ...ti fa sentire felice? Re: ____________________
    - ◆ ...ti fa paura? Re: ____________________
      - ◆ ...ti fa sentire inutile? Re: ____________________
        - ◆ ...ti fa diventare triste? Re: ____________________
          - ◆ ...ti fa sentire pieno di energia? Re: ____________________
            - ◆ ...ti stanca da morire? Re: ____________________

E8→

grammatica

Passato prossimo o imperfetto?

1a In coppia. Osservate questi esempi di frasi con il passato prossimo e l'imperfetto e provate a scrivere delle regole per spiegare quando si usano questi due tempi verbali.

Si usa il passato prossimo quando...

Si usa l'imperfetto quando...

1. Buongiorno, volevo un chilo di pane.
2. Mentre studiavo, ascoltavo la radio.
3. Mentre stiravo, ho visto un bel film.
4. Quando Carlo ha finito l'università, è andato a vivere in Cina.
5. Sabato notte abbiamo ballato fino alle 3.
6. Quando ero giovane, il sabato ballavamo fino alle 3.
7. Ieri sera volevo andare al cinema, ma poi mi sono addormentato.
8. Quando sono arrivato alla festa ero un po' a disagio perché non conoscevo nessuno.
9. I ladri stavano per fuggire, quando è arrivata la polizia.
10. Sono rimasto in Francia per due anni, dal 2002 al 2004.

1b Confrontate le regole che avete scritto con lo schema in Appendici (p. S34) e scegliete dall'elenco sopra un esempio per ogni caso.

1c Queste frasi contengono un errore nell'uso dei tempi dei verbi. Trovalo e spiega perché il tempo del verbo è sbagliato.

1. Dopo l'incidente, l'autostrada era chiusa per tutto il giorno.
2. Mentre ho mangiato, qualcuno mi ha rubato la borsa.
3. Ho messo la collana in borsa, perché secondo me non è stata bene con il vestito che avevo.
4. Quando sono stato in Egitto, conoscevo dei ragazzi tedeschi molto simpatici.
5. Due ore fa, c'era una rapina alla banca di via Roma.
6. Ieri a Milano c'era uno sciopero dei mezzi di trasporto, così aspettavamo l'autobus per un'ora.
7. Quando è nato mio fratello, la mia famiglia ha abitato in Sicilia.
8. Ieri c'era un bel film alla tv, ma non potevo vederlo perché dovevo studiare.

1d In alcuni casi, la scelta tra imperfetto e passato prossimo dipende dall'intenzione di chi parla.

Ieri nevicava. -> descrivo il tempo di ieri.
Ieri ha nevicato. -> racconto qualcosa che è successo ieri.

Leggi queste frasi e prova a dire che differenza c'è tra una e l'altra.

1.
a. Nel 2004 ho abitato a Londra.
b. Nel 2004 abitavo a Londra.

2.
a. Quando vivevo in Trentino, sono andato spesso in montagna.
b. Quando vivevo in Trentino, andavo spesso in montagna.

3.
a. L'estate scorsa ho fatto il bagno tutti i giorni.
b. L'estate scorsa facevo il bagno tutti i giorni.

grammatica

1e Completa le parti mancanti dell'articolo con i verbi al passato prossimo o all'imperfetto.

Tragedia in stazione

Ieri alla stazione di Roccasecca, vicino a Frosinone (*esserci*) (1)__________ un terribile incidente ferroviario: il treno per Campobasso, che (*passare*) (2) __________ dalla stazione a 120 km orari, (*tamponare*) (3) __________ il treno Roma-Cassino che (*essere*) (4) __________ fermo sul binario 2.
Decine di feriti, di cui 11 molto gravi. I due macchinisti del treno Roma-Cassino (*accorgersi*) (5) __________ poco prima dello schianto di ciò che (*stare*) (6) __________ per succedere: (*tirare*) (7) __________ il freno di emergenza e (*correre*) (8) __________ nello scompartimento per gridare ai passeggeri di ripararsi. Ma lo schianto (*essere*) (9) __________ tremendo: alle 14:15 la prima carrozza piomba sull'ultima del treno in partenza, la tampona, si impenna, la schiaccia.
E tra le lamiere restano 59 feriti.
I soccorsi (*arrivare*) (10)__________ in pochi minuti: tre elicotteri dei vigili del fuoco (*trasportare*) (11) __________ i feriti più gravi, mentre le ambulanze (*arrivare*) (12) __________ e (*ripartire*) (13) __________ per gli ospedali di Cassino, Frosinone e Roma.

(Adattato dal "Corriere della Sera", 26-12-05)

E11 →

Il trapassato prossimo

2a Leggi il testo e sottolinea i verbi che esprimono un tempo passato. Qual è il trapassato prossimo? Perché si usa?

L'incidente è avvenuto alle12:45. Due sciatori erano partiti dal Passo delle Tre Croci e stavano raggiungendo la forcella del Cristallo, quando improvvisamente si è staccata una massa di neve che li ha trascinati verso il basso per più di 3 metri.

! Il trapassato prossimo *erano partiti* segnala un'azione avvenuta __________ del fatto che sto raccontando.

Rifletti. Perché in questa parte del dialogo Angela usa il trapassato prossimo?

Mi aveva appena regalato una bellissima collanina di pietre con degli orecchini che avevo visto in una bancarella d'artigianato e mi era tanto piaciuta... una rabbia!!! Avrei voluto metterla subito e invece l'ho messa in borsa, perché secondo me non stava bene con il vestito che avevo. Che cretina!

Come si forma il trapassato prossimo?

____
\+
participio passato

2b Completa le frasi usando il trapassato prossimo come nell'esempio.

Che rabbia! Ieri ho perso l'orologio che Laura (regalare/compleanno). → Che rabbia! Ieri ho perso l'orologio che Laura mi aveva regalato per il mio compleanno.

1. Mi hanno rubato una collana (*ereditare / da mia nonna*).
2. I ladri sono entrati da una finestra che (*aprire / cacciavite*).
3. Ho dimenticato sul treno la sciarpa di seta che (*comprare / Bali*).
4. La polizia ha arrestato lo scippatore che (*derubare / mia vicina di casa*).
5. Quest'estate è venuta a trovarmi un'amica che (*conoscere / Irlanda*).
6. I pompieri hanno finalmente spento l'incendio che (*divampare / nella campagna di Alghero*).
7. Ho perso il portafoglio dove (*mettere / documenti*).

2c Completa il dialogo usando il passato prossimo, l'imperfetto o il trapassato prossimo.

Silvia e Giovanni si incontrano sul portone dell'università.

- ● Ciao Silvia, che faccia! Cosa ti è successo?
- ○ Ho appena avuto un incidente con il motorino, mezz'ora fa, mentre (*salire*) (1) _______________ in Università.
- ● Accidenti, mi dispiace! (*Farsi*) (2) _______________ male?
- ○ Ho battuto il ginocchio, ma credo non sia nulla di grave. Fortunatamente (*mettere*) (3) _______________ questo giaccone da moto che è molto pesante e ho solo qualche graffio sulle mani. La moto però è distrutta.
- ● Ma come (*succedere*) (4) _______________?
- ○ Stavo girando da via Verdi in via Pignolo, ma il ragazzo dietro di me, che (*essere*) (5) _______________ in macchina, ha cercato di superarmi e mi (*fare*) (6) _______________ cadere.
- ● Ma non (*mettere*) (7) _______________ la freccia?
- ○ Sì, ma evidentemente lui non la (*vedere*) (8) _______________. Il peggio è che non si (*fermarsi*) (9) _______________ ad aiutarmi. Io non (*riuscire*) (10) _______________ neanche a tirar su la moto, poi fortunatamente (*arrivare*) (11) _______________ un vigile che mi ha dato una mano.

E12, 13, 14, 15 →

grammatica

Il pronome ci

3a Riguarda il testo a p. 28 e cerca di capire a che cosa si riferisce il pronome ci nelle frasi seguenti.

Giacomo, 25 anni:
Io ti capisco, subire le decisioni degli altri fa sentire frustrati e impotenti. Però se ci tieni, ci devi provare.

Lia, 27 anni:
Il Brasile è dall'altra parte del mondo, mi sembra un cambiamento troppo importante! Non andarci subito, vedi prima come vanno le cose a distanza, poi deciderai.

CI → lì (luogo) / a questo / a lui/a lei

3b Sottolinea le parti della frase a cui si riferisce il pronome ci.

1. Silvia dice che finirà il lavoro per domani, ma io non ci credo.
2. Siete rimasti molto a Berlino? No, ci siamo rimasti solo due giorni.
3. Vai a casa subito? No, ci vado tra una mezz'ora.
4. Pensi ancora a Cecilia? Sì, ci penso sempre, sono ancora innamorato di lei.
5. C'è un concerto di Ligabue, ma non posso andarci, devo finire un lavoro.
6. Se non hai tempo di prenotare il biglietto dell'aereo, ci penso io domattina.

3c Sostituisci le ripetizioni usando il ci.

1. Per me è un'amicizia importante, tengo molto a questa amicizia.
2. È da tempo che non vado al cinema, l'ultima volta sono andato al cinema tre mesi fa.
3. Elena dice che verrà a trovarmi domenica, ma io non credo che verrà a trovarmi domenica.
4. Le vacanze sono un ricordo bellissimo, penso spesso alle vacanze.
5. Bisogna prendere del vino per la festa di stasera, penso io a prendere del vino per la festa di stasera.

E16, 17 →

La forma passiva

4a Osserva queste frasi. Qual è la forma attiva e quale la forma passiva? Qual è il soggetto nella frase 4b? Nelle frasi passive, quale preposizione introduce l'elemento che compie l'azione?

1. **a.** Mi ha raccontato che *hanno rubato la sua bicicletta nuova.*
   b. Mi ha raccontato che *la sua bicicletta nuova è stata rubata.*
2. **a.** *I due rapinatori sono stati arrestati dalla polizia.*
   b. *La polizia ha arrestato i due rapinatori.*
3. **a.** *Questa casa è stata comperata da mio nonno* nel 1930.
   b. *Mio nonno ha comperato questa casa* nel 1930.
4. **a.** *I feriti sono stati ricoverati* all'ospedale di Frosinone.
   b. *Hanno ricoverato i feriti* all'ospedale di Frosinone.

4b Riscrivi queste frasi, tratte dai testi che hai letto, alla forma attiva.

I due giovani sono stati travolti da una valanga. -> Una valanga ha travolto i due giovani.

1. Il conducente dell'autobotte è stato soccorso dalla polizia stradale e ricoverato.
2. I due truffatori sono stati portati in caserma e perquisiti.
3. Entrambi sono stati arrestati.
4. Il furto è stato scoperto soltanto lunedì dai dipendenti.
5. Il colpo è stato organizzato nei minimi particolari.
6. Il cucciolo è stato affidato al canile municipale.

E18 →

pronuncia

Le intonazioni

CD1 t.9

1a Riascolta alcune parti del dialogo (es. 1a, p. 21) e indica che cosa esprimono le esclamazioni.

	sorpresa	disappunto / dispiacere	incertezza	rassegnazione / incoraggiamento
Boh!				
Accidenti!				
Ma va?				
Cavoli!				
Ma no!				
Va be', dai!				
Mah!				

L'accento di parola in frase

CD1 t.10

2a Ascolta questi dialoghi. Segnala con una barra le pause tra i diversi gruppi di parole. Poi riascolta e sottolinea la parola che, in ciascun gruppo, è pronunciata con più forza.

● Ciao Mario, come stai?
○ Non molto bene, ho un gran mal di testa.
● Posso offrirti qualcosa?
○ Ma sì, dai, prendo un caffè lungo. Grazie mille.

● Abita a Torino, tuo fratello Mario?
○ No, adesso vive a Chiasso, in una bella casa con giardino.
● Beato lui!

2b Rileggi i dialoghi facendo attenzione a pronunciare come unità i diversi gruppi di parole.

L'enfasi

CD1 t.11

3a Ascolta le frasi e sottolinea le parole che vengono pronunciate con enfasi.

1. Studia tutti i giorni in biblioteca dalle 2 alle 8.
2. Studia tutti i giorni in biblioteca dalle 2 alle 8.
3. Studia tutti i giorni in biblioteca dalle 2 alle 8.
4. Studia tutti i giorni in biblioteca dalle 2 alle 8.

1. A pranzo mangia sempre due piatti di pasta.
2. A pranzo mangia sempre due piatti di pasta.
3. A pranzo mangia sempre due piatti di pasta.
4. A pranzo mangia sempre due piatti di pasta.

3b In coppia. Lo studente A legge una frase dell'esercizio, mettendo l'enfasi sulle parole sottolineate. Alla fine di ogni frase, lo studente B ripete la parte accentata della frase con un'intonazione di sorpresa, come nell'esempio.

STUDENTE A: Studia tutti i giorni in biblioteca dalle 2 alle 8.
STUDENTE B: Tutti i giorni?

E22, 23 →

produzione libera

1 Fatti di cronaca

Scegli uno dei fatti di cronaca dall'esercizio 1a di p. 24 e scrivi un breve articolo.
Aiutati con le seguenti domande:

chi?
che cosa?
dove?
quando?
perché?

2 Giallo quiz

In coppia. Guardate il giallo a fumetti in Appendici (p. S35).
Perché la giornalista pensa che la signora Crosby abbia mentito?
Descrivete oralmente quello che vedete nei fumetti. Poi scrivete l'articolo che Miss Kelly pubblicherà sul giornale.

3 Caro diario

Leggi l'inizio del film *Pane e tulipani*. Inventa la continuazione della storia e scrivila in prima persona sotto forma di pagina di diario.

Caro Diario,

4 Emozioni

Pensate a qualcosa che vi è successo e che vi ha fatto provare una particolare emozione (paura, gioia, rabbia, tristezza ecc.). Scrivete su un bigliettino una parola chiave associata al fatto (per esempio, se avete paura dei ragni e un giorno ne avete trovato uno proprio sul vostro letto, potrete scrivere semplicemente la parola "ragno").
Poi mettete il bigliettino in una scatola insieme a quelli dei vostri compagni.
A turno, pescate un biglietto e chiedete a chi l'ha scritto di raccontarvi il fatto a cui ha pensato.

Giallo e dintorni

Cronaca e romanzo

CD1 t.12

1a Piero Colaprico è giornalista di cronaca e scrittore. In questa trasmissione radiofonica ("Elementare, Watson", Radio 24, agosto 2004) parla del rapporto tra la cronaca e il romanzo. Ascolta e rispondi.

1. Che cosa deve avere un buon giornalista di cronaca?
   ____
2. Nei romanzi, per che cosa Colaprico si ispira alla sua immaginazione?
   ____
3. Per che cosa è invece molto utile la sua esperienza di giornalista?
   ____
4. Che cosa annota Colaprico nel suo taccuino (block notes)?
   ____
5. Colaprico scrive dei romanzi "gialli": che genere di romanzi pensi che siano?
   ____

Il giallo italiano

2a Ti piace leggere i romanzi polizieschi?

☐ Sì, perché ______________________________
☐ No, preché ______________________________

Nel tuo Paese è molto diffuso?
Conosci alcuni scrittori di romanzi polizieschi?

2b Leggi il testo a p. 37 e poi indica quali di quste caratteristiche hanno i gialli italiani contemporanei.

☐ 1. Sono pubblicati esclusivamente dalla casa editrice Mondadori.
☐ 2. Sono un genere di letteratura popolare praticato da autori poco conosciuti.
☐ 3. Sono attenti alla rappresentazione degli ambienti sociali.
☐ 4. Danno molta importanza alla psicologia dei personaggi.
☐ 5. Hanno delle trame molto complicate.
☐ 6. Usano spesso un linguaggio colloquiale con parole dialettali.
☐ 7. Rappresentano spesso delle realtà regionali.
☐ 8. Sono a volte un mezzo per parlare di problemi storici e sociali.

Detective story, crime fiction, noir, thriller, policier, mistery novel, novela negra: in Italia, semplicemente, "giallo". "Giallo" come il colore di copertina della celeberrima collana della Mondadori, *I libri gialli* appunto, che dal 1929 ha caratterizzato il genere poliziesco nel nostro paese.
"Giallo": un genere nato come forma di letteratura popolare che ha diviso e ancora divide i critici letterari: autori straordinari come Dino Buzzati (1906-1972) e Giorgio Scerbanenco (1911-1969) hanno sofferto a lungo della posizione ostile della critica che li riteneva indegni di un posto nella letteratura. Eppure è proprio a un giallo, secondo molti critici, che è legata la rinascita del romanzo in Italia negli anni '80: è *Il nome della Rosa* (1980) di Umberto Eco, che mostra, dopo Gadda, come la scrittura di genere non debba essere necessariamente di serie B.
La fortuna che il giallo ha conosciuto a partire dagli anni '90 è comprensibile solo alla luce dei molti autori che, con forme e modi diversi, hanno praticato questo genere già dalla fine dell'800, come per esempio Emilio De Marchi (ne *Il cappello del prete*, 1887) o Grazia Deledda (in *Canne al vento*, 1913).
Nel 1957 Carlo Emilio Gadda pubblica un'opera che diventerà un capolavoro letterario: *Quer pasticciaccio brutto de via Merulana*, un giallo "atipico" (la soluzione non viene svelata), caratterizzato da una dettagliata descrizione dell'ambiente della borghesia romana negli anni del fascismo e da un linguaggio espressionistico ricco di commistioni dialettali. Questa attenzione all'ambiente sociale (anche regionale) e l'uso di un linguaggio vicino al parlato e fortemente legato ai dialetti locali sono due aspetti che connoteranno il giallo degli anni '90. Camilleri ne è l'esempio più ovvio (soprattutto ne *La mossa del cavallo* in cui la presenza del dialetto genovese sembra avere anche un risvolto ironico-polemico sul pregiudizio italiano nei confronti dei dialetti meridionali e del siciliano in particolare), ma l'elemento locale è presente anche in molti altri autori, come ad esempio in Marcello Fois che in *Sempre caro* (1998) ha raccontato una storia di delitti nella Sardegna più chiusa e più dura.
Il giorno della civetta (1961) di Leonardo Sciascia, mostra un altro tratto caratteristico del giallo-denuncia italiano, nel quale talvolta si sceglie una struttura come quella del *thriller* per parlare d'altro, della mafia per esempio, oppure della Storia, come nella serie del commissario De Luca (anni '90), di Carlo Lucarelli, ambientata negli anni della Repubblica di Salò e del dopoguerra.
La fortuna del romanzo giallo ha notevolmente influenzato anche la produzione televisiva, che negli ultimi anni ha affiancato ai telefilm gialli più famosi (*Il tenente Colombo*, *L'ispettore Derrik*, *La signora in giallo*, *Rex*) alcune fortunate serie televisive di genere poliziesco (*Distretto di Polizia*, *La Squadra*, *Don Matteo*). Tra i personaggi ispirati alla letteratura, il più famoso e amato è certamente il Commissario Montalbano, poliziotto siciliano protagonista di molti romanzi e racconti di Andrea Camilleri.

2c Trova nel testo un esempio di un romanzo o autore per ciascuna delle caratteristiche che hai individuato in 2b.

2d Quali delle serie televisive citate nell'ultima parte del testo sono conosciute anche nel tuo Paese?

2e Discutete in gruppo.

1. Quali scrittori italiani conoscete?
2. Che tipo di libri preferite leggere (saggi, poesia, romanzi d'avventura, di fantascenza, storici, biografie, autobiografie)?
3. Qual è il vosto autore preferito?

3 unità

Io vorrei andare in Sardegna, ma...

In questa unità impari a parlare di viaggi e vacanze al mare e in montagna, a fare ipotesi e a dare consigli.

per cominciare

Che cosa fai quando devi organizzare una vacanza?

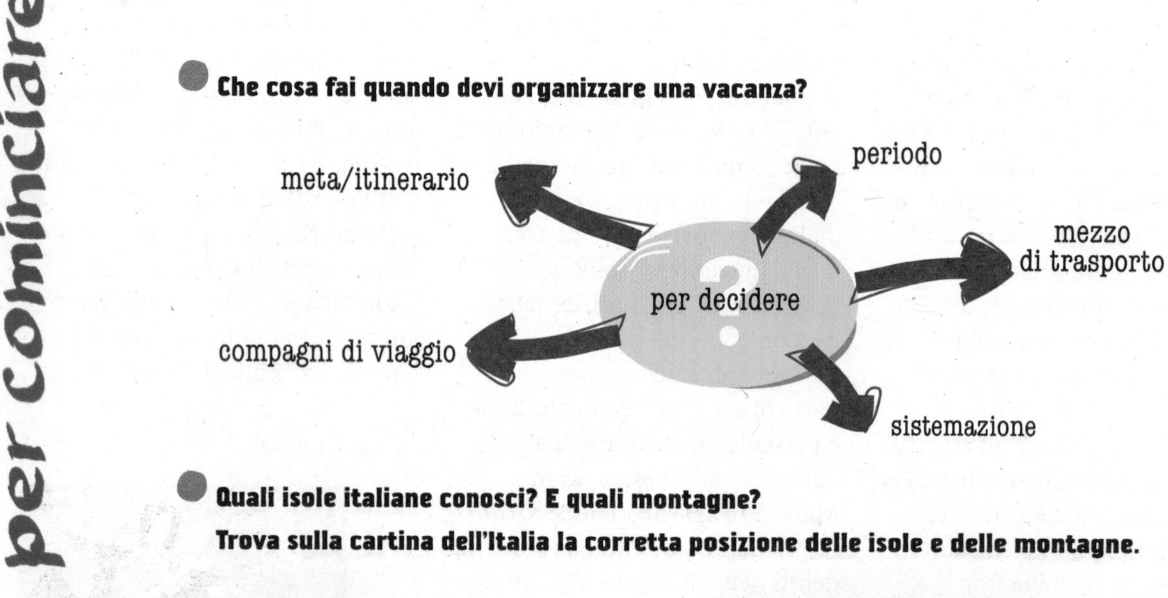

Quali isole italiane conosci? E quali montagne?
Trova sulla cartina dell'Italia la corretta posizione delle isole e delle montagne.

per capire

Io vorrei andare in Sardegna

1a Estate, tempo di vacanze. Molti italiani vanno in villeggiatura in Sardegna: conosci quest'isola?

Secondo te che tipo di vacanza si può fare in Sardegna?

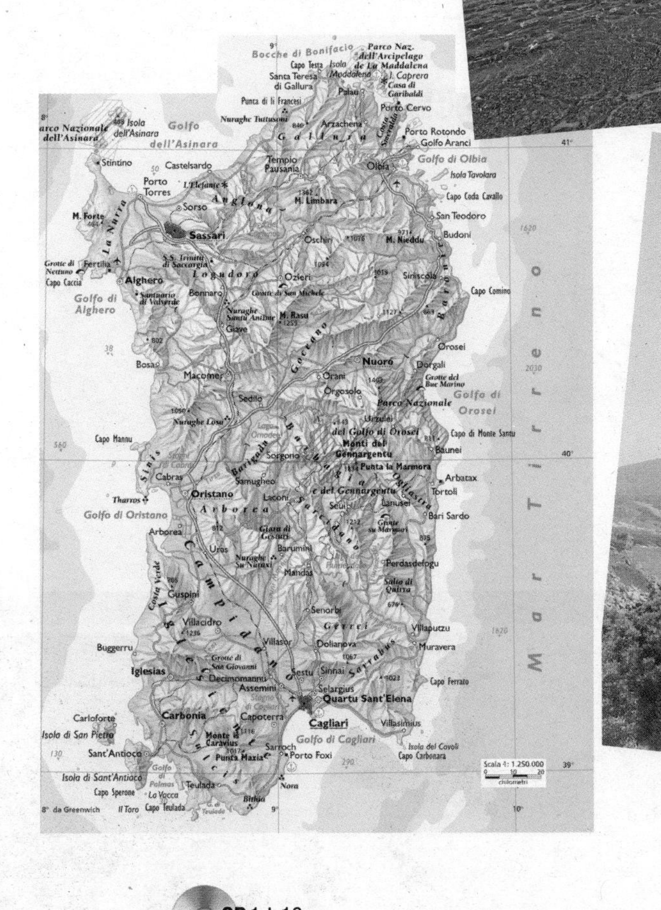

CD 1 t. 13

1b Ascolta la conversazione tra Silvia e Gianna e rispondi alle domande.

Vero o falso?

	V	F
1. Silvia è stata in vacanza per due settimane.	☐	☐
2. Gianna e Ivo trascorreranno il Ferragosto in Liguria.	☐	☐
3. Gianna e Ivo andranno in vacanza con altri amici.	☐	☐
4. Gli amici di Gianna non amano molto la bicicletta.	☐	☐
5. Anche a Silvia piacerebbe molto andare in bicicletta in Sardegna.	☐	☐
6. La sorella di Silvia andrà in vacanza all'isola d'Elba.	☐	☐
7. Gianna apprezza il consiglio di Silvia.	☐	☐
8. Gianna non è mai stata all'isola d'Elba.	☐	☐

1c Riascolta il dialogo e inserisci nei box i vantaggi e gli svantaggi, se ci sono, delle vacanze in Sardegna e di quelle all'Elba. Poi confronta le tue risposte con quelle di un compagno.

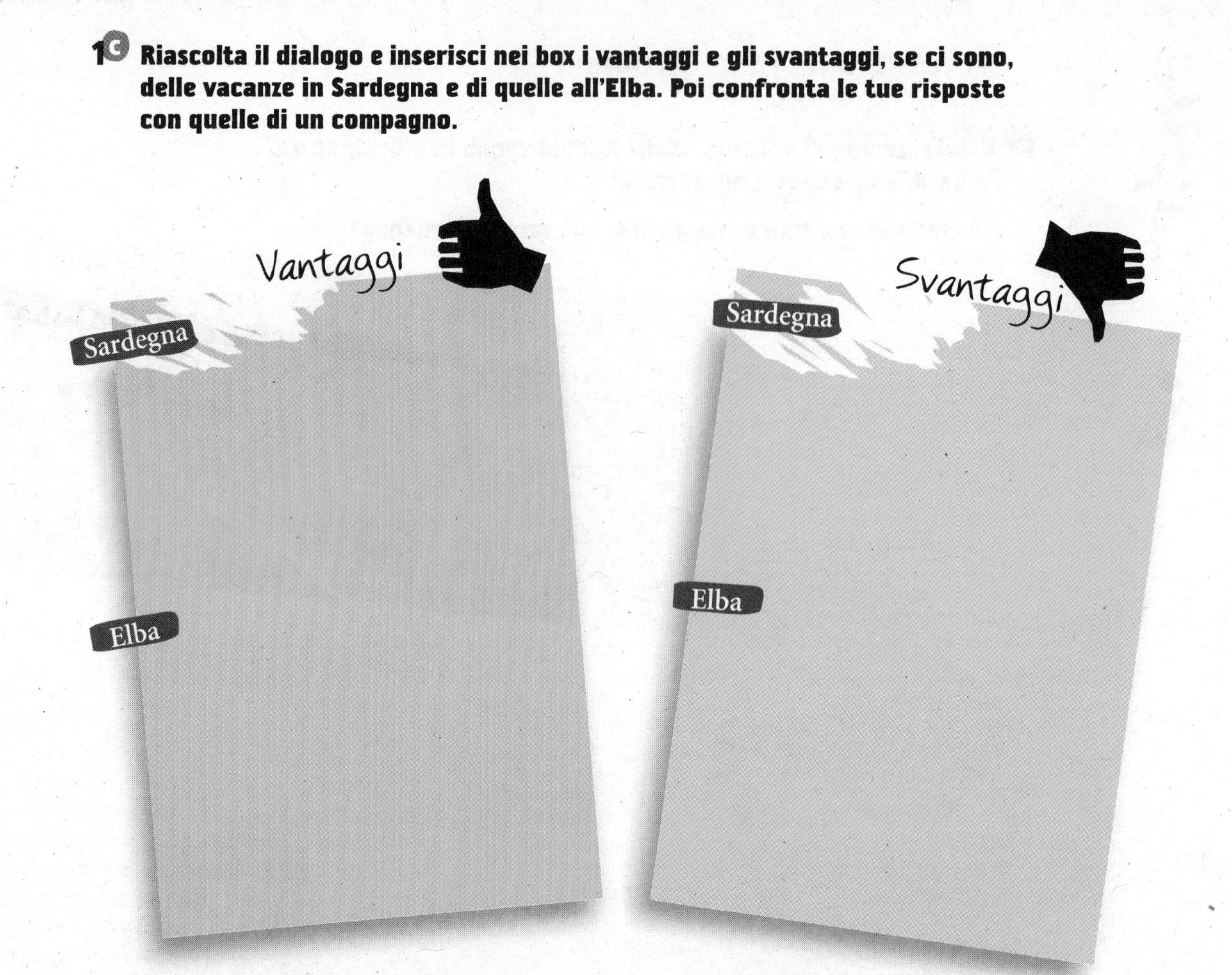

E3, 4, 8

Confronto fra culture

Ferragosto

- Sai che giorno è *Ferragosto*?
- Anche nel tuo Paese si festeggia questo giorno? In che modo?

Durante la settimana di Ferragosto moltissimi italiani vanno in vacanza, anche solo per pochi giorni.
Le città sono deserte, perché le grandi fabbriche sono chiuse, così come molti negozi e locali.

- Anche nel tuo Paese si va in vacanza in questo periodo dell'anno?
- Ci sono delle feste tradizionali il giorno di Ferragosto o in questo periodo dell'estate?

Ferragosto è una festa che risale all'antica Roma: in quest'epoca infatti si celebravano le feriae augustales, legate alla fertilità della natura e della donna.
Nel calendario religioso il 15 agosto si celebra la festa dell'Assunzione della Vergine Maria con processioni e pellegrinaggi nei santuari, accompagnati da fiere e tradizionali pic-nic sull'erba.

per capire

Turismo ad alta quota

2a Leggi il testo e rispondi alle domande.

Vacanze in montagna

Un tempo la vacanza in montagna era sinonimo di riposo e tranquillità, cibi sani e camminate. Oggi gli italiani chiedono qualcosa in più alle vallate alpine e appenniniche. Così le località turistiche si sono messe al passo coi tempi e offrono al turista un'ampia gamma di attività e svaghi, per tutte le età: terme e sport nuovi, specialità gastronomiche, cultura, natura incontaminata e arte. Dalla Lombardia alla Val d'Aosta, dal Trentino Alto Adige fino all'Appennino, ogni regione si è specializzata negli anni in qualche settore. Ecco alcune proposte.

(Da "Il Venerdì di Repubblica", 1-6-05)

VAL D'AOSTA

Il Gran Paradiso dello sport

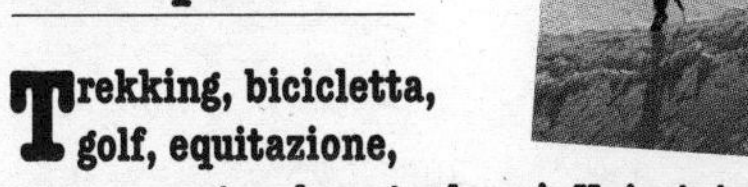

Trekking, bicicletta, golf, equitazione, canoa e, naturalmente, lo sci. Un'estate tutta sportiva, quella che si può trascorrere tra le cime della Val d'Aosta. Nella zona di Cervinia si può scegliere lo sci estivo sulle piste del ghiacciaio Plateau Rosa, i week-end in mountain bike nella Valle delle Marmotte, facili passeggiate su sentieri pianeggianti o percorsi più impegnativi come la Gran Balconata del Cervino, dove si possono fare corsi di arrampicata su roccia e su ghiaccio. Nel Parco Nazionale del Gran Paradiso ci sono escursioni guidate e trekking a cavallo; per gli appassionati emozionanti discese di fiumi e torrenti con canoe, rafting e kayak.

ABRUZZO

Nei parchi del Centro Sud

Anche le montagne del Centro e del Sud Italia offrono parecchie opportunità, tutte all'insegna della vita all'aperto in ambienti incontaminati. In queste zone, infatti, si concentra il maggior numero di parchi nazionali. Primo tra tutti il Parco Nazionale d'Abruzzo, dove può succedere di incontrare l'orso bruno marsicano. Qui sono ben 150 gli itinerari natura, anche con brevi percorsi a tema (l'orso marsicano, le cascate, il lupo appenninico, la pineta). In estate vengono organizzate passeggiate in compagnia delle guide del parco, come quella al tramonto con ritorno a valle di notte, o quella per avvistare i camosci.

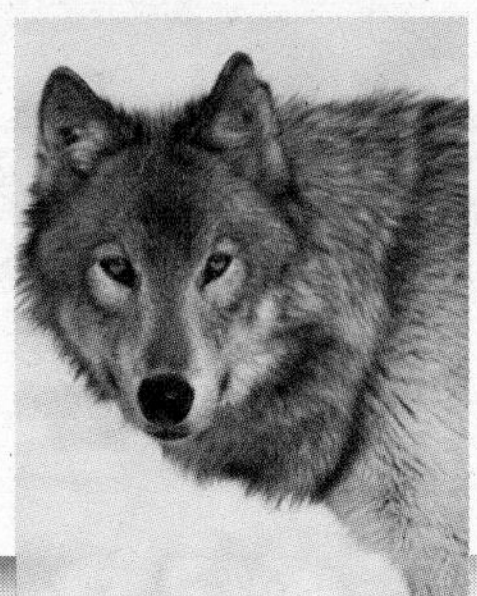

1. Dove si può sciare d'estate? ______________________
2. In quale parte dell'Italia ci sono molti Parchi nazionali? ______________________
3. In quale Parco si possono fare delle passeggiate notturne? ______________________
4. Quali animali si trovano nel Parco Nazionale d'Abruzzo? ______________________

2b In coppia. Rileggete i testi e sottolineate le attività e gli sport che si possono fare in montagna. Poi scriveteli utilizzando dei verbi come nell'esempio.

SPORT E ATTIVITÀ

andare a cavallo
____
____
____
____

In montagna

1a Rileggi i testi a p. 41 e sottolinea i nomi che si riferiscono al paesaggio. Trova quelli che corrispondono a queste definizioni.

1. La parte più alta di una montagna. ____________
2. Corso d'acqua che nasce sulle montagne e sbocca nel mare. ____________
3. Piccolo corso d'acqua, ripido, in cui l'acqua scorre con velocità. ____________
4. Stradina stretta tracciata in luoghi naturali. ____________
5. Grande massa di ghiaccio. ____________
6. Ampia zona racchiusa tra due catene di monti. ____________
7. Bosco formato da piante di pino. ____________
8. Percorso di neve battuta per sciare. ____________
9. Salto di un corso d'acqua dovuto a un dislivello del terreno. ____________

E7 →

Al mare

2a Silvia è in vacanza al mare con altri amici e ha mandato alla sua amica Chiara un disegno. Collega all'immagine gli appunti di Silvia.

Ciao Chiara,
questo posto è davvero fantastico: ho provato a disegnarlo, così magari ti viene voglia di venirci a trovare...
Che ne dici? Dai, lascia i libri e vieni a trovarci.
Ti aspettiamo. Baci,
Silvia

L'ombrellone del gruppo (siamo sempre a prendere il sole)

La baia dove andiamo a pescare

Il sentiero che porta al paese

La tenda di Paolo

Il porto dove arriverai tu!

La spiaggia dell'albergo

La caletta dove vanno Delia e Sergio quando vogliono stare soli

Gli scogli per i nostri tuffi (non ridere, ho imparato anch'io!)

lessico

I villaggi turistici

3a Marina telefona a un'amica per avere informazioni su un campeggio. Che cosa pensi che chiederà?

CD1 t.14

3b Ascolta il dialogo e rispondi.

	V	F
1. L'amica di Marina è già stata in quel campeggio.	☐	☐
2. Il campeggio è sul mare.	☐	☐
3. Il campeggio è ombraggiato.	☐	☐
4. Marina ha dei figli.	☐	☐
5. In bassa stagione il campeggio costa 15 euro.	☐	☐

3c Leggi in appendice (p. S35) l'elenco dei simboli usati in una guida per descrivere campeggi e villaggi turistici. Poi riascolta il dialogo e trova il campeggio descritto nella telefonata.

3d In coppia, alternando i ruoli (role-play).

STUDENTE A

Chiedi informazioni al tuo compagno su uno dei campeggi/villaggi indicati sopra.

STUDENTE B

Rispondi alle domande utilizzando le presentazioni.

Parlare delle vacanze

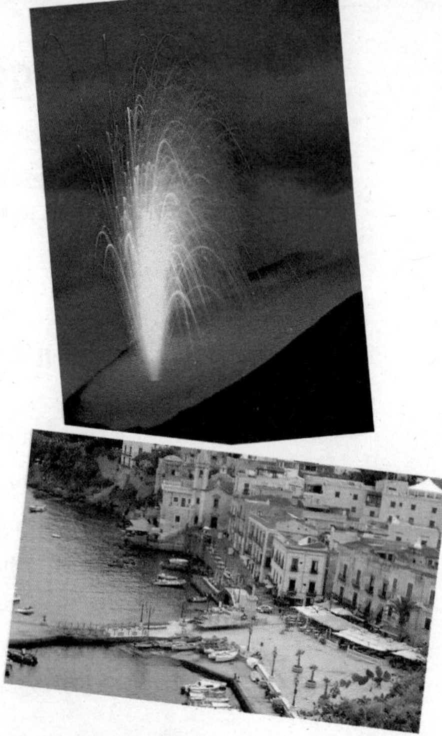

4a Chicco sta per partire per le isole Eolie, al largo della Sicilia, e ha mandato questo messaggio a un forum sui viaggi.

IRC Server | Stanze e Canali

Forum > Viaggi> Appunti di viaggio > **Messaggio**

Vado alle Eolie

Ciao,
Tra pochi giorni parto per le Eolie... chi può darmi qualche consiglio (le spiagge più belle, i ristoranti dove si mangia bene, i locali più divertenti)?

Grazie a tutti,
Chicco

In coppia. Leggete la prima (r. 1 - 16) o la seconda parte (r. 17 - 31) della risposta di Mara e raccontate al vostro compagno le informazioni che avete raccolto.

IRC Server | Stanze e Canali

Forum > Viaggi> Appunti di viaggio > **Messaggio**

per Chicco – Eolie

Ciao Chicco,
io alle Eolie sono stata per ben due volte e sono davvero fantastiche.
Lipari è molto bella anche se un po' più caotica rispetto alle altre isole, anche perché ci girano le macchine. Di divertimenti ne troverai tantissimi soprattutto nella zona del porto
5 dove ci sono ottimi ristoranti e tanti localini che fanno musica dal vivo. Imperdibile il museo archeologico.
Stromboli secondo me è l'isola più bella, ma devi fermarti almeno una notte per vedere l'affascinante eruzione del vulcano. Seguendo le indicazioni per il cratere del vulcano, trovi a un certo punto un ristorantino che si chiama "L'osservatorio" (le tagliatelle al
10 pesto siciliano sono impagabili!) da dove, di notte, è ben visibile l'eruzione. Io sono stata anche sul cratere e tutta la fatica è stata ripagata dall'emozionante spettacolo!
Considera che ci vogliono circa un paio di ore per salire e un'ora per scendere, su una strada ripida: se non hai gli scarponi da montagna portati almeno delle scarpe da ginnastica; prendi anche una giacca a vento leggera, perché in cima può esserci molto
15 vento. Un consiglio: se sali la notte, fatti accompagnare da una guida perché andare da soli può essere pericoloso!
A Salina il mare è stupendo e cristallino, con delle bellissime spiaggette! Se ti piace il cinema vai a vedere la casa e la spiaggia dove hanno girato il film di Troisi "Il postino".
Altra isola indimenticabile è Vulcano (raggiungibile da Lipari in 10 minuti di aliscafo).
20 La spiaggia lì è molto bella, anche se la sabbia è nera e c'è un po' di puzza di zolfo.
Vai assolutamente sul cratere del vulcano (che non è attivo come quello di Stromboli) perché da lassù c'è un panorama meraviglioso (e poi sulla strada c'è una trattoria eccezionale, si chiama "Il diavolo dei polli").
Panarea dicono sia bellissima, ma lì non ci siamo fermati perché è un po' più cara
25 rispetto alle altre isole (è un po' l'isola dei vip, ci sono un sacco di localini trendy).
Alicudi e Filicudi invece sono due isole molto selvagge (fino a 15 anni fa non c'era neanche l'elettricità, sembra incredibile!) e più difficili da raggiungere. Non ci sono locali: solo un albergo, due negozi e un bar-ristorante. Meritano una visita, anche se io non ci starei in vacanza due settimane: troppa calma!!
30 Scrivimi pure se hai bisogno di maggiori informazioni (mara.paris@virgilio.it)
ciao e buon viaggio!
Mara

lessico

4b Rileggi il testo e rispondi.

Su quale isola...
1. è stato girato un film di Troisi? ____________
2. c'è molta tranquillità? ____________
3. la sabbia è nera? ____________
4. ci sono molti locali alla moda? ____________
5. c'è un vulcano in attività? ____________
6. si può circolare in macchina? ____________

Quale isola consiglieresti a...

un buongustaio	un solitario
un amante dell'avventura	uno studioso di antiche civiltà
un subacqueo	un amante del cinema

E tu? quale isola sceglieresti per le tue vacanze? Perché?

4c A Mara le isole Eolie sono piaciute moltissimo.
Quali aggettivi usa per descrivere le cose più belle? Ne conosci altri?
Quali aggettivi si possono usare per dire il contrario?

BELLO

E9

Parole nuove

	Significato	Esempio	Note

I diminutivi -ino, -etto

5a Leggi l'e-mail di Mara a p. 44 dove parla di *localini*. Perché secondo te usa il diminutivo? In quali altre parole del messaggio lo utilizza?

_______________ _______________

I suffissi *-ino*, *-etto* hanno il significato di piccolo, ma sono usati, soprattutto nella lingua parlata, anche per esprimere un giudizio positivo o affettività.

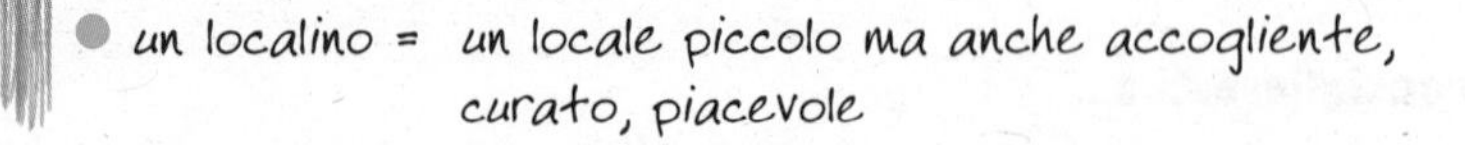

5b Completa le frasi. Scegli una delle parole seguenti e modificala usando -ino o -etto.

vestito paese viaggio casa serata cena

1. Lasagne di verdura, pesce alla griglia, tiramisu: è stata una __________ deliziosa!
2. Ieri sono andata a fare acquisti a Milano e mi sono comprata un bel __________ di seta.
3. Per l'anniversario del nostro matrimonio ci siamo regalati un __________ alle Maldive.
4. Durante il viaggio ci siamo fermati a pranzo in un bel __________ della Liguria.
5. Fiori, champagne, il mare di notte: è stata una __________ indimenticabile!
6. I miei nonni abitano in campagna, in una __________ che sembra quella dei sette nani.

E10 →

Gli aggettivi -abile, -ibile

6a Che cosa significano gli aggettivi sottolineati?

Dal ristorante è visibile l'eruzione.
L'isola di Vulcano è indimenticabile.

-abile / -ibile = __________

Rileggi rapidamente il testo di p. 44 e trova altri aggettivi costruiti allo stesso modo. Qual è il loro significato?

1. __________ significa __________
2. __________ significa __________
3. __________ significa __________
4. __________ significa __________

6b Ora sostituisci con il verbo essere e un aggettivo in -abile / -ibile le espressioni sottolineate.

1. Il museo di Lipari può essere visitato solo di mattina.
2. Questi spaghetti sono piccantissimi! Secondo me non si possono mangiare!
3. Ho ricevuto una cartolina ma non so da chi, perché la firma non si poteva leggere!
4. L'ombrellone si è rotto ma può ancora essere riparato.
5. La mia tenda è comodissima perché si può smontare in pochi minuti.
6. Paolo è un grande sportivo e nel nuoto nessuno lo può battere.

E11,12 →

grammatica

Il condizionale

Probabilmente sai già usare alcuni verbi coniugati nel modo condizionale, per esempio il verbo *volere* per fare delle richieste cortesi: *Vorrei un caffè, per favore.*

1a Riascolta il dialogo tra Silvia e Gianna (p. 39, t. 12) e prova a dire che cosa esprimono i condizionali usati in queste battute del dialogo.

	richiesta cortese	desiderio	incertezza / ipotesi	suggerimento / consiglio
...dovremmo andar via all'inizio di settembre				
Sì, l'idea sarebbe quella...				
Io vorrei andare in Sardegna...				
...se fosse per lui andrebbe di nuovo dai suoi				
Forse dovreste pensare a un posto dove fare delle gite brevi...				
Potresti chiamarla e farti dare l'indirizzo del posto...				
Senti, dovrei avere il suo numero da qualche parte...				
Potresti darmelo, per cortesia?				

1b Collega le le frasi.

☐ 1. Ivo andrebbe di nuovo in Liguria
☐ 2. Dovremmo andar via a settembre
☐ 3. Dovrei avere il suo numero di telefono
☐ 4. Vorrei andare in vacanza in bicicletta
☐ 5. Viaggerei volentieri in aereo
☐ 6. Domani andrei volentieri in montagna

MA

a. non abbiamo ancora organizzato nulla.
b. non ho abbastanza soldi.
c. probabilmente pioverà.
d. lui non vuole.
e. non lo trovo.
f. io preferisco la Sardegna.

1c Prova ora a ricostruire la coniugazione del condizionale presente.

	port-**are**	prend-**ere**	part-**ire**
io	port-er-ei		
tu			
lui/lei/Lei			part-ir-ebbe
noi		prend-er-emmo	
voi	port-er-este		
loro			part-ir-ebbero

Sottolinea la radice dei verbi nelle frasi dell'esercizio 1b.
Quali verbi sono irregolari?

! La radice dei verbi al condizionale presente è uguale alla radice dei verbi al ____________

Fare delle ipotesi

1d Se vinco la borsa di studio...

Matilde ha fatto domanda per avere una borsa di studio per la Francia e sta aspettando la risposta. Leggi questa pagina del suo diario e completa con i verbi al condizionale.

Caro diario,
domani saprò se ho avuto la borsa di studio per Parigi... sarebbe fantastico!
Potrei studiare per sei mesi alla Sorbona, ci pensi? E poi (visitare) (1) __________
il Louvre, (salire) (2) __________ sulla Tour Eiffel, (passeggiare) (3) __________
lungo la Senna! E la sera (fare) (4) __________ mille cose diverse, e
(conoscere) (5) __________ persone da tutto il mondo, magari
(riuscire) (6) __________ a imparare anche il francese! E chissà
quanti amici mi (venire) (7) __________ a trovare dall'Italia!
Un sogno! Non vedo l'ora di sapere, intanto teniamo le dita incrociate!

1e Che cosa faresti in queste situazioni?

Viaggi virtuali

1f In coppia. Intervistate un vostro compagno.

- Per dove partiresti anche subito? E per dove non partiresti mai?
- Con chi non partiresti mai? Con chi invece partiresti subito e per dove?
- Un viaggio nel passato. Dove andresti?
- Vacanza in un posto meraviglioso in campeggio e vacanza in un posto non molto bello ma in albergo a 5 stelle: cosa sceglieresti?
- Hai vinto un viaggio a "scatola chiusa" (non sai dove andrai). Partiresti o rinunceresti?
- Vacanza su un'isola deserta con piccolo bagaglio: che cosa porteresti? (max. 4 oggetti)

Dare consigli ed esprimere opinioni

1g Gli amici con cui sei andato al mare ti hanno scambiato per la mamma, ogni volta che hanno un problema chiedono a te...
Rispondi con un consiglio alle loro richieste usando le espressioni:

potresti... al tuo posto... dovresti... se fossi in te, io...

1. Mi sono scottato le spalle!
2. Ho perso il cellulare, devo chiamare la mia ragazza.
3. Non so cosa portare in spiaggia da leggere, un libro o un giornale?
4. Vorrei tanto conoscere quella ragazza sotto l'ombrellone blu!
5. Mi ha punto una zanzara!
6. Quella ragazza mi ha invitato in discoteca questa sera, ma io non so ballare!

E13, 14, 15, 16, 48

grammatica

1h Nel messaggio di p. 44, Mara dà dei consigli a Chicco che sta partendo per le isole Eolie.

Quale forma verbale usa?

Riformula gli stessi consigli al condizionale e rifletti sulla differenza d'uso tra i due modi verbali.

1i Trasforma all'imperativo questi consigli:

1. Forse dovreste pensare a un posto dove fare delle gite brevi. → Pensate a un posto ______
2. Potresti fare le cure termali a Ischia. → ______
3. Se ti piace camminare, potresti andare in Trentino. → ______
4. Potresti invitare Paola nella tua casa al mare. → ______
5. Per l'orario del treno, dovrebbe chiedere alla biglietteria. → ______
6. Potreste andare a Pantelleria, è un'isola bellissima. → ______
7. Se volete girare l'isola d'Elba, dovreste noleggiare una macchina. → ______

Il pronome ne

2a Che differenza c'è tra queste due frasi?

- Di divertimenti **ne** troverai tantissimi.
- Troverai tantissimi divertimenti.

Nella lingua parlata il primo tipo di frase si usa spesso per mettere in evidenza il tema della frase. **Osserva questi esempi:**

- Viaggi spesso?
- Di viaggi in Italia ne ho fatti molti, ma non sono mai andato all'estero.

- Vuoi una birra?
- Di birra ne ho già bevuta troppa stasera, meglio bere dell'acqua.

1. Che cosa riprende il pronome ne? ______
2. Che che cosa indicano le parole dopo il verbo? ______
3. Con che cosa si accorda il participio passato? ______

2b Ora completa tu le frasi seguenti.

1. Di ______ ne ho mangiati tantissimi.
2. ______ ne leggo due al giorno.
3. ______ ne ha portati alcuni Clara.
4. ______ non ce ne sono molte.
5. ______ ne ho visti pochi.
6. ______ non ne conosco nessuna.

2c Rispondi alle domande usando ne.

1. Quante vacanze hai fatto l'anno scorso? ______________________
2. Quanti giorni di vacanza hai fatto a Natale? ______________________
3. Quanti libri porti con te in vacanza? ______________________
4. Quante città italiane hai visitato? ______________________
5. Quanti amici hai in Italia? ______________________
6. Quanti viaggi all'estero hai fatto? ______________________

2d Tiziano sta organizzando un trekking in Nepal e chiede alcuni consigli a un amico che ha già fatto lo stesso viaggio. Completa l'e-mail con i pronomi diretti lo, la, li, le o il pronome ne.

Posta in arrivo | Oggetto | Inizia con
Da | Oggetto | Inviato
Tiziano | R: Ciao!

Da: Tiziano@yahoo.com (popmail.yahoo.com) A: Giorgio.james@yahoo.com
Oggetto: R: Ciao!

Caro Giorgio,
tra due settimane parto finalmente per il Nepal! Mi puoi dare qualche consiglio?
- la guida: (1) _______ ho una della Lonely Planet, ma so che è appena uscita quella della CLUP, (2) _______ conosci?
- l'abbigliamento: ho un paio di scarponi da alta montagna, (3) _______ porto o vanno bene anche le scarpe da ginnastica?(4) _______ vorrei portare due paia, secondo te possono bastare? Ho un sacco a pelo molto caldo di piumino, (5) _______ porto oppure è inutile?
- i dollari: (6) _______ ho presi circa 1500, secondo te sono sufficienti o (7) _______ devo prendere di più? Ho anche una carta di credito, pensi che (8) _______ potrò usare?
Grazie dei tuoi consigli e a presto,
Tiziano

2e In queste frasi, che cosa riprende il pronome ne?

Se fosse per lui andrebbe di nuovo dai suoi in Liguria, ma io non ne ho proprio voglia. ne = ______________________

Giorgio ha scritto un libro, ma non ne parla mai. ne = ______________________

2f Sottolinea la parte di frase a cui si riferisce il pronome ne.
Poi, con l'aiuto dell'insegnante, prova a trasformare la seconda parte della frase eliminando il pronome.

1. Mi piacerebbe andare sulle Dolomiti, ma mia moglie non ne ha voglia, preferisce il mare.
2. Credi di poter finire il lavoro per domani? Non ne sono sicura, c'è ancora molto da fare.
3. Mi hanno detto che è uscito l'ultimo film di Rubini, ma non ne so nulla.
4. Pensi di andare al mare, a Ferragosto? Sì, vorrei andarci, ma non ne ho ancora parlato con mio marito.
5. Chi ti ha detto che in spiaggia stasera ci sarà una festa? Ne ho sentito parlare al ristorante dell'albergo.
6. Ci tuffiamo da questo scoglio? Mi piacerebbe, ma non ne ho il coraggio.
7. Credi che domani ci sarà bel tempo? Ne dubito.

grammatica

2g Riscrivi le frasi utilizzando ne o i pronomi diretti.

Per fare benzina servono 50 euro. -> Per fare benzina ne servono 50.
Ho letto tutti i libri di Tabucchi. -> Li ho letti tutti.

1. Non conosco molto quella ragazza. → ____________
2. Non ho voglia di andare a ballare. → ____________
3. Volete bere un altro caffè? → ____________
4. Capisco un po' lo spagnolo, ma non lo parlo. → ____________
5. In questo ristorante cucinano i funghi molto bene. → ____________
6. Ha parlato per ore del suo ultimo viaggio. → ____________
7. Ho visto tutte le capitali europee. → ____________
8. Stasera ho bisogno della tua macchina. → ____________
9. Lascio una valigia al deposito bagagli. → ____________

E19, 20 →

L'aggettivo e pronome dimostrativo quello

3a Osserva le forme dell'aggettivo e pronome quello. Come cambia?

- ● Sto cercando <u>quel borsone di pelle</u> che ci ha regalato tua sorella, sai dov'è?
- ○ Quale?
- ● <u>Quello nero</u>.
- ○ Dev'essere in <u>quell'armadio</u>.

3b Che cosa ti porti in campeggio? Completa la tabella.

	aggettivo		pronome
il fornellino	quel fornellino	Quale?	quello a gas
lo zaino	______ zaino		quello rosso
l'amaca	______ amaca		quella di stoffa
la tenda	______ tenda		quella grande
i sacchi a pelo	quei sacchi a pelo	Quali?	quelli di piumino
gli scarponi	______ scarponi		quelli da montagna
le magliette	______ magliette		quelle a maniche corte

3c In coppia. Alternandovi, costruite dei dialoghi come nell'esempio dell'esercizio 3a sostituendo le parti sottolineate con:

1. la valigia / rossa / guardaroba
2. il beauty-case / di pelle / valigie
3. i materassini / di gomma / scaffali
4. gli zoccoli / da mare / scarpiera
5. lo specchio / con la cornice d'argento / cassetto
6. l'ombrellone / a strisce gialle e nere / scatolone

E21 →

pronuncia

CD1 t.15

1a Ascolta le frasi e indica nella tabella se viene usato il futuro (es. *partiremo*) o il condizionale (es. *partiremmo*).

	1	2	3	4	5	6	7	8
futuro								
condizionale								

1b Gioco. Pensate (o scrivete) alcuni verbi alla prima persona plurale del futuro indicativo e del condizionale presente (es. mangeremo - mangeremmo). Poi seguite le istruzioni dell'insegnante.

Intonazioni: accettare o rifiutare un consiglio

CD1 t.16

2a Patrizia, una nuova amica di Silvio, compie gli anni. Silvio non sa cosa regalarle e chiede consiglio ad alcuni amici. Ascolta i suggerimenti e indica che cosa esprimono le reazioni di Silvio.

	esitazione	entusiasmo	rifiuto	interesse
1. (cellulare)				
2. (orologio)				
3. (libro)				
4. (disco)				
5. (video concerto)				

Riascolta facendo attenzione alle parole e all'intonazione usate da Silvio.

CD1 t.17

2b Ascolta e ripeti le battute di Silvio.

2c In coppia. È sabato e state per andare a ballare, ma la tua macchina non parte. Il tuo amico cerca di darti dei consigli: tu rispondi utilizzando alcune delle espressioni viste nell'esercizio 2a. Attenzione all'intonazione!

Ecco qualche idea per i consigli:

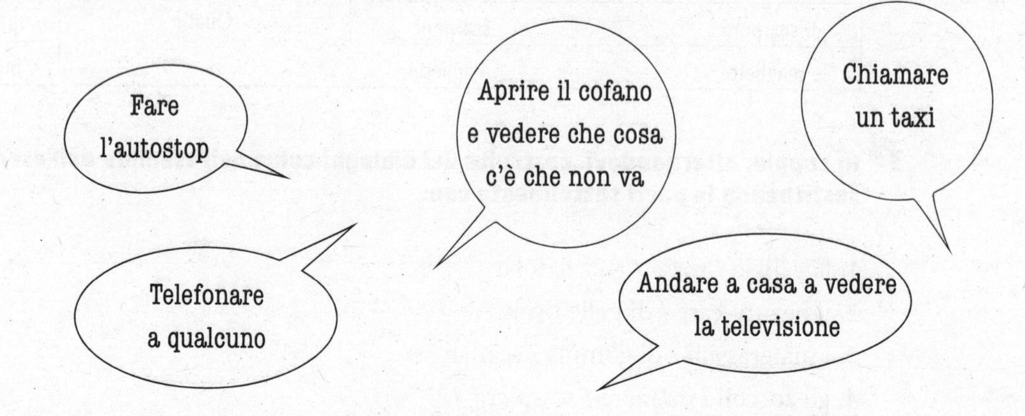

Ripetete l'esercizio scambiandovi i ruoli.

produzione libera

1 Quale vacanza?

A piccoli gruppi. Leggete la presentazione di queste persone e immaginate di dare loro dei consigli su dove andare in vacanza.

Roberta

Roberta è una ragazza piuttosto timida; non conosce molte persone, ma ha una carissima amica d'infanzia che vive in un'altra città e che vede ogni tanto. Roberta lavora molto; quando ha del tempo libero le piace andare al cinema o a vedere una mostra perché è appassionata d'arte contemporanea. Detesta l'automobile, ma le piace molto il treno.

Paolo

Paolo è separato e trascorre le vacanze con i suoi bambini, Matteo e Francesca, di 6 e 8 anni. Gli piace molto giocare con i suoi figli, ma ha voglia anche di dedicare un po' di tempo a se stesso e di conoscere nuovi amici.

Silvio e Gianni

Silvio e Gianni sono compagni di studio all'Università. Fanno parte di un club sportivo e amano la vita all'aria aperta. A Silvio piace andare a cavallo, mentre Gianni preferisce le passeggiate o le arrampicate in montagna. Tutt'e due cercano la tranquillità e detestano la folla e la confusione.

Sara e Giuliano

Sara e Giuliano sono una giovane coppia: lei insegna italiano, lui è architetto e ogni giorno va a lavorare in motocicletta in un grande studio di Milano. La sera escono spesso, da soli o con amici: frequentano ristoranti (Giuliano ama la buona cucina), caffè, teatri e qualche volta vanno a ballare. Amano fare sempre cose diverse e conoscere nuove persone.

2 Consigli

Trovi nella "chat dei viaggiatori" di Virgilio una richiesta di informazioni sulla tua città o su un luogo che conosci molto bene. Scrivi un messaggio con dei suggerimenti.

Forum > Viaggi > Appunti di viaggio > Messaggio

Ciao a tutti, tra pochi giorni parto per ____________
Qualcuno sa darmi qualche consiglio (cosa vedere, dove dormire e mangiare, dove andare a divertirsi la sera)?

Grazie a tutti anticipatamente
Gennaro

3 Mare o montagna?

In coppia. Tu e il tuo partner (fidanzato/a, marito/moglie) state organizzando le vacanze: tu adori il mare, ma lui/lei non vuole saperne, preferisce la montagna. Ciascuno di voi spiega all'altro le ragioni della sua scelta per cercare di convincerlo.

Le festività italiane

1a In gruppo. Fai un elenco delle festività nazionali nel tuo paese e confrontati con i tuoi compagni.

1b Leggi il calendario delle festività in Italia. Sai dire quali feste sono religiose e quali civili? Ce ne sono alcune che vengono festeggiate anche nel tuo paese?

(*) La data cambia a seconda dell'anno

1c Conosci le festività che hai letto sopra? Associa la festività alla sua ricorrenza.

Festività

- ☐ 1. Epifania
- ☐ 2. Pasqua
- ☐ 3. Lunedì dell'Angelo (Pasquetta)
- ☐ 4. Festa della Liberazione
- ☐ 5. Festa della Repubblica

Ricorrenza

a. Commemora il referendum sulla monarchia del 1946 con cui gli italiani hanno scelto di diventare Repubblica.
b. Il nome deriva dal greco e significa "apparizione": commemora la presentazione di Gesù Bambino ai Re Magi. Per i bambini è la festa della Befana, vecchietta che a cavallo di una scopa vola sui tetti e porta doni.
c. Celebra la liberazione dal regime nazi-fascista nel 1945.
d. Celebra la Risurrezione di Gesù avvenuta tre giorni dopo la sua morte in croce.
e. Il giorno dopo Pasqua in cui si ricorda l'incontro dell'Angelo con le donne accorse al sepolcro dove Gesù era stato sepolto.

2a In gruppo. Raccogliete tutte le informazioni che conoscete sul Carnevale. Che cosa si festeggia in questa occasione e come? Avete sentito parlare di qualche Carnevale italiano famoso? Ci sono nel vostro paese altre feste in cui è tradizione mettersi in marschera?

2b Leggi il testo e rispondi.

IL CARNEVALE A VENEZIA

Rilanciato un paio di decenni fa, il Carnevale di Venezia, ricco di tradizione e di suggestione, ha risvegliato l'interesse dei suoi abitanti e soprattutto dei moltissimi turisti, grazie all'apprezzato cocktail di trasgressione, arte, storia e cultura che è in grado di offrire in una città unica al mondo.

La storia

Il Carnevale affonda le sue radici in più tradizioni, da quella latina dei Saturnalia (feste dedicate al dio Saturno, divinità italica delle sementi) a quella greca dei culti dionisiaci che contrassegnavano il passaggio dall'inverno alla primavera e che contemplavano l'uso di maschere, di scambi di ruoli e di rappresentazioni simboliche. Era il periodo del "mondo alla rovescia", in cui tutto era concesso. In realtà il Carnevale era anche una forma di controllo delle pulsioni e la spinta verso l'eccesso costituiva una concessione per un tempo limitato. E a Venezia, società aristocratica, era necessario dare l'illusione ai ceti più umili di diventare simili ai più potenti pur con una maschera sul volto. Nel passato il Carnevale durava alcuni mesi e questo ha certamente contribuito a creare l'immagine di Venezia come una città dedita al divertimento.
Nella pubblica piazza la popolazione assisteva alle feste ufficiali, come per esempio al "Volo del turco", un acrobata che scendeva su una fune dal campanile di San Marco. Vi erano inoltre i fuochi d'artificio e spettacoli improvvisati di saltimbanchi, funamboli, burattinai e artisti di strada. Accanto a queste feste pubbliche si svolgevano anche moltissime feste private, nei ricchi palazzi in cui si organizzavano sfarzosi balli e spettacoli teatrali. Spesso si praticava anche il gioco d'azzardo: il Ridotto di S. Moisè, la pubblica casa da gioco gestita dallo stato, divenne infatti uno dei punti nevralgici del Carnevale veneziano.

Le maschere

L'utilizzo delle maschere da parte dei veneziani e delle migliaia di visitatori incuriositi che già allora arrivavano a Venezia per vivere il famoso Carnevale, ha fatto crescere la domanda di maschere. È nata così la figura dei "mascherer", artigiani che si industriavano a creare maschere in cartapesta o in tela cerata per soddisfare le esigenze dei diversi committenti. Il travestimento veneziano per eccellenza è la "bauta", indossata da uomini e donne: una mantellina nera abbinata sempre a un cappello a tricorno nero e a una maschera bianca che celava il viso. Oggi, nel tradizionale corteo, a queste maschere si accompagnano travestimenti contemporanei, frutto di creatività e ispirati talvolta a personaggi del mondo dello spettacolo o della politica.

(Adattato da "Scegliamo insieme", gennaio 2005)

Vero o falso?

	V	F
1. Il carnevale è una festa di origine cristiana.	☐	☐
2. Il carnevale era un periodo di eccessi, divertimenti e travestimenti.	☐	☐
3. Il carnevale di Venezia è famoso nel mondo solo da un paio di decenni.	☐	☐
4. Il carnevale di Venezia un tempo era più lungo di quello di oggi.	☐	☐
5. Il "Volo del turco" era uno spettacolo di equilibrismo.	☐	☐
6. Il Ridotto era una casa da gioco riservata ai nobili.	☐	☐
7. Il carnevale di Venezia si festeggiava molto anche nelle case private.	☐	☐
8. La maschera tradizionale veneziana ha mantello, maschera e cappello neri.	☐	☐

2c In gruppo. Fate una ricerca su Internet da presentare alla classe per scoprire:

- quali sono gli appuntamenti da non perdere (spettacoli, teatro, cultura) del Carnevale di Venezia di quest'anno (www.carnevale.venezia.it, www.comune.venezia.it).
- altri famosi carnevali italiani: Viareggio (www.viareggio.ilcarnevale.com), Ivrea (www.carnevalediivrea.it/) e di Cento (www.carnevalecento.com).

Ma dai, usciamo!

In questa unità impari a parlare del tempo libero e dei divertimenti; scropri anche come parlano i giovani italiani.

Leggi che cosa queste persone pensano del tempo libero e del divertimento. Per te cosa significa divertirsi? Discuti con un compagno.

Per me divertirsi significa...

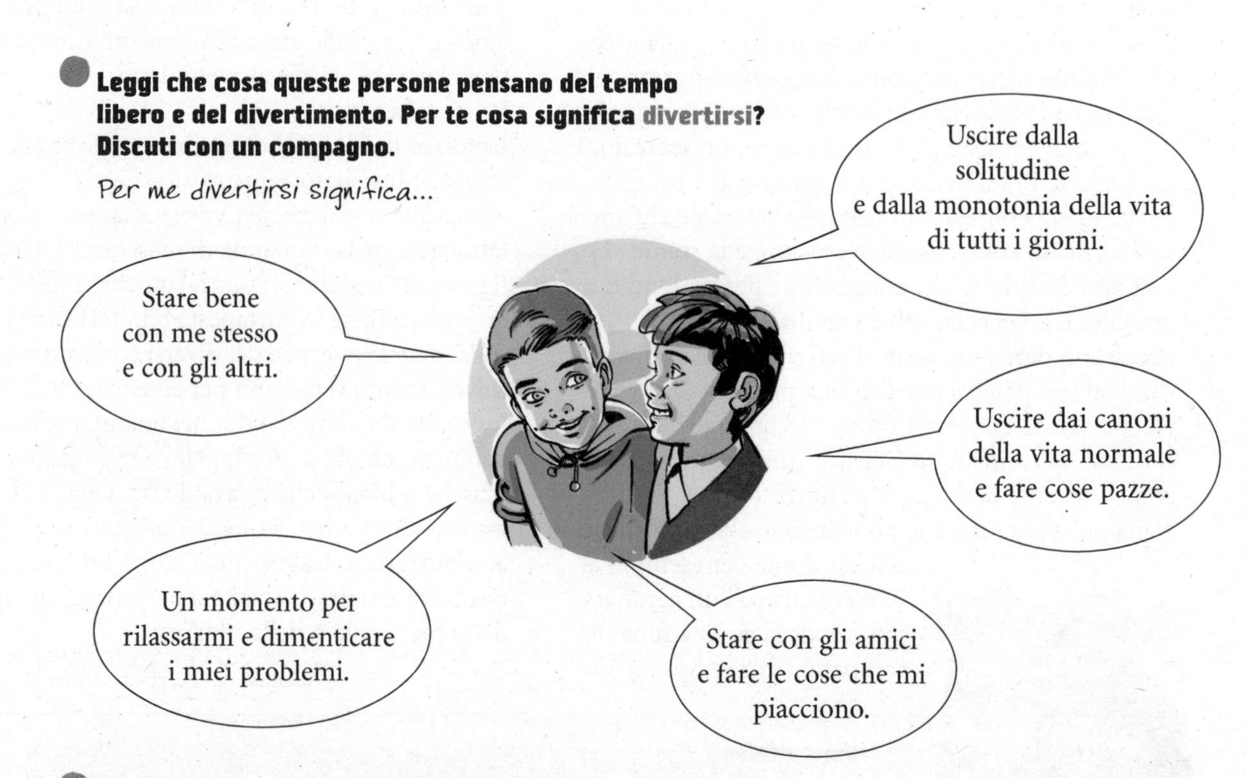

E tu che cosa fai di sera con gli amici? Dove vai? Con chi? Che cosa ti piace fare nel tempo libero?

per capire

La partita di pallone

1a Leggi con l'insegnante e i tuoi compagni questo ritornello di una famosa canzone italiana degli anni '60.
A quale situazione si riferisce? Ti sei ma trovato in questa situazione?

Perché perché
la domenica mi lasci sempre sola
per andare a vedere la partita di pallone
perché, perché
una volta non ci porti pure me.

CD1 t.18

1b Ascolta la prima parte del dialogo e rispondi alle domande.

1. Dove sono Anna e Giovanni?
   - ☐ **a.** al bar
   - ☐ **b.** a una festa
   - ☐ **c.** a casa
2. Anna è
   - ☐ **a.** contenta
   - ☐ **b.** arrabbiata
   - ☐ **c.** indecisa

   perché? ____________________
3. Che cosa vuole fare Giovanni?
   - ☐ **a.** vedere la partita
   - ☐ **b.** festeggiare Marta
   - ☐ **c.** restare a casa con Anna
4. Ad Anna
   - ☐ **a.** il calcio piace moltissimo
   - ☐ **b.** il calcio piace poco
   - ☐ **c.** il calcio non piace per niente
5. Giovanni propone come compromesso di:
   - ☐ **a.** incontrare gli amici al bar per vedere la partita
   - ☐ **b.** invitare gli amici a casa per vedere la partita
   - ☐ **c.** non incontrare gli amici e vedere la partita a casa con Anna

1c In coppia. Cosa decide di fare Anna secondo te? Fai delle ipotesi con un compagno poi ascolta la conclusione del dialogo.

E3 →

Confronto fra culture

La febbre dei mondiali: gli italiani incollati alla TV

In Italia il calcio è lo sport nazionale e il campionato mondiale è seguito con molta passione da un italiano su due.

- Qual è lo sport più seguito nel tuo Paese?
- Sei un tifoso o ti piace seguire qualche sport in particolare?
- Che cosa succede nel tuo Paese quando si gioca una partita importante?
- Dove si ritrova la gente a guardare la partita?
- Come si festeggia?

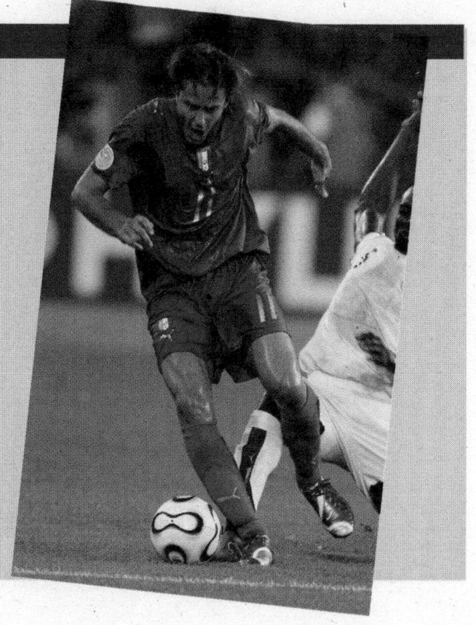

Il mondo dei giovani

2a Come sono e che cosa fanno i giovani nel tuo Paese? Discuti con due compagni usando questi spunti.

I valori e l'impegno sociale	I luoghi e le attività del divertimento
Gli affetti e l'amore	Le qualità caratteriali più importanti

2b Leggi questo testo sulla condizione giovanile in Italia e associa i titoli riportati sopra ai vari paragrafi.

Indagine dell'Iss sui giovani italiani tra i 15 e i 25 anni

Quanto è bella giovinezza...

Per nulla attaccati al denaro e un po' "narcisi", soddisfatti di se stessi e dei rapporti che vivono con amici e parenti.

(1) ______________ La famiglia è al primo posto nella scala di valori dei giovani italiani, seguita dagli amici e dall'amore; i ragazzi infatti hanno tendenzialmente un migliore rapporto con la famiglia rispetto alla media europea. Tra la famiglia, gli amici e l'amore, il 55% dei giovani ritiene che genitori e fratelli siano la cosa più importante nella vita; un quarto del campione preferisce invece gli amici, mentre il 17% mette al primo posto l'amore. Man mano che i giovani crescono, le questioni di cuore diventano però sempre più coinvolgenti, a scapito degli amici, per le donne, e della famiglia, per i maschi (circa il 3% ha, infatti, un *partner* stabile). Una fetta maggiore di ragazzi, circa due terzi, è invece *single*.

(2) ______________ Alla richiesta di definire una scala di importanza tra cultura, tempo libero, impegno sociale e fede, la metà dei giovani risponde di preferire il tempo libero e lo svago come spazio ideale dove realizzare la dimensione di sé. Quasi il 30% del campione, con una leggera maggioranza femminile, ritiene che la cosa più importante sia la cultura, il 13% l'altruismo e l'impegno sociale, mentre la situazione peggiore si ha per la fede religiosa (solo il 9%). L'età in questo campo conta molto: con l'andare degli anni, i giovani sacrificano il tempo libero a favore della cultura e dell'impegno sociale. Ma dove si impegnano? Dalla ricerca emerge che il settore socio-sanitario è quello che esercita la maggior attrazione: ben il 48% degli intervistati s'impegna nell'assistenza sociale, un numero inferiore, il 32%, in quella sanitaria, mentre il 18% pratica attività educative.

(3) ______________ Generosità e simpatia sono le caratteristiche che i giovani più apprezzano in una persona. La metà le preferisce alla bellezza e all'intelligenza, giudicate più importanti rispettivamente dal 14% e dal 31% del campione. Crescendo, il bene dell'intelletto conquista strada, mentre la bellezza rimane stabile per i ragazzi e perde quota tra le ragazze. Il denaro poi è quasi un *optional*, superiore solo per l'8% dei giovani alla salute, giudicata invece una priorità dal 62% degli intervistati.

(4) ______________ I giovani italiani dedicano gran parte del proprio tempo libero a una ampia gamma di attività tra le quali ci sono la pratica sportiva (51,4%), la compagnia di amici (49,4%), l'ascolto di musica e la frequentazione di discoteche (34,1%), la lettura di libri e riviste (25,4%), la compagnia del *partner* (20,8%); in buona posizione anche lo stadio (15%) dove vanno soprattutto i maschi. Il dato relativo alla lettura di libri appare confortante: l'82,5% degli intervistati ha letto almeno un libro nell'ultimo anno. Tra le attività di svago il cinema costituisce le scelta più frequente per i giovani italiani, ma con l'età il *trend* cambia: una percentuale minore di persone fa sport, mentre si va molto di più in discoteca e mostre, teatro e concerti cominciano a guadagnar terreno.

(Adattato da www.iss.it e da www.eures.it)

per capire

2c Completa il riassunto del testo, inserendo le espressioni sotto riportate.

17%	la salute	9%	la bellezza	buon
maggior	minoranza	importante	impegno sociale	la cultura

I giovani italiani hanno un (1) buon rapporto con la famiglia: più della metà pensa infatti che la propria famiglia sia la cosa più (2) ________, mentre solo per il (3) ________ il fidanzato o la fidanzata è al primo posto.
Per la (4) ________ parte dei ragazzi italiani il tempo libero è la cosa più importante, solo per il 30% (5) ________ è al primo posto, per il 13% conta di più aiutare gli altri e per il (6) ________ ha invece un'importanza maggiore la religione. Anche in questo caso tuttavia con il passare del tempo i giovani preferiscono dedicare le ore libere all'(7) ________: la maggioranza aiuta le persone in difficoltà e circa il 30% presta servizio alla Croce Rossa o agli ammalati.
Tra le priorità per i giovani c'è sicuramente (8) ________; l'intelligenza diventa una delle qualità più importanti soprattutto dopo i 20 anni, mentre (9) ________ è una delle qualità principali solo per una (10) ________ di giovani.

2d Rileggi il paragrafo (4) dell'articolo precedente e completa la legenda vicino al grafico con le attività che i giovani italiani preferiscono.

1. Incontrare gli amici
2. Fare sport
3. Leggere
4. Andare allo stadio
5. Stare con il/la proprio/a ragazzo/a
6. Ascoltare musica/andare in discoteca

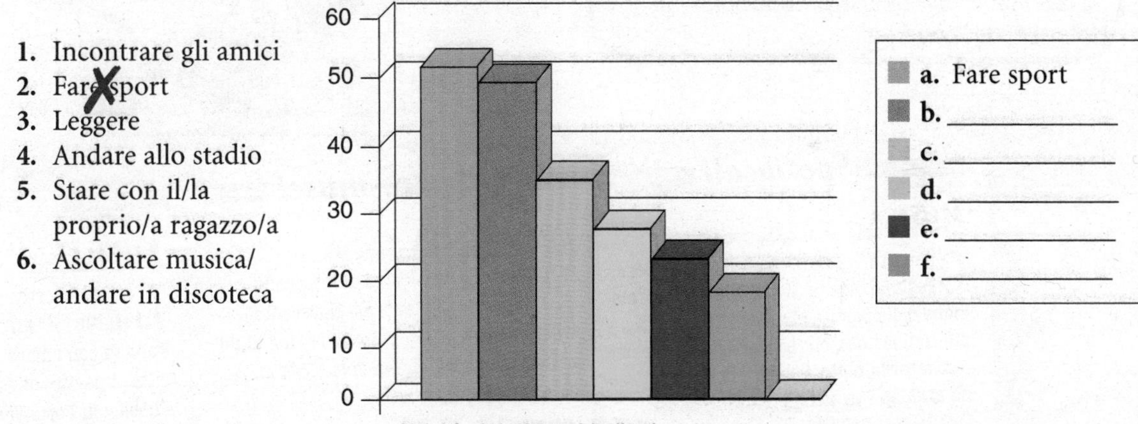

2e In coppia. Quali sono, secondo te, le domande che gli intervistatori hanno fatto ai giovani italiani per avere i dati presenti nell'articolo? Prova a fare delle ipotesi scrivendo due domande per ogni paragrafo e poi, con le tue domande, intervista un compagno.

Parole nuove

	Significato	Esempio	Note

E1, 2 →

lessico

I divertimenti

1a Leggi i profili di queste persone che vogliono fare qualcosa di interessante a Milano questo sabato. Scegli i divertimenti più adatti a ogni profilo dalla pagina "spettacoli" di un quotidiano.

Mark e Leopold: sono due amici di 18 e 19 anni in viaggio in Italia per una vacanza culturale. Devono partire molto presto per Firenze la mattina dopo. Mark adora la musica e vorrebbe approfondire la conoscenza di alcune tradizioni italiane. Leopold è molto sportivo e ama la compagnia.

Giulio e Silvia: stanno insieme da poco e Giulio vorrebbe passare una bella serata con Silvia, ma è anche un tifoso sfegatato della Nazionale di calcio. Silvia invece non ama il calcio, è appassionata di arte e di fotografia, e le piace la musica pop.

Carla, Ilaria e Martina sono tre amiche da una vita, vanno pazze per gli spettacoli comici e di cabaret, ma sono anche molto sensibili a questioni sociali e alla difesa dei più deboli. Martina è appassionata di arti marziali, mentre Ilaria e Carla sono più pigre e amano i film.

Spettacoli

MUSICA

Concerto di SIMONE per Football Beer Festival. Arena Civica, h. 22, con proiezione della partita ITALIA-GERMANIA, punti di ristoro, birreria artigianale aperta fino a tarda notte. Sabato e domenica l'arena sarà aperta dalle h. 15. INGRESSO LIBERO.

TEATRO

L'UOMO MARCIO di Davide Colavini, per la rassegna di CABARET "Vieni avanti... cretino". Teatro della Memoria, via Cucchiai 4, h. 21. INGRESSO 10 EURO. Tel. 02 313663.

CINEMA ALL'APERTO

Proiezione del film "La Bestia nel cuore" di CRISTINA COMENCINI. Film drammatico, via Ippocrate 45, h. 21.45. Tel 02 662006.

CABARET

ZELIG per Emergency, unica data sabato 15. Sul palco CLAUDIO BISIO e i comici del famoso programma televisivo a favore dei progetti dell'associazione di GINO STRADA. Teatro Smeraldo, piazza XXV Aprile, h. 21. INGRESSO 22 EURO.

Mostre-musei

FOTOGRAFIA

Palazzo Reale. Mostra di fotografia "Superstar, 99 miti del Novecento". INGRESSO 9 EURO, ridotto 7. Fino al 24 settembre. Orari: mar-dom h. 9.30-20, sa h. 9.30-22.30.

ARTE

Da CARAVAGGIO al fumetto, da ROBERTO ROSSELLINI a FULVIO ROITER. In mostra per "L'arte dell'accoglienza" dipinti, fotografie, fumetti, al Museo dei Beni Culturali Cappuccini, via Kramer 5. Fino al 30 luglio. Orari: mar-dom h. 14.30-18.30. INGRESSO LIBERO. Tel 02 2043555.

PINACOTECA DI BRERA

Mostra "Brera mai vista". Esposizione di DIPINTI dai depositi della pinacoteca. Nuova serie di mostre a rotazione con poche opere mirate a valorizzare e far conoscere il PATRIMONIO in deposito. Orari: mar-dom h. 8.30-19.30. Chiuso il lunedì. INGRESSO 5 EURO, ridotto 2,50. Gratuito per i visitatori sotto i 18 e sopra i 65. Tel 02 894211.

Sport

KUNG FU

Lezioni sportive al parco. Due giorni di DIMOSTRAZIONI pratiche dell'arte del kung fu con i maestri di alcune scuole della città. A partire da sabato 15, h. 16. Giardini Pubblici di Porta Venezia. Info 02 8953995.

FESTA DELLO SPORT

Festa dell'Unità di Segrate. Torneo di CALCIO e di BOCCE, BASKET, PALLAVOLO, corse sui pony per bambini, GINNASTICA artistica e SCACCHI. Punto ristoro e dalle h. 21 visione su maxischermo della partita ITALIA-GERMANIA. Info 02 2690233.

lessico

1b Ordina nei box queste parole che riguardano cinema, musica e sport.

Nomi		Aggettivi		Verbi
commedia	volume	moderna	appassionante	tifare
documentario	concerto	classica	divertente	ballare
tifosi	campionato	drammatico	violento	ascoltare
squadra	proiezione	comico		suonare
album	stadio			cantare
regista	ginnastica			giocare
trama	canzone			correre

cinema

musica

sport

CD1 t.19

1c Convincere qualcuno. Ascolta un pezzo del dialogo tra Giovanni e Anna e completa le parti mancanti.

ANNA Marta compie gli anni il 7 luglio no? Quindi stasera è il 7 luglio... Dove sta il problema?

GIOVANNI Proprio stasera?

ANNA E perché no? Se compie gli anni oggi! Eh! Scusa!

GIOVANNI Dai! Stasera c'è la partita!

ANNA Ah ecco! Adesso ho capito tutto. Certo che non c'è peggior sordo di chi non vuol sentire!

GIOVANNI No, dai! Italia-Germania. Te ne rendi conto? ______________________ (*cercare di far capire il proprio punto di vista*). Senti, stiamo qui, io e te, in rigorosa concentrazione e poi... usciamo a festeggiare con tutti gli altri, anzi no, meglio ancora, chiediamo a loro di venire qui, così guardiamo la partita insieme! ______________________ (*esprimere entusiasmo*)! Tifo sfrenato, birra e la bandiera della Nazionale fuori dalla finestra.

ANNA Tu e la tua Nazionale. Lo sai che il calcio non mi piace. Anzi sai cosa ti dico: del tuo calcio e della tua Nazionale ______________ (*dire chiaramente che la cosa non interessa*)!

GIOVANNI ____________________ (*cercare di convincere del contrario*)! Dai! Stasera saranno tutti incollati alla TV, non ci sarà un cane in giro e vedrai che anche Luca e Marco vorranno vedere la partita.

ANNA Ma è la festa di Marta! Non possiamo mancare e poi ____________________ (*dire che la cosa interessa molto*). Ecco! ______________________ (*convincere l'altro a fare una cosa*).

GIOVANNI Ma __________________ (*richiedere l'attenzione*), non ti sto dicendo di stare in casa tutta sera ______________________ (*minimizzare la richiesta*) e di festeggiare poi con gli amici il compleanno di Marta e, perché no, anche la partita della Nazionale. ______________________ (*cercare di convincere*)! Provo a sentirli al telefono. __________________ ______________ (*rassicurare*).

1d In coppia. Sei a Milano questa sera: che cosa vorresti fare? Guarda la pagina degli spettacoli dell'esercizio 1a e convinci il tuo compagno a venire con te.

Che cosa ne dici di...
Guarda, sono sicuro/a che ti piacerà.
Mi piacerebbe davvero molto andarci!
I film drammatici sono la mia passione.
...e poi è gratis!

Ma dai vieni!
Ascolta, non posso perderlo, dai!
E perché invece non...
Ma guarda che è bello/interessante.

La lingua dei giovani

2a Quando i giovani parlano tra di loro spesso usano parole o espressioni particolari, a volte volgari. È così anche nella tua lingua?
Leggi questa pagina dal diario di Serena, che racconta una mattinata con le amiche. Sottolinea le parole che ti sembrano tipiche della lingua dei giovani.

Oggi io, Monica e Laura avevamo voglia di cazzeggiare e lo shopping in centro è una cura contro "lo stress da università". Allora siamo partite.

Prima tappa - Via Po
Le tipe entrano nei negozi e gli alternativi si fermano alle bancarelle etniche, ma noi siamo andate da Prezzi Pazzi, qualità discreta a prezzi bassissimi. Niente di interessante.

Secondo tappa - Piazza Castello
Intortate da qualche ambulante che vende finte cinture D&G (e ovviamente Laura butta l'occhio), ci siamo dirette verso i prezzi bassi di Pimkie, dove Monica si è comprata una t-shirt (strabella!!!)

Terza tappa - Via Garibaldi
Snobbiamo il Club della Juve, dove vanno i tifosi che sognano di essere fighi come i calciatori e le tifose che sperano in Del Piero per un miracolo.
Laura, la più seriosa, si ferma a guardare i negozi etnici sparsi un po' ovunque. In piazza Statuto c'è il nostro negozio preferito: significativa l'insegna "Un milione di cazzate".

(Adattato da www.comune.torino.it)

lessico

2b Associa queste parole tipiche del linguaggio giovanile usate da Serena al loro significato.

☐	1. alternativo	a. fare cose poco impegnative o non fare niente
☐	2. buttare l'occhio	b. molto bella
☐	3. cazzeggiare*	c. ragazze
☐	4. figo*	d. un bel ragazzo
☐	5. intortare	e. giovane che non si adegua alle regole della società
☐	6. snobbare	f. guardare velocemente e senza troppa attenzione
☐	7. strabella	g. non fare caso a..., non badare..., disprezzare
☐	8. cazzata*	h. stupidaggine
☐	9. tipe	i. imbrogliare qualcuno, fargli credere qualche cosa non vera

E4,5 →

(* volgare)

Le parole di origine straniera

3a Rileggi il testo a p. 58 e trova le parole straniere (sono in corsivo). Cerca un equivalente in italiano.

1. ______________________ 2. ______________________

3. ______________________ 4. ______________________

3b Trova il sinonimo italiano di queste parole di origine straniera molto usate in italiano.

1. la première ______________

2. l'e-mail ______________

3. la toilette ______________

4. il night-club ______________

5. il teenager ______________

6. il week-end ______________

8. il drink ______________

9. il basket ______________

10. lo humor ______________

11. la musica live ______________

12. il film d'essai ______________

13. il serial televisivo ______________

E6 →

E7 →

grammatica

Il comparativo di maggioranza e minoranza

CD 1 t. 20

1a Ascolta questa intervista a ragazzi che parlano di come amano divertirsi e completa la tabella con le informazioni che mancano.

paragone tra due nomi				
in Italia ci sono	(1) meno	giovani	che	anziani...
(1) ______				
mi piace	più	giocare a calcio	che	(2) ______ ______.
(2) ______				
(i film d'azione) li trovo	più	(3) ______	che	(4) ______.
paragone tra due nomi preceduti da preposizione				
(noi giovani lo) (5) ______ ______	meno	per le chiacchierate con gli amici	che	per i messaggi SMS.
(3) ______				
la (6) ______ è	più	bella	della	(7) ______.

1b Rifletti sull'uso dei comparativi e metti al posto giusto le seguenti spiegazioni.

1. paragone tra due qualità
2. paragone tra due cose/persone rispetto a una qualità
3. paragone tra due azioni

1c Leggi questa intervista a Federica Felini e completa con la forma corretta del comparativo, più di/che o meno di/che.

Federica Felini (modella)

Mi piace (1) ______ leggere (2) ______ guardare la TV: (i film romantici sono la mia passione), ma faccio entrambe le cose. In questo periodo in particolare sto leggendo molto, leggo (3) ______ romanzi gialli (4) ______ romanzi rosa, ma per la TV, come dicevo, guardo (5) ______ i film romantici (6) ______ altri tipi di film. Adoro gli sceneggiati televisivi. Quello che mi rilassa (7) ______ ______ Tv o (8) ______ libri però è una bella passeggiata a cavallo in pineta.
Ah, dimenticavo, quando faccio shopping con le amiche, ma ci piace chiacchierare, (9) ______ ______ fare shopping.

E10a, 11

1d In coppia. E tu cosa fai nel tuo tempo libero. Quali sono le tue priorità? Parlane con un compagno.

Che cosa è più importante per te?
Per me è più importante la famiglia degli amici.

1. famiglia/amici
2. ragazzo/a/amici
3. marito/moglie/figli
4. divertimento/impegno sociale
5. soldi/solidarietà
6. bei vestiti/viaggi
7. studio/divertimento

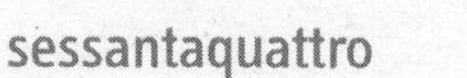

grammatica

I comparativi irregolari

2a Rileggi il testo a p. 58 e trova la forma irregolare del comparativo di questi aggettivi.

forma base	comparativo irregolare
buono	1. migliore (I ragazzi hanno tendenzialmente un migliore rapporto con la famiglia rispetto alla media europea.)
cattivo	2.
grande	3.
piccolo	4.
basso	5.
alto	6.

2b Completa questo testo sui gusti musicali dei giovani italiani, scegliendo tra i comparativi irregolari della tabella. Ricorda di accordare l'aggettivo con il nome a cui si riferisce.

QUALCHE NOTA SUL RAPPORTO TRA GIOVANI E MUSICA

I giovani e la musica. Quanto, dove e come la consumano?
Le risposte in una ricerca che ha coinvolto 1200 studenti delle scuole superiori di Bologna e Messina.

Musica? Ogni momento è quello giusto. Almeno per gli adolescenti italiani che, in classifica di importanza, collocano l'esperienza musicale al terzo posto, (1) ______________ solo a famiglia e amicizia. Lo rivela quest'indagine che ha esplorato gusti, generi e modalità d'ascolto. Dai dati emergono quattro principali linee di tendenza: centralità della musica nella vita quotidiana, voglia di suonare in prima persona, scarsa frequenza a corsi per imparare a suonare, massificazione dei gusti. La (2) ______________ parte dei giovani (il 63%) è appassionata di musica e il 60% afferma di saper suonare. Un popolo musicalmente colto, quindi? Non proprio. Solo una percentuale (3) ______________ (il 10%) segue corsi per imparare, anche perché, gran parte dei giovani che frequentano corsi privati danno un giudizio negativo sulla scuola pubblica, che, secondo loro, fornisce una preparazione (4) ______________ rispetto ai corsi privati. Per quanto riguarda i generi, i (5)______________ apprezzamenti vanno ai video clip, quotidianamente guardati dal 42% del campione: dance, rap e tecno in particolare. E scompare l'opera, apprezzata da un numero (6) ______________ di giovani (solo dal 5% degli intervistati). "È ribadita la tendenza al conformismo degli adolescenti anche se non mancano le voci 'contro', quelli che vogliono che la musica sia cultura".

(Adattato da www.magazine.unibo.it/Magazine/Attualita/2004/12/02musica.htm)

E10b →

2c In coppia. Per te quanto è importante la musica? Che tipo di musica ascolti? Quando la ascolti? C'è un momento particolare in cui la musica ti ha aiutato o un momento della giornata in cui la ascolti sempre?

I pronomi combinati (1ª e 2ª persona singolare)

3a Leggi questi microdialoghi e fai attenzione all'uso dei pronomi personali. A chi/che cosa si riferiscono?

1.
ANNA Amore sei pronto? Stai ancora facendo la doccia?
GIOVANNI Arrivo subito! Mi sono dimenticato in cucina la maglietta gialla. Me la daresti?
ANNA Quella sulla sedia?
GIOVANNI Sì, proprio quella...
ANNA Un attimo! Te la porto subito!

2.
GIOVANNI Dai, voglio vedere la partita: Italia-Germania, ti rendi conto?
ANNA Ma abbiamo promesso agli altri che uscivamo.
GIOVANNI Me ne fai vedere solo un pezzetto?
ANNA Te la faccio vedere, ma solo se poi usciamo insieme.

3.
ANNA Dobbiamo andare da Marco e Giulia, hanno promesso che ci fanno vedere le foto del matrimonio.
GIOVANNI Ma me le hanno fatte vedere diecimila volte. Non ho voglia di venire.

3b Completa la tabella e rispondi alle domande sotto.

indiretti \ diretti	lo	la	li	le	ne
mi	me lo				
ti					

1. Qual è l'ordine dei pronomi?
2. Come cambiano i pronomi combinati rispetto alla forma semplice?
3. Quale dei due pronomi si accorda con il participio passato?

! I pronomi combinati si formano con un pronome diretto e con un pronome indiretto.

3c Abbina le frasi della colonna di sinistra alla colonna di destra, scegliendo il pronome appropriato.

1. Se vuoi il libro di Stefano Benni ___________ posso prestare.
2. Guarda che non ho io il DVD dell'"Ultimo bacio". Non ___________ hai mai dato.
3. Ieri sera al bar è successa una cosa davvero imbarazzante, ma ora non ___________ posso raccontare.
4. La mia musica preferita è la tecno, ma non ___________ consiglio, se sei una persona tranquilla.
5. Ti piacciono i miei nuovi occhiali? ___________ ha regalati mia mamma per il mio compleanno.
6. Se vuoi delle foto ___________ posso fare io.
7. Ho conosciuto questi ragazzi ieri sera in discoteca. Se stasera vieni al bar ___________ presento.
8. Se hai le canzoni di Laura Pausini ___________ puoi far sentire? L'adoro.
9. Se hai delle caramelle ___________ daresti una? Ho bisogno di zuccheri!
10. Se trovo delle foto di Tiziano Ferro in Internet ___________ scarico qualcuna sul PC.

a. me ne
b. te la
c. me lo
d. me le
e. te lo
f. te ne
g. te la
h. te li
i. me li
l. te le

E13 →

grammatica

3d Completa questa pagina del blog di Elisa con i pronomi combinati alla prima e seconda persona singolare.

..........::::martedì 5 novembre::::.........

Rivoglio il tuo sorriso!!!

Elena, da qualche giorno non sei più la mia solita compagna di banco. Le solite confidenze sui ragazzi non (1) ____________ fai più. "Che cosa c'è?" ti ho chiesto. Tu non (2) ____________ hai detto. Una volta i tuoi segreti (3) ____________ raccontavi tutti e io i miei (4) ____________ dicevo prima ancora di averli pensati.
Oggi pensavo al nostro viaggio a Roma per vedere i Blue, (5) ____________ ricordi che belli! E anche Roma! (6) ____________ ricordi? Elena, dov'è il tuo sorriso così raggiante? (7) ____________ vorrei ridare, ma non so come fare! Domani a scuola voglio affrontare il problema e spero che tu mi spiegherai!

TVTTTB Elisa

E12 →

I pronomi relativi (che - chi)

4a Leggi questa sezione della guida di Torino dedicata ai locali notturni scritta da alcuni giovani torinesi.

Questa guida è pensata per chi è giovane e vuole visitare la nostra città. Chi vuole bere i migliori aperitivi deve fermarsi nel quadrilatero romano, che è la zona dei locali dove migliaia di giovani ogni sera passeggiano. Molte le soste: in piazza Emanuele Filiberto il "Pastis", che è molto accogliente, e la Gelateria "Mondello", che vende veri gelati siciliani; in via Bellezia consigliamo lo "Zonk", che serve un aperitivo fantastico e "Las Rosas" dove si trovano molte persone che hanno voglia di socializzare; in generale per chi non sa cosa scegliere l'unica regola è fidarsi dell'intuito.
Chi invece vuole vedere quali sono i club che i giovani frequentano deve passare dai "murazzi", in gergo "i muri". Si tratta di una passeggiata lungo il fiume Po, costruita alla fine del 1800, che in origine era un posto dove si praticava sport (qui c'erano infatti quattro circoli di canottaggio) e si incontravano gli amici. Questa zona, che ha visto un lungo periodo di abbandono, è rinata dal 1990 e oggi è un luogo di divertimento, meta fissa delle notti della nostra città. Ecco alcuni nomi: il "Jammin" con una passerella interna che permette di vedere dall'alto il mondo della notte che balla; "the beach" locale con musica house che ospita mostre, attività culturali e conferenze con aperitivi di tendenza.
Certo! C'è chi ama la musica house e chi invece preferisce musica d'altro genere. In questo caso dovete andare dal "Doctor sax", icona delle notti trasgressive torinesi, dove si può ballare musica black fino alle 9 di mattina.
(Adattato da www.comune.torino.it)

1. Di che cosa parla questa guida?
2. Quali sono le due zone di Torino in cui ci sono locali per giovani?
3. Che cosa sono i "murazzi"?
4. In quale locale si può ballare fino al mattino?

4b Rifletti sull'uso di che e chi nel testo di p. 67. Che cosa sostituiscono? Completa la tabella.

Il pronome _______ serve a collegare tra loro due frasi, sostituendo un nome.

es.: 1. *A "Las Rosas" si trovano molti giovani _______ hanno voglia di socializzare.*
(A "Las Rosas" si trovano molti giovani. I giovani hanno voglia di socializzare)

2. ____
____.

Il pronome _________ non sostituisce un nome, ma significa "la persona/e che".

Il verbo che segue il pronome _________ è sempre alla _________ persona _________.

es.: 1. *Questa guida è pensata per _________ è giovane e vuole visitare la nostra città.*

2. ____
____.

4c Segui le istruzioni dell'insegnante e fai una gara di velocità per comporre questi proverbi e modi di dire con chi e che. Vince chi compone correttamente il proverbio e ne spiega il significato.

piange se stesso
è a metà dell'opera
ha fatto l'uovo
il can _______ dorme
non morde

a Pasqua con _______ vuoi
dà il vino _______ ha
ciò _______ finisce bene
non piglia pesci
trova

1. _________ dorme
2. Can _________ abbaia
3. _________ ben comincia
4. Ogni botte
5. Tutto è bene
6. La prima gallina _________ canta
7. Non svegliare
8. A Natale con i tuoi,
9. _________ è causa del suo mal,
10. _________ cerca

E15

grammatica

4d In coppia. Completa liberamente le frasi sotto e parlane con un compagno.

CHE

Il cantante che preferisco...
La squadra di calcio che detesto...
La discoteca che frequento più spesso...
L'ultimo libro che ho letto...
L'amico/a che non vedo da più tempo...
La città italiana che vorrei visitare...
Il ragazzo/la ragazza che amo...

CHI

Ammiro chi....
Amo chi....
Detesto chi....
Mi fa ridere chi....
Mi fa piangere chi
Mi fa arrabbiare chi
Mi infastidisce chi...

Conversare

pronuncia

CD1 t.21

1a Ascolta questo dialogo e rifletti sulle parole sottolineate abbinandole alla funzione corrispondente (attenzione: a una stessa funzione possono corrispondere più forme).

ANNA	Ciao Marta! Auguuuuuuriiiiiii!
MARTA	Grazie Anna. (1) Allora? Come stai?
ANNA	Mah bene, dai! A parte Giò che ogni tanto perde i colpi sai. (2) Senti un po' cosa mi ha detto stasera. Sai che avevamo già deciso di trovarci tutti insieme (3) no?
MARTA	(4) Eh!
ANNA	Ecco! Lui dice che non glielo avevo mai detto.
MARTA	(5) Noooo!
ANNA	E invece sì, (6) guarda, ma sai qual è la verità?
MARTA	(7) Mh!
ANNA	La verità è che era solo una scusa per poter vedere la partita della Nazionale.
MARTA	(8) Ma dai!
ANNA	Che coraggio! Anche perché ci eravamo messi d'accordo almeno una settimana fa.
MARTA	(9) Assolutamente! E allora cosa gli hai detto?
ANNA	Gli ho detto che era fuori!
MARTA	(10) Ah! E lui come ha reagito?
ANNA	Ah... ha subito cambiato tono e mi ha proposto di uscire e di trovarci alla festa della birra.
MARTA	(11) Ho capito.
ANNA	(12) Comunque è riuscito ancora una volta a salvare capra e cavoli, in queste cose è davvero un mago.

Marta

a. Iniziare un discorso ___________
b. Confermare l'attenzione ___________
c. Segnalare sorpresa ___________
d. Confermare l'accordo ___________

Anna

e. Attirare l'attenzione ___________
f. Tenere viva l'attenzione dell'interlocutore ___________
g. Segnalare la fine del discorso ___________

pronuncia

CD 1 t.22-23

1b Riascolta e interpreta il dialogo per due volte: recita prima le battute di Marta e poi quelle di Anna.

1c In coppia. Interpreta il dialogo con un compagno.

CD 1 t.24

1d A volte le stesse espressioni usate con intonazioni diverse possono avere funzioni diverse. Ascolta questi due dialoghi e associa l'espressione in rosso alla funzione corrispondente.

1

- Ti ho detto che Marco è partito per gli Stati Uniti?
- Ma dai! Non lo sapevo proprio!

2

- Non so se stasera mi va di uscire. Domani mi devo alzare presto e poi sono un po' stanca.
- Ma dai! Datti una mossa! Lo sai che sei proprio una pigrona?

a. __________ : serve per convincere qualcuno a fare qualcosa che non vuole fare.
b. __________ : serve per segnalare sorpresa.

CD 1 t.25

1e Ascolta queste espressioni e abbinale alla funzione corrispondente. Poi con un compagno ripeti le frasi e i dialoghi con la giusta intonazione.

1. Marta compie gli anni il 7 luglio, no?
2. "Marco ha venduto la moto per comperarsi la macchina."
   "Noooo!"
3. Allora? Non sei ancora pronto?
4. Allora, possiamo fare così...
5. "Non mi piace il calcio"
   "Ma come no!"
6. "Mi dai una mano con l'esercizio?"
   "Come no!"

a. __________ : esortare
b. __________ : iniziare un discorso
c. __________ : cercare di convincere del contrario
d. __________ : chiedere conferma
e. __________ : esprimere disponibilità
f. __________ : esprimere sorpresa

E18, 19, 20

produzione libera

1f L'intervista

Usa i suggerimenti elencati sotto per intervistare un tuo compagno sui suoi interessi e divertimenti.

1. La sua canzone preferita...
2. Il film che gli/le piace di più...
3. Il momento migliore della giornata...
4. Il più grande divertimento...
5. La sua giornata ideale...
6. Il suo sport preferito...
7. Il suo cantante preferito...
8. Il libro più importante/bello...
9. Il tempo che dedica a se stesso...
10. Il tempo che dedica agli amici...
11. Il tempo che dedica alla famiglia...
12. Il tempo che dedica agli altri...

produzione libera

2 ...Non ci sono più i giovani di una volta

Leggi le opinioni di alcuni adulti sui giovani d'oggi. Con quale sei più d'accordo? Perché? Discutine con due compagni.

3 Quale film ci vediamo?

Stasera con due compagni vuoi vedere un film all'aperto. Guarda in Appendici (p. S36) le locandine dei film in programmazione. Quale vorresti vedere? Convinci i tuoi compagni a venire insieme a te.

E9

4 Il blog della notte

Qual è stata la notte in cui ti sei divertito di più? Che cos'hai fatto? Con chi eri? Continua il blog con i tuoi ricordi.

Crea il tuo blog gratis | Cerca sul blog

Il blog della notte

::: Data: ________________ :::

I giovani della notte si muovono, si confondono tra loro...
località e destinazioni diverse per un comune scopo: divertirsi.

-Archivio-
oggi
maggio 2005
aprile 2005
marzo 2005
febbraio 2005
gennaio 2005
dicembre 2004
novembre 2004
ottobre 2004

E14, 16, 17

Il popolo della notte

1a Che cosa fate di solito nel fine settimana per divertirvi? Avete mai sentito parlare delle "Notti bianche"? Sapete che vuole dire "passare la notte in bianco"?

1b Leggete questo articolo e dite quali delle informazioni sotto sono presenti nel testo.

Da nord a sud, molte città italiane l'hanno sperimentata

Una notte in bianco, per esserci

La festa low cost è dappertutto. In principio è stata Roma, poi Napoli e la Torino olimpica. Ma è diventata una moda anche in molte università.

ROMA – La prima è stata quella della capitale, tre anni fa. Indimenticabile, non solo perché era il debutto italiano della 'notte bianca', ma anche perché è finita con un *black out*. Poi è stata la volta di Napoli, dove due milioni di persone si sono riversate per le strade della città in cerca di spettacoli e concerti. Sono seguite Milano e la Torino dei giochi invernali: nel clima olimpico la festa per i sonnambuli è raddoppiata, visto l'enorme successo. Come per tutte le cose riuscite, le imitazioni si sono poi moltiplicate. A cominciare dalle 'notti bianche' organizzate dalle università, come quella che si è svolta in contemporanea negli atenei di Roma, Pisa, Bari, Padova e Bologna. E nella piccola Spoleto, nel cuore dell'Umbria, sta per prendere il via la prima 'notte bianca del vino'.
La notte bianca è una miscela (d'importazione francese) di spettacoli, concerti, mostre, eventi, con i locali pubblici aperti fino all'alba. Ossia l'equilibrio perfetto tra il divertimento gratis e di ottima qualità, la formula magica che mette d'accordo istituzioni, artisti, commercianti, cittadini. E, per una notte, sembra che tutto funzioni, dall'organizzazione delle singole performance ai trasporti pubblici. Ogni volta è un programma curato nei dettagli, ricco di eventi, con la partecipazione di artisti di alto livello: gli ultimi appuntamenti hanno visto alternarsi sul palco, in città e per spettacoli diversi, Roberto Benigni, Beppe Grillo, Claudio Baglioni, Pino Daniele. Le luci si accendono, il tempo si annulla, la città è invasa, dal centro alle periferie.

(Adattato da www.repubblica.it, 02-06-06)

- ☐ **1.** "La notte bianca" è una nottata di divertimenti per tutti.
- ☐ **2.** È un'iniziativa che c'è da molti anni.
- ☐ **3.** È una moda che si sta diffondendo in parecchie città italiane.
- ☐ **4.** Roma è la prima città italiana che ha organizzato "la notte bianca".
- ☐ **5.** "La notte bianca del vino" a Spoleto è alla sua seconda edizione.
- ☐ **6.** Gli spettacoli e gli eventi organizzati sono gratuiti.
- ☐ **7.** I mezzi pubblici funzionano tutta la notte.
- ☐ **8.** Gli organizzatori invitano giovani artisti poco conosciuti.

CD 1 t.26

2a Ascolta l'intervista allo scrittore Federico Moccia (da Radio Alt, 21-6-2006) e completa le frasi.

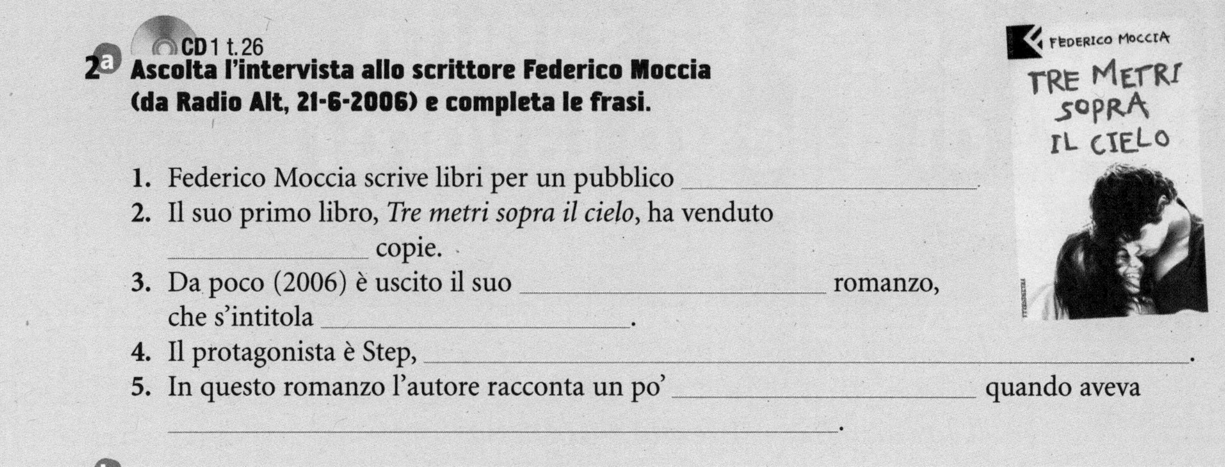

1. Federico Moccia scrive libri per un pubblico ____________________.
2. Il suo primo libro, *Tre metri sopra il cielo*, ha venduto ____________ copie.
3. Da poco (2006) è uscito il suo ____________________ romanzo, che s'intitola ____________________.
4. Il protagonista è Step, ____.
5. In questo romanzo l'autore racconta un po' ____________________ quando aveva ____.

2b Leggi il testo tratto dal libro *Ho voglia di te* di Federico Moccia e rispondi alle domande sotto.

Siamo fuori nella notte in moto, io e Pallina. Lascio andare la 750. Una velocità tranquilla, pensieri al vento. Lei si stringe a me, ma senza esagerare. Due equivoci umani, congiunzioni astrali di uno strano destino. Io, il migliore amico del suo uomo, lei la migliore amica della mia donna. Ma tutto questo appartiene al passato. Scalo e corro via veloce, il vento rinfresca. Porta via i miei pensieri. Ah, sospiro. Così bello a volte non pensare. Non pensare. Una serie di locali. Akab come prima tappa.
"Dai, qui conosco tutti, saranno felici di vederti."
Mi lascio guidare. Entriamo, un saluto. Riconosco qualcuno.
"Un rum, grazie."
"Chiaro o scuro?"
"Scuro."
Un altro locale. Charro caffè. Mi lascio andare.
"Un altro rum, con ghiaccio e limone."
Poi all'Alpheus. E un altro rum. Ghiaccio e limone. Qui fanno di tutto: musica anni '70 e '80, hip-hop, rock, dance. Poi al Ketum bar. Mi dimentico dove ho posteggiato la moto. Cosa importa. "Un altro rum. Ghiaccio e limone." Ridiamo. Saluto qualcuno. Uno mi salta addosso.

(Da Federico Moccia, 2006, *Ho voglia di te*, Feltrinelli, Milano, p. 183)

1. Secondo te, che rapporto c'è tra Step e Pallina?
2. Come passano le serate Step e Pallina?
3. Perché Step ha dimenticato dove ha parcheggiato la moto?

3a Leggete e commentate i dati nel box. Poi esprimete la vostra opinione su questi due provvedimenti presi dal Governo italiano per fronteggiare il problema degli "incidenti del sabato sera" e dell'alcolismo tra i giovani.

Provvedimenti

1. chiusura delle discoteche alle 3 della notte (2003)
2. divieto di somministrazione e vendita di alcolici ai minori di 18 anni nei locali pubblici (2006) e nei supermercati (dal 2007)

- 12 anni è l'età del primo consumo di alcol dei giovani italiani
- più di 800.000 giovani di età pari o inferiore a 16 anni consumano regolarmente alcol
- il 45% di incidenti del sabato sera è dovuto ad abuso di alcolici

E nel vostro Paese com'è la situazione?

5 unità

Come ha saputo di questo lavoro?

In questa unità impari a sostenere un colloquio di lavoro, a conoscere come gli italiani vivono il lavoro, e a esprimere opinioni.

per cominciare

Che cosa rappresenta per te il lavoro?

Confrontati con un compagno.
Con quali di queste affermazioni pensi di essere più d'accordo?

Le donne lavorano meno degli uomini.

Non si lavora più come una volta.

Per avere un lavoro interessante bisogna studiare molto.

Ci sono certamente lavori più adatti agli uomini e lavori più adatti alle donne.

per capire

Mi parli di Lei

1a Ascolterai un dialogo in cui una ragazza sostiene un colloquio di lavoro. Scrivi cinque domande che secondo te l'esaminatore farà.

CD 1 t.27

1b Ascolta il dialogo e trova una risposta, se c'è, alle tue domande.

1c Riascolta il dialogo e rispondi alle domande.

1. Per quale tipo di lavoro sta sostenendo il colloquio Marta?
   - ☐ a. per un lavoro in una scuola
   - ☐ b. per un lavoro in un ufficio
   - ☐ c. per un lavoro in un negozio
2. Che professione vorrebbe svolgere Marta?

   ____
3. Dove ha visto Marta l'annuncio di ricerca personale?
   - ☐ a. in un sito Internet
   - ☐ b. in un giornale
   - ☐ c. in televisione
4. Qual è il titolo di studio di Marta?
   - ☐ a. diploma
   - ☐ b. laurea
5. Quali lingue parla Marta?
   - ☐ a. inglese
   - ☐ b. spagnolo
   - ☐ c. francese
   - ☐ d. tedesco
   - ☐ e. russo
   - ☐ f. italiano
6. Marta è disponibile a fare degli straordinari?
   - ☐ a. sì
   - ☐ b. no
7. Qual è lo stipendio che Marta propone?
   - ☐ a. non più di 1.200 euro netti
   - ☐ b. non meno di 1.200 euro lordi
   - ☐ c. non meno di 1.200 euro netti
8. Che cosa farà il dottor Disco dopo che il colloquio con Marta sarà finito?

   ____

   ____

Confronto fra culture

Il *bon ton* del colloquio

Orario: assolutamente necessario essere puntuali; se siete in ritardo avvisate in anticipo.
Abbigliamento: vestitevi spontaneamente (secondo l'occasione e il contesto); un abbigliamento "neutro" non fa correre rischi.
Fumo: non accendete una sigaretta, non chiedete neppure se potete farlo (i portacenere sul tavolo non autorizzano a fumare).
Risposte: rispondete a tono alle domande che vi saranno poste; rifiutarsi non è mai opportuno. Meglio essere, casomai, evasivi.
Parlare troppo o troppo poco: essere troppo sintetici non va bene. Presentatevi accuratamente, badando alla priorità delle informazioni e al livello di dettaglio da offrire.
Sguardo: se il colloquio è gestito da più selezionatori, guardateli entrambi anche nel caso fosse palese chi conta davvero.
Cellulare: vietato tenerlo acceso e, se per caso vi siete dimenticati, spegnetelo senza rispondere.
Commiato: se il selezionatore vi dà segno che il colloquio si sta chiudendo, chiarite l'ultima cosa che avete da dire, ma non forzate la continuazione dell'incontro.

(Adattato da www.corriere.it)

- Queste regole per un buon colloquio di lavoro valgono anche nel tuo Paese?
- Quali sono le cose "da non fare" nel tuo Paese?
- Come ti vestiresti per un colloquio di lavoro nel tuo Paese? Sul posto di lavoro ci si veste in modo formale?

Che lavoro farai da grande?

2a In coppia. Questo testo parla di cosa vogliono fare da grandi i bambini italiani. Prima di leggerlo guarda la classifica dei settori in cui i bambini vorrebbero lavorare e fai delle ipotesi. Quali mestieri o professioni vorranno fare?

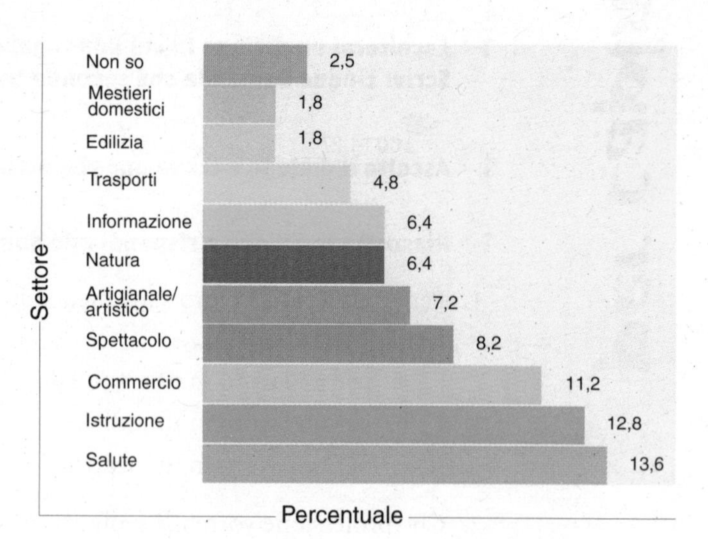

2b Leggi il testo e rispondi.

I mestieri più amati dai bambini? Pompiere, pilota, ballerina TV

Cosa farò da grande? I desideri dei piccoli influenzati da genitori e spot

"Il lavoro che vorrei fare da grande è il veterinario". Certo a dieci anni Marco si concede ancora qualche dubbio: "Non so ancora se visiterò solo gatti o cani, o tutti e due". Mentre Jessica, con l'istinto di Maigret che si ritrova, sta già pensando alle prime indagini: "Ovviamente non lavorerò solo io, ma ci saranno i poliziotti che mi aiuteranno ad arrestare il ladro". Andrea, quinta elementare, già si vede "ingegnere aerodinamico in galleria del vento" e ha le idee chiare anche su come spendere il primo stipendio: "Mi comprerò una casa a Montecarlo, prenderò una Lamborghini e un bel PC". Però!

I bambini fanno grandi sogni. Cantante-ballerina-attore, pompiere, maestra, poliziotto, pilota d'auto, d'aereo, d'elicottero (o di taxi), medico-veterinario, astronauta. Ma anche giardiniere, barista, vigile, commessa di profumi, venditore d'auto, maestro di nuoto, panettiere, parrucchiere, fruttivendolo, giornalista, giornalaio. Tutto è possibile.

Il problema semmai sono gli ideali a cui si riferiscono, soprattutto i più piccoli, spesso negativi. "Innanzi tutto perché il lavoro", spiega Cristina Castelli, docente di Psicologia

all'Università Cattolica, "sottrae i genitori al tempo da passare in famiglia. E poi perché spesso entra nell'intimità domestica con i gesti bruschi della mattina. 'Sbrigati che devo andare in ufficio' oppure 'Sono stanco/a, ho lavorato tutto il giorno' e 'Guarda, non ti posso comprare il gioco perché non ho guadagnato abbastanza'. Così i piccoli percepiscono la professione solo come strumento economico per portare avanti la famiglia e non hanno nemmeno un'idea chiara del luogo fisico in cui i genitori lavorano". Bisognerebbe invece parlare ai figli dei valori su cui si basa il lavoro. E magari accompagnarli in ufficio, spiegare con calma strumenti e tempi di lavoro".

Poche settimane fa in una scuola materna del centro Marco, Claudia e Patrick (un bimbo filippino) si dividono le consegne: 'il papà' in ufficio (Marco), 'la mamma' in cucina (Claudia) e Patrick alla pulizia di vetri e pavimenti. "Questo episodio rende evidenti gli stereotipi di cui i bimbi si nutrono per quanto riguarda il mondo del lavoro". Non l'unico, a dire il vero. Per esempio un altro stereotipo che i bambini condividono in modo abbastanza diffuso è che il padre lavora più della madre.

Quando si cresce, i sogni si adeguano. Al senso di onnipotenza tipico della prima infanzia si sostituisce, intorno alla quarta elementare, la presa di coscienza di capacità reali. Poi, alle medie, scatta la 'fase-tre', quella dei valori: i ragazzi scoprono l'importanza di guadagno, fama e successo, che vengono fatti passare ai ragazzi attraverso la TV. Ormai è assodato che la TV vende modelli e miti irraggiungibili con il risultato che i ragazzi hanno una forte attrazione per figure mitologiche talentuose, coraggiose e trasgressive. I genitori, invece, devono trasmettere i valori reali a cui fare riferimento: utilità sociale, emancipazione, famiglia. Allora? Allora bisogna chiedersi se questo modello 'adultocentrico', che influenza le aspettative dei bambini, soddisfa veramente i loro desideri.

(Adattato dal "Corriere della Sera", 16-05-2006)

per capire

Vero o falso? V F

1. I bambini hanno le idee molto chiare sul lavoro che faranno da grandi. ☐ ☐
2. I lavori a cui i bambini aspirano sono molto semplici. ☐ ☐
3. L'idea che i bambini hanno del lavoro è influenzata dal lavoro dei genitori. ☐ ☐
4. I bambini sono sempre contenti del lavoro dei genitori. ☐ ☐
5. Uno degli stereotipi su cui i bambini sono d'accordo è che il papà lavora più della mamma. ☐ ☐
6. Intorno ai nove anni i bambini iniziano ad aspirare a lavori che portano fama, successo e guadagno. ☐ ☐

Parole nuove

	Significato	Esempio	Note

2c In coppia. Qual era il lavoro dei tuoi sogni quando eri bambino? Perché? E adesso come sono cambiati i tuoi desideri?

E3 →

Confronto fra culture

Italiani popolo di sognatori?

- Quali sono gli stereotipi sugli italiani e il lavoro nel tuo Paese? Sono confermati dalle statistiche qui a fianco?
- Quando e quanto lavorano le persone nel tuo Paese?
- C'è una "pausa caffè"?
- Le donne lavorano quanto gli uomini?

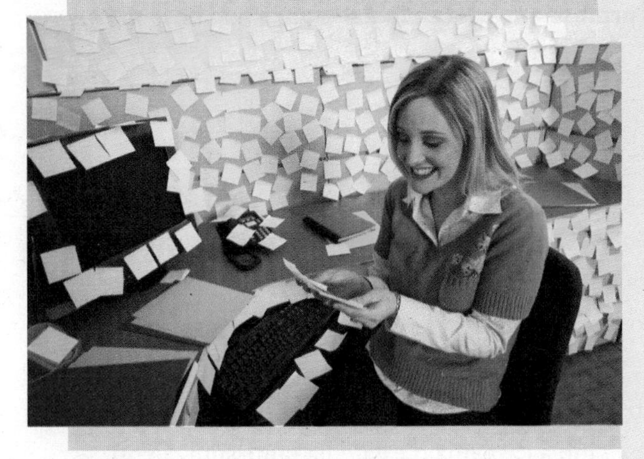

ITALIANI AL LAVORO 38 ORE A SETTIMANA, 2 IN PIÙ DELLA MEDIA EUROPEA

I principali dati del Rapporto Istat sulla situazione lavorativa in Italia rilevano che l'orario medio settimanale italiano è di circa 38 ore, il più alto della media europea (36,09 per l'Europa), e che l'attività in tempi extra-lavorativi coinvolge più di un lavoratore su 5 (il 23,2% del totale).
La lunghezza dell'orario medio effettivo dei lavoratori italiani è legata allo scarso peso della componente femminile (che lavora, in media, 4 ore a settimana meno degli uomini) e alla scarsa diffusione del part-time (12,8% contro il 20,2% della media europea).
Differenze nell'organizzazione della giornata lavorativa anche tra autonomi e dipendenti: i primi lavorano in media un'ora in più al giorno, ma con orario spezzato.
I secondi lavorano ininterrottamente dalle 9 alle 17 e hanno più tempo libero.

(Adattato da www.labitalia.com)

E1,2 →

I mestieri e le professioni

CD 1 t. 28

1a Che lavoro fanno queste persone? Ascolta le interviste e cerca di capire la professione di ognuno. Poi riascolta e completa.

1

Quando lavora ______

Dove lavora ______

Con chi lavora ______

Che cosa fa? ______

Professione ______

2

Quando lavora ______

Dove lavora ______

Con chi lavora ______

Che cosa fa? ______

Professione ______

3

Quando lavora ______

Dove lavora ______

Con chi lavora ______

Che cosa fa? ______

Professione ______

E4

1b In gruppo. Seguite le istruzioni dell'insegnante. A turno, prendete una carta-lavoro (Appendici, p. S37), senza farla vedere agli altri, che devono fare domande per indovinare di che professione si tratta.
Attenzione! La persona con la carta-lavoro può rispondere solo sì o no.

> Lavora anche di domenica?
> È pagato molto bene?

1c Alcuni nomi di professioni si formano aggiungendo dei suffissi. I più usati in italiano sono i seguenti:

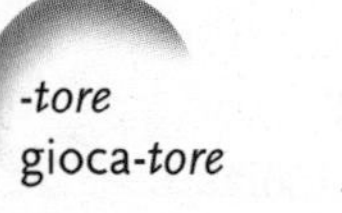
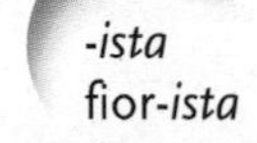

-tore	*-ista*	*-aio*	*-iere*
gioca-*tore*	fior-*ista*	giornal-*aio*	inferm-*iere*

Usa i suffissi sopra per formare dei nomi di professione partendo dalla parola di base data tra parentesi.

1. Carlo da grande vuol fare il (*dente*) ______________.
2. Molti ragazzi aspirano a diventare (*indossare*) ______________.
3. Uno tra i (*regia*) ______________ italiani più famosi è Bernardo Bertolucci.
4. L'(*allenare*) ______________ della nazionale italiana di calcio nel 2006 era Marcello Lippi.
5. Se vuoi comprare delle sigarette devi andare dal (*tabacchi*) ______________.
6. Molti bambini italiani da grandi vogliono fare il (*pompa*) ______________.
7. Per fare il (*tradurre*) ______________ bisogna conoscere molto bene le lingue.
8. Ho sempre amato la natura, per questo ho deciso di fare il (*giardino*) ______________.
9. Il (*gelato*) ______________ che c'è vicino a casa mia d'estate ha tantissimi clienti.
10. Per fare il (*muro*) ______________ devi essere molto forte.

lessico

1d Com'è il femminile di queste professioni? Completa la regola.

l'allena-tore	l'allena-______
il giornal-aio	la giornal-______
il fior-ista	la fior-______
l'inferm-iere	l'inferm-______

E5 →

Gli annunci di lavoro

2a Leggi questi annunci di lavoro e abbinali alla professione corretta.

postini	segretaria	accompagnatore
operai	impiegati	parrucchiere

La ditta Forniture Industriali **ricerca** (1) ________ specializzati e non, con mansioni di tubista, carpentiere e saldatore. Richieste professionalità e ottima manualità. Chiamare ore ufficio 02-67854769.

Concessionaria auto **cerca** per propria attività **sede Milano** (2) ________ ambosessi, automuniti con esperienza pluriennale nel settore e attitudine ai rapporti con l'utenza. Si richiedono adattabilità, elasticità e sensibilità verso i clienti. Retribuzione commisurata alle reali capacità. Inviare CV dettagliato via fax allo 02 26950063.

Salone in Rovato **cerca** (3) ________ capace. Richiedonsi diploma e minima esperienza, originalità e creatività. Possibilità crescita professionale ed economica. No perditempo. Telefonare 030 7700656.

CERCASI per periodo estivo (4) ________ per gruppi di studenti all'estero. Richiedesi conoscenza lingua inglese, francese, spagnola, curiosità, velocità nello stabilire relazioni, maturità. Inviare CV a mezzo fax allo 06 44202652.

CERCASI (5) ________, neodiplomata, bella presenza, conoscenza lingue e Windows. Possibilità part-time. Per appuntamento tel. 041 242611.

SOFIPOST
Ricerca (6) ________ ambosessi per Bergamo. Richiedonsi disponibilità e forma fisica, gradite esperienza e flessibilità; fondamentali puntualità e organizzazione. Mezzi di locomozione forniti dall'azienda. Contratto tempo determinato (possibilità assunzione a tempo indeterminato). Inviare CV autorizzando ex d.lgs 196/03 a info@sofipost.it.

Quale di questi annunci ha letto Marta (*Per Capire*, es. 1b)?

2b Rispondi alle domande.

1. In quali annunci si cercano solo uomini o solo donne?
2. In quale annuncio viene indicata la possibilità di lavorare solo per mezza giornata?
3. In quale annuncio si cercano collaboratori solo per un periodo limitato?
4. In quale annuncio si cercano diverse figure professionali?

2c Rileggi gli annunci e trova il sinonimo formale di queste parole.

compito →
maschio e/o femmina →
con la macchina →
di più anni →
compenso/salario →
aspetto fisico gradevole →
mezzo di spostamento →
clienti →
che si è appena diplomato →
libertà da impegni lavorativi →

2d Quale dei lavori visti in 2a ti sembra più adatto a una donna o a un uomo? Perché? Ci sono altri lavori che secondo te sarebbero più adatti solo a uomini o solo a donne?

Lavoro e personalità

CD1 t.29

3a Ascolta questi brani del colloquio di lavoro di Marta (*Per Capire*, es. 1b) e completa i box con le qualità e i difetti che vengono citati.

3b Abbina gli aggettivi della colonna di sinistra (che descrivono qualità) ai corrispondenti contrari nella colonna di destra (che descrivono difetti).

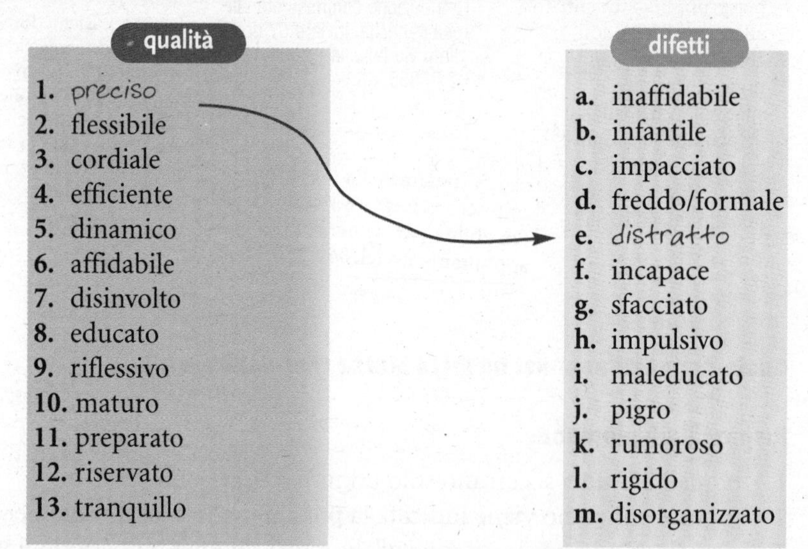

qualità	difetti
1. preciso	a. inaffidabile
2. flessibile	b. infantile
3. cordiale	c. impacciato
4. efficiente	d. freddo/formale
5. dinamico	e. distratto
6. affidabile	f. incapace
7. disinvolto	g. sfacciato
8. educato	h. impulsivo
9. riflessivo	i. maleducato
10. maturo	j. pigro
11. preparato	k. rumoroso
12. riservato	l. rigido
13. tranquillo	m. disorganizzato

3c Da quali parole derivano questi nomi di qualità presenti nei testi degli annunci di p. 79?

	parola di base		suffisso
flessibilità <	flessibile	+	-ità

1. adattabilità ____________
2. attività ____________
3. curiosità ____________
4. elasticità ____________
5. manualità ____________
6. maturità ____________
7. professionalità ____________
8. puntualità ____________
9. sensibilità ____________
10. velocità ____________
11. capacità ____________
12. possibilità ____________

lessico

3d Leggi i profili di questi personaggi del programma televisivo "Camera Café" e completa le descrizioni con i nomi derivati dagli aggettivi.

Luca Nervi
(responsabile acquisti e delegato sindacale)

Luca è il leader carismatico. Ha iniziato dalla gavetta, in azienda. Ora, con 12 anni di (*attivo*) (1) attività alle spalle, è responsabile degli acquisti. La (*curioso*) (2) ________ e l'(*elastico*) (3) ________ ne fanno un impiegato modello. È anche delegato sindacale, ma il suo ruolo non va d'accordo con la spiccata tendenza a mettere sempre i propri interessi davanti a quelli degli altri.

Paolo Bitta
(responsabile vendite)

Il suo compito in azienda è vendere. E sa farlo molto bene, anche se qualcuno mormora che parte della sua (*capace*) (4) ________ di persuasione sia in (*reale*) (5) ________ da riconoscere alle mogli dei clienti. Ne fa le spese la (*fedele*) (6) ________, che il matrimonio gli imporrebbe nei confronti di Valeria. La sua (*pratico*) (7) ________ ne fa un maestro nell'arte della compilazione delle note spese, che gonfia per aumentare le sue entrate mensili.

Silvano Rogi
(contabile)

È entrato in azienda subito dopo essersi laureato in Economia. Tra le sue doti spiccano la (*veloce*) (8) ________ sul lavoro e la (*puntuale*) (9) ________ in ufficio; manca totalmente invece di (*adattabile*) (10) ________ e (*creativo*) (11) ________. Tra le sue incombenze vi è la preparazione delle buste paga, il che potrebbe renderlo molto popolare tra i suoi colleghi, ma di solito viene trattato come il capro espiatorio.

Patrizia D'Imporzano
(segretaria di direzione)

30 anni (portati malissimo). A prima vista può sembrare una stupida, ma è solo completamente svampita. La sua dote principale è la (*sensibile*) (12) ________, ma è assolutamente priva di qualsiasi (*capace*) (13) ________, sempre un passo indietro rispetto a quello che sta accadendo. Nel piccolo appartamento che divide con la gatta Marilyn, Patti si dedica alle occupazioni che riempiono il suo tempo libero: prendersi cura delle piante, vedere film tristi, leggere romanzi tristi e scrivere poesie.

(Adattato da www.cameracafe.it)

E6, 7

3e In coppia. Scrivi le 5 qualità che secondo te sono più importanti per svolgere bene il proprio lavoro. Poi confrontati con un compagno.

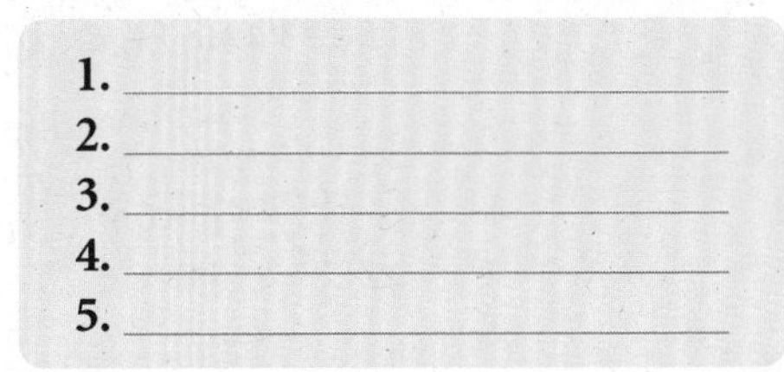

1. ________
2. ________
3. ________
4. ________
5. ________

3f Secondo te quali caratteristiche devono avere queste persone per far bene il proprio lavoro?

Pilota

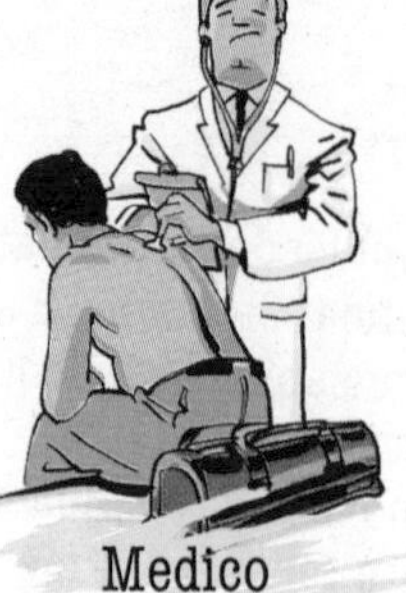

Medico

Regista

Insegnante

Ballerina

Avvocato

La lettera di presentazione

4a Leggi la lettera di presentazione che Marta invia alla ditta ACESP. Sottolinea tutti gli elementi e i termini formali.

Osserva:
- i pronomi
- gli aggettivi possessivi
- la persona del verbo
- le formule di apertura e chiusura
- il lessico

Marta Rossi
Via dell'Italia 4
00100 Roma

Spett.le ACESP
Alla c.a. del dott. Guidi
Via Cola di Rienzo, 3
00100 Roma

Roma, 6 marzo 2006

Ogg.: Vs. inserzione sul sito Cercalavoro rif. 200

Egregi Signori,

con riferimento all'inserzione pubblicata sul sito Cercalavoro il 15 marzo u.s., vorrei sottoporre alla Vostra attenzione il mio CV, augurandomi che possa essere di Vostro interesse.

Sono una neolaureata in Lingue e Letterature Straniere, interessata al settore Marketing e alla Comunicazione. Avendo studiato all'estero, conosco bene l'inglese; sono dinamica, creativa e predisposta alle pubbliche relazioni. Ho uno spiccato senso del dovere e sono piena di entusiasmo.

Pur non avendo maturato alcuna esperienza "sul campo", ritengo di poter sviluppare, in breve tempo, le competenze specifiche che sono richieste nell'inserzione, dato che sono estremamente motivata.

Restando a disposizione per qualsiasi chiarimento, allego il mio CV con il consenso al trattamento dei dati personali da me forniti. Nell'attesa di un cortese riscontro Vi porgo distinti saluti.

Marta Rossi

lessico

4b Dai un titolo sintetico a ogni paragrafo della lettera. Scegli tra:

titoli di studio e qualità | perché è adatta a quel lavoro | motivo o ragione della lettera | chiusura

4c Nella lettera ci sono delle abbreviazioni. Trovale e abbinale al loro significato.

1. ________________ → cortese attenzione
2. ________________ → dottor
3. ________________ → Oggetto
4. ________________ → Vostra
5. ________________ → riferimento
6. ________________ → ultimo scorso
7. ________________ → *curriculum vitae*

4d Trova nella lettera le espressioni formali per:

1. riferirsi a qualcosa di conosciuto (per chi legge e scrive) ________________
2. chiedere di leggere/prendere in considerazione qualcosa ________________
3. dire che non si ha esperienza ________________
4. dire che si possono dare altre informazioni ________________
5. dire che si aspetta una risposta ________________
6. salutare ________________

4e L'apertura e la chiusura delle lettere sono indicative del grado di formalità. Quali di queste formule di apertura e chiusura sono formali? Quali informali? Per chi le useresti?

Apertura

Gent.ma/Gent.mo (Gentilissima/o) dott. Marchi
Ciao Silvia!
Caro/Carissimo Sergio
Spett.le (Spettabile) Telecom
Egr. (Egregio) dott. Stanga
Gent. (Gentile) Lucia

Chiusura

Bacioni
Un abbraccio
Tanti saluti
Distinti saluti
Cordiali saluti
A presto

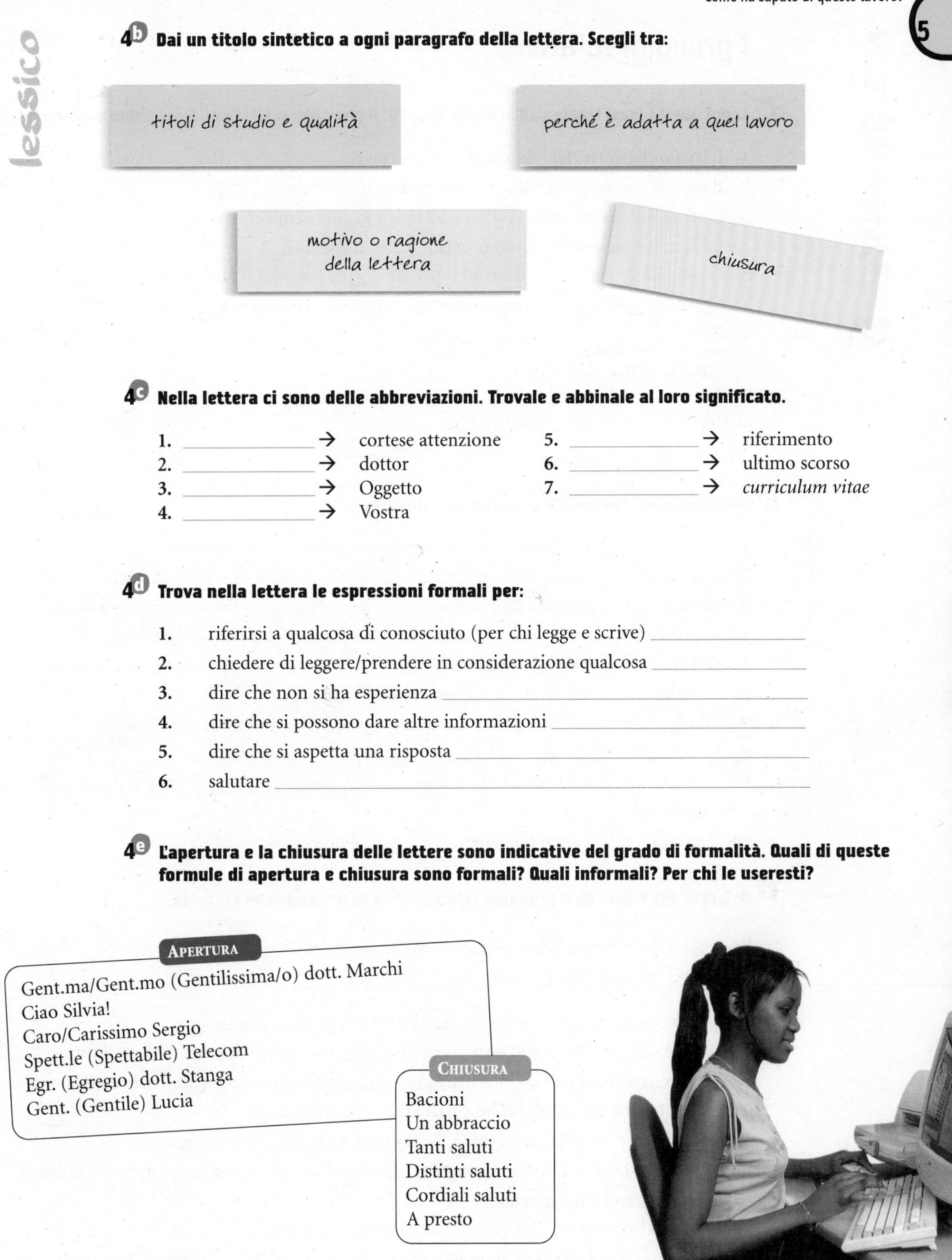

E8 →

4f Scegli uno degli annunci a p. 79 e scrivi la tua lettera di presentazione.

I pronomi relativi

1a Leggi queste frasi tratte dall'articolo di p. 76. A che cosa si riferisce il pronome sottolineato?

1. Il lavoro che vorrei fare da grande è il veterinario.
2. Il problema sono gli ideali a cui i più piccoli si riferiscono.
3. I piccoli non hanno un'idea chiara del luogo in cui i genitori lavorano.
4. Bisogna parlare ai figli dei valori su cui si basa il lavoro.
5. Questo episodio rende evidenti gli stereotipi di cui i bambini si nutrono.
6. I genitori invece devono trasmettere i valori a cui fare riferimento.

Quando si usa *che*? E *cui*?
che ______________________________
cui ______________________________

1b Inserisci in queste frasi la preposizione corretta.

1. Il posto ______ cui lavoro è molto lontano dal posto ______ cui vivo.
2. La collega ______ cui lavoro si è appena sposata e adesso è in viaggio di nozze.
3. Ricordo ancora benissimo il giorno ______ cui ho iniziato a lavorare in questa società.
4. Uno dei lavori ______ cui mi piacerebbe poter scegliere è il pilota d'aereo.
5. Oggi ci sono molte nuove professioni ______ cui non conosciamo neanche l'esistenza.
6. La ditta ______ cui lavoro si occupa di impianti elettrici.
7. Lo stipendio ______ cui aspiro con questo posto è di circa 1.200 euro mensili.
8. La scrivania ______ cui metterei quel vaso è quella più esposta al sole.
9. Se ti si è rotta la macchina, ti do il nome del meccanico ______ cui vado io perché è davvero bravo.
10. Il collega ______ cui ti ho parlato ieri, oggi si è licenziato.

1c Unisci le due frasi con il pronome relativo cui e la preposizione corretta.

Giulio è un collega. Sei sicuro di trovarti bene con Giulio.
Giulio è un collega con cui sei sicuro di trovarti bene.

1. Quello è un lavoro. Silvia riuscirà a ricavare molti soldi da quel lavoro.
2. Marco è una persona molto estroversa. Con Marco sei sicuro di poter parlare di tutto.
3. Ho appena visitato un sito Internet. Sul sito Internet ho trovato un annuncio interessante.
4. Il Dott. Rossi è un collega. Ti ho parlato del Dott. Rossi ieri.
5. Non ho mai visto prima la persona. Prima stavi parlando con una persona.
6. Alessandro si trovava in una situazione imbarazzante. È riuscito a uscire in modo brillante da una situazione imbarazzante.
7. Il lavoro è interessante. Ieri ho fatto domanda per quel lavoro.
8. Ci sono molte città italiane. In molte città viaggiare in macchina è davvero impossibile.
9. Ilaria è una collega molto disponibile. A Ilaria puoi chiedere aiuto in qualsiasi momento.

E10, 11 →

grammatica

1d Completa queste descrizioni di nuove e bizzarre professioni scegliendo tra che o cui e la preposizione corretta.

L'insegna vivente
Non è un professore (1) ________ insegna la materia "vivente", ma è un tipo (2) ________ fa l'insegna vivente per un ristorante. Un fotografo dell'agenzia (3) ________ lavoro è andato a fargli delle foto: sta fuori sul marciapiede vicino al ristorante (4) ________ lavora, vestito da cameriere ma immobile. Ha confidato che c'è qualche inconveniente nel suo mestiere, come quando qualche buontempone si accorge che è "vivo" e gli tira sassi o altro. Ma, a parte ciò, sembra essere un lavoro (5) ________ al tizio in questione piace molto.

Dottore del sorriso
Non è un comico! Viene pagato per far ridere i clienti (6) ________ si occupa. Le persone (7) ________ vanno da lui hanno bisogno di ridere e lui le incoraggia a pensare a qualcosa (8) ________ ridere, non necessariamente con l'aiuto di barzellette. Ridere, si sa, fa bene al benessere fisico e mentale. E se ci pensi anche al portafoglio!

Selezionatore di cipolle
Ci sono diversi tipi di cipolle: le cipolle (9) ________ hanno la giusta forma, dimensione, maturazione e il giusto colore, e poi ci sono le cipolle (10) ________ invece escono da terra troppo mature. Allora? Serve qualcuno (11) ________ affidarsi. Il selezionatore sceglie e pulisce le cipolle prima che raggiungano il supermercato. E poi, non dimentichiamoci: ci sono diversi tipi di cipolle (12) ________ servono per diversi scopi: per insaporire un soffritto, da aggiungere nell'insalata, e poi le cipolle (13) ________ non rinunceresti mai, quelle da mangiare in agrodolce.

I pronomi combinati (3ª persona)

2a Leggi questi microdialoghi. A che cosa o a chi si riferiscono i pronomi evidenziati?

Al telefono. Un operatore del servizio *Pagine gialle* con dei clienti.

1.
- ● ...senta, mi ricordo un ristorante a Roma che inizia con la L....
- ○ In che zona?
- ● Ah non lo so... il ristorante me lo deve dire Lei!

2.
- ● Il tecnico del computer mi ha cambiato la password.
- ○ Se mi dà il nome del centro di assistenza glielo rintraccio.
- ● No, io volevo solo la password; Lei dal suo computer non riesce a dirmela?

3.
Devo preparare la cena e il bambino non mi lascia fare nulla... Gli piacciono le fiabe, gliene potrebbe raccontare una?

4.
Presto, vorrei un'ambulanza per la gatta di mia sorella: gliel'ho regalata per il suo compleanno, ma lei ci si è seduta sopra senza accorgersene!

Tra amici

5.
- ● Non riesco a usare il mouse, è difficile con il coprimouse.
- ○ Il coprimouse?
- ● Ma sì! Te lo vendono sempre insieme al computer, è come un sacchetto di plastica, te lo danno già montato; tu non ce l'hai?

grammatica

Completa la tabella e rispondi alle domande:

		diretti				
		lo	la	li	le	ne
indiretti	a me/ ______			me li		
	a te/ ______				te le	
	a lui/ ______ a lei/ ______ a Lei/ ______ a loro/ ______			glieli		

I pronomi combinati alla terza persona si formano con il pronome *gli* + *e* + pronome diretto: *gli* + *lo* → *glielo*.

1. A quante diverse forme dei pronomi indiretti corrisponde la forma *gli-* dei pronomi combinati? ______
2. Da quante parole sono formati i pronomi combinati di terza persona? E quelli di prima e seconda persona singolare? ______
3. Dove si trovano i pronomi combinati rispetto al verbo?
4. Quando c'è un pronome combinato, con quale dei due pronomi (diretto o indiretto) si accorda il participio passato? ______

2b Completa questi aneddoti su persone che non sanno usare il PC con glielo, gliela, glieli, gliele, gliene e con l'accordo del participio passato quando necessario.

"Sto cercando di inviare un fax con il computer a mia sorella in Inghilterra. È molto urgente, ma non riesco a inviar(1)______ ."
(Il tecnico scopre che l'uomo sta tentando di faxare delle lettere con lo schermo: (2) ______ mette sopra e preme il tasto "invio").

"Ho pulito la tastiera di mia figlia e adesso non funziona più: (3) ______ hanno dat______ sporca e io cosa ho fatto: (4) ______ ho pulit______. L'ho immersa in acqua e sapone, l'ho strofinata per bene e poi ho tolto tutti i tasti e (5) ______ ho lavat______ singolarmente. Ma adesso non va più."

"Tutti e due i porta tazze del mio PC si sono rotti."
"Porta tazze?"
"Sì. Sono sul frontale del mio computer."
"Ma che strano! (6) ______ hanno inviat______ con il PC o magari li ha avuti in una promozione, in qualche fiera? (7) ______ chiedo perché non ne ho mai sentito parlare."
"Insieme al computer. C'è solo scritto '52X' sopra."
(La cliente stava usando gli sportelletti dei CD ROM come porta tazza).

Un cliente confuso dice di avere un problema con le stampanti. Il computer continua a dire "stampante non trovata". Il signore ha due stampanti e, credendo che il computer abbia qualche problema di vista, pensa "Adesso (8) ______ faccio vedere io, la stampante" nel senso che (9) ______ mette davanti una e gira il monitor verso la stampante, ma il computer continua a non trovarla.

E13 →

2c In coppia. Il tuo nuovo capo è al suo primo giorno, ma in ufficio gli mancano alcuni oggetti. Guarda che cosa c'è ancora a disposizione in magazzino e decidi se riesci ad accontentarlo, oppure no. Interpretate a turno il capo o la segretaria e fate dei dialoghi come nell'esempio.

- *Sig.ra Cerri, mi porta un portapenne, per favore?*
- *Certo, dott. Marchi, glielo porto subito / Mi dispiace, dott. Marchi, non ne abbiamo più, lo ordino subito e glielo faccio trovare domani sulla scrivania.*

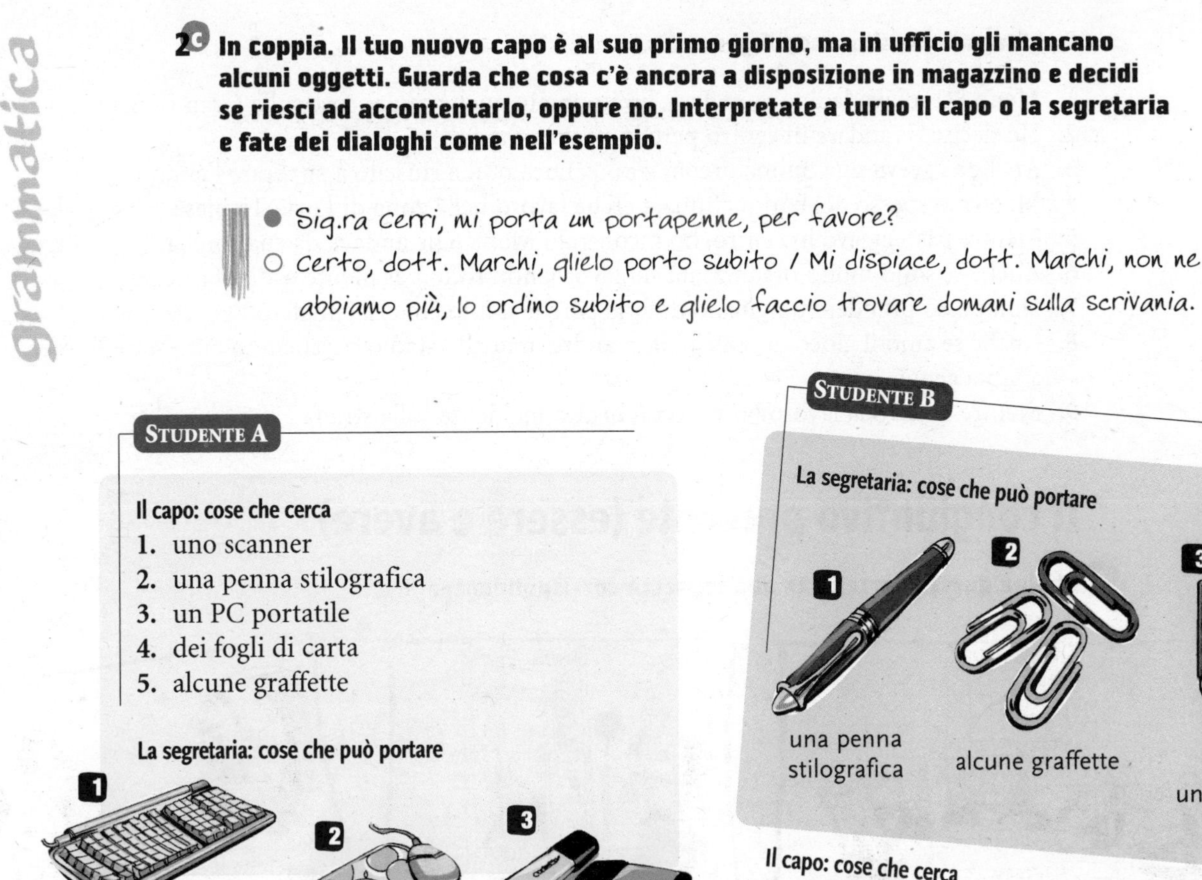
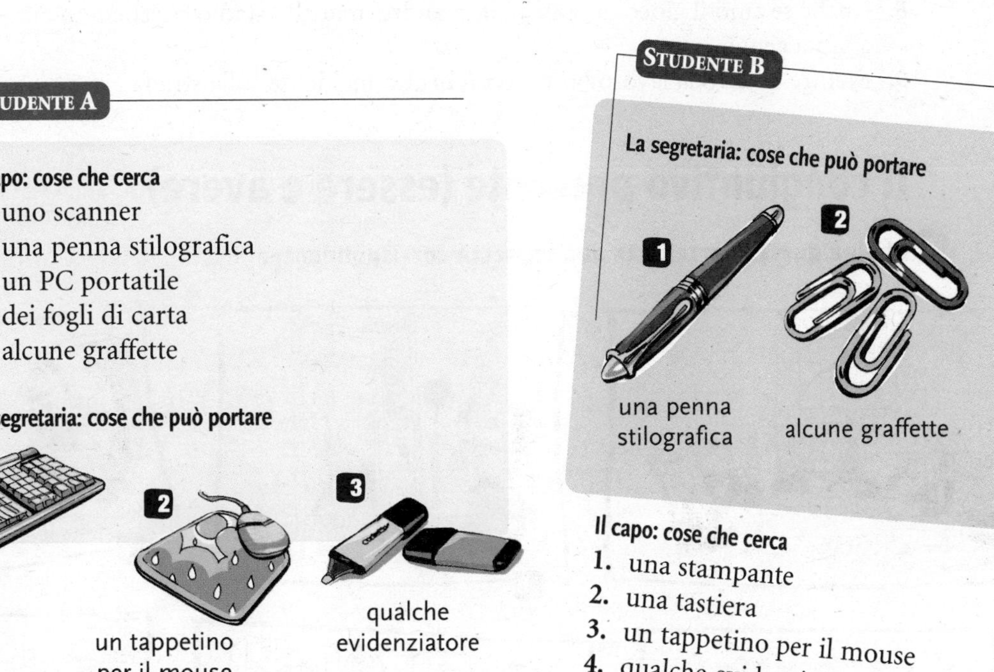

STUDENTE A

Il capo: cose che cerca
1. uno scanner
2. una penna stilografica
3. un PC portatile
4. dei fogli di carta
5. alcune graffette

La segretaria: cose che può portare

1. una tastiera
2. un tappetino per il mouse
3. qualche evidenziatore

STUDENTE B

La segretaria: cose che può portare

1. una penna stilografica
2. alcune graffette
3. un PC portatile

Il capo: cose che cerca
1. una stampante
2. una tastiera
3. un tappetino per il mouse
4. qualche evidenziatore
5. delle matite

E9, 14, 15, 20

Il gerundio

3a Rileggi la lettera di Marta a p. 82 e rifletti sui diversi usi del gerundio. Abbina le frasi ai valori corrispondenti del gerundio.

1. **Avendo studiato** all'estero, conosco bene l'inglese.
2. **Pur non avendo maturato** alcuna esperienza "sul campo", ritengo di poter sviluppare le competenze specifiche richieste.
3. **Restando** a disposizione per qualsiasi chiarimento allego il mio CV.

a. **Valore temporale**: stabilisce un rapporto di contemporaneità tra due azioni.
Lavorando a Milano, mi è capitato di andare alla Scala → Mentre lavoravo a Milano, mi è capitato di andare alla Scala.

b. **Valore causale**: indica un rapporto di causa-effetto tra due azioni.
Amando gli animali, Giulia vuole fare la veterinaria → Giulia vuole fare la veterinaria perché ama gli animali.

c. **Valore concessivo**: indica la mancanza di un rapporto di causa-effetto tra due azioni.
Pur venendo da un piccolo paese, mi piace molto lavorare in città → Anche se vengo da un piccolo paese, mi piace molto lavorare in città.

3b Trasforma le frasi usando il gerundio.

1. Mentre studiavo la lingua inglese, ho imparato anche molte cose sulla Gran Bretagna.
2. Ho deciso di andare in centro perché avevo tempo.
3. Anche se aveva una buona preparazione, Luca non è riuscito a superare l'esame.
4. Mi fermo spesso nel bar di Giulia, perché lavoro nella zona di Porta Ticinese.
5. Mentre passeggiavo in centro, ho incontrato Marco che andava da sua sorella.
6. Anche se sono molto organizzata sul lavoro, non sono per niente ordinata a casa.
7. Non posso prendere un giorno di ferie perché il mio collega è malato.
8. Anche se amo il gioco del calcio, non andrei mai allo stadio perché non amo stare in mezzo a tanta gente.
9. Mentre andavo al lavoro ho visto un brutto incidente sulla strada.

E16 →

Il congiuntivo presente (essere e avere)

4a Abbina queste barzellette alla vignetta corrispondente.

1. Mi sembra che sia troppo rumoroso. Non ne avrebbe uno più silenzioso?

2. Credo che abbiamo cose serie di cui occuparci, signori: chi di voi viene a giocare a golf questo pomeriggio?

3. Spero che non ci siano problemi se ce ne stiamo qua a dare un'occhiata finché non smette di piovere, non Le dispiace vero?

4. Pare che il direttore abbia intenzione di assegnarti un nuovo incarico.

5. Non penso che queste fusioni siano una buona idea...

6. Sto ripianificando l'organico, Biagi mi auguro che sia capace di manovrare un ascensore.

grammatica

4b Rileggi le barzellette, sottolinea i verbi al congiuntivo e abbina la barzelletta all'uso corrispondente del congiuntivo.

Il congiuntivo si usa dopo verbi che
a. esprimono opinioni o incertezza (per esempio ______________________).
b. esprimono desideri (per esempio ______________________).

	essere	avere
...che io/tu/lui/lei/Lei	sia	abbia
...che noi	siamo	abbiamo
...che voi	siate	abbiate
...che loro	siano	abbiano

Il congiuntivo presente si usa solitamente in frasi secondarie:
Secondo me Marco è in ritardo
principale (sogg. Marco)

Credo — *che Marco sia in ritardo.*
principale (sogg. **io**) — secondaria (sogg. **Marco**)

E17 →

4c Leggi le risposte alla domanda "Qual è il lavoro più bello del mondo?" inviate su un forum online e trasforma le opinioni sottolineate utilizzando le espressioni sotto con il congiuntivo presente.

Penso che... Credo che... Ritengo che... Mi sembra che....

IRC Server | Stanze e Canali

Forum > Qual è il lavoro più bello del mondo

1. **Olimpia B.**: Secondo me è fare la fotografa, ma per il National Geographic. Invece mi tocca fare l'impiegata. ☹
2. **Angelo V.**: A mio parere le persone hanno la possibilità di scegliere il lavoro che gli piace, se si impegnano nello studio. Questa è la cosa più importante.
3. **Ranocchietta**: Per me i calciatori hanno il lavoro migliore: li pagano milioni di euro per correre e stare in forma.
4. **Trilli**: Per come la vedo io il lavoro più bello è quello che hai sempre sognato di fare e che ti dà immense soddisfazioni.
5. **Franci**: Prima della nascita di mia figlia facevo l'agente di viaggio, per me è uno dei lavori più belli per tutte le opportunità che offre di viaggiare e conoscere persone nuove ogni giorno.
6. **Giulio D.**: Io sono uno scultore, ma faccio anche il pizzaiolo, secondo me hanno entrambi un fascino particolare, ma se dovessi scegliere, sceglierei il primo, anche se in realtà è il secondo che mi dà da vivere.
7. **Silvia**: L'agricoltore. Invidio tanto tutti gli agricoltori! Secondo me hanno un lavoro eccezionale perché vivono all'aria aperta e nessuno li comanda.
8. **Marco C.**: Il lavoro più bello è quello che facciamo io e mio fratello, non ci pesa e a mio parere siamo in pochi a essere così fortunati: siamo istruttori di tennis.
9. **Antonella**: Io amo viaggiare quindi per me il lavoro più bello è quello che mi permette di viaggiare. Scrittori di romanzi che leggete questo messaggio, sono con voi, per me siete i migliori! Mi compro un PC portatile e vi raggiungo su una bella spiaggia tropicale.

E18 →

4d In gruppo. Quale credi sia il lavoro più bello? Perché? Discutine con due compagni.

L'intonazione: ordini e richieste

CD1 t.30

1a Ordine o richiesta? Scegli l'intonazione giusta.

	!	?
1.	☐	☐
2.	☐	☐
3.	☐	☐
4.	☐	☐
5.	☐	☐
6.	☐	☐
7.	☐	☐
8.	☐	☐
9.	☐	☐

CD1 t.31

1b Le richieste possono essere pronunciate in modo neutro o poco gentile. Ascoltate le frasi e valutate se sono dette in modo neutro o poco gentile.

	neutro	poco gentile
1. Puoi venire nel mio ufficio?	☐	☐
2. Ti dispiace accendere la luce?	☐	☐
3. Puoi smetterla di fumare?	☐	☐
4. Potresti passare da me alle 5?	☐	☐
5. Puoi chiudere quella finestra?	☐	☐
6. Puoi restare ancora un attimo?	☐	☐
7. Mi aiuteresti con questo lavoro?	☐	☐
8. Cosa dici di spegnerlo quel PC?	☐	☐

CD1 t.32

1c Riascolta le frasi e ripetile con l'intonazione giusta.

CD1 t.33

1d Gli ordini possono essere pronunciati in modo neutro o poco gentile. Ascoltate le frasi e valutate se sono dette in modo neutro o poco gentile.

	neutro	poco gentile
1. Dai, vieni a mangiare quella pasta, è davvero buona!	☐	☐
2. Chiudi quella porta, per favore!	☐	☐
3. Sono già le 10, dai, sbrigati a finire quel lavoro!	☐	☐
4. Luca, non bruciare la torta!	☐	☐
5. Signor Rossi, non mi cancelli il file per favore!	☐	☐
6. Ragazzi, adesso aprite il libro!	☐	☐
7. Dott. Rossi, abbia pazienza!	☐	☐
8. Forza! Mettiamoci al lavoro!	☐	☐

CD1 t.34

1e Riascolta le frasi e ripetile con l'intonazione giusta.

E22,23 →

produzione libera

1 Il colloquio di lavoro

In coppia. Lavora con un compagno e segui le istruzioni dell'insegnante per offrire e cercare un lavoro.

CERCARE UN LAVORO

Stai per sostenere un colloquio per un lavoro. Valorizza le tue qualità, i tuoi studi e le esperienze professionali. Chiedi informazioni sulle condizioni di lavoro. Aiutati con questi suggerimenti:

- l'orario di lavoro;
- lo stipendio mensile;
- avanzamento di carriera.

E19

2 Un nuovo lavoro

In gruppo. Rileggete a p. 85 i lavori nuovi che alcune persone si sono inventate. Create un nuovo tipo di lavoro che vi sembri utile e/o divertente, specificate in che cosa consiste e chi lo può fare.

3 Problemi in famiglia

In coppia. Scegli se interpretare la moglie o il marito e leggi il tuo profilo (qui o in Appendici, p. S38). Cercate insieme di trovare una soluzione al problema.

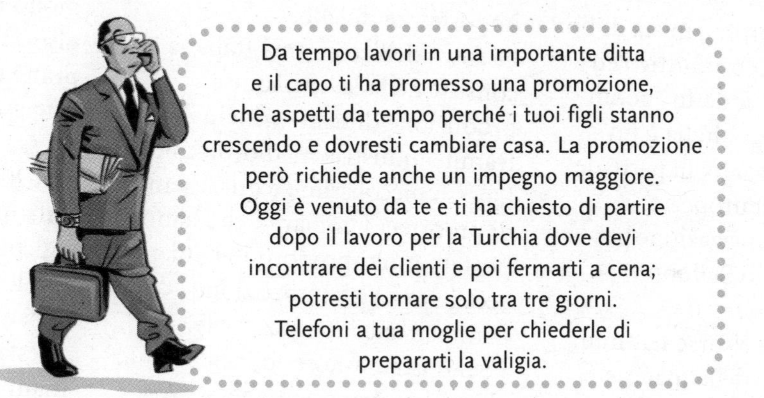

4 Scrittura

Come risponderesti a questo messaggio su un forum?

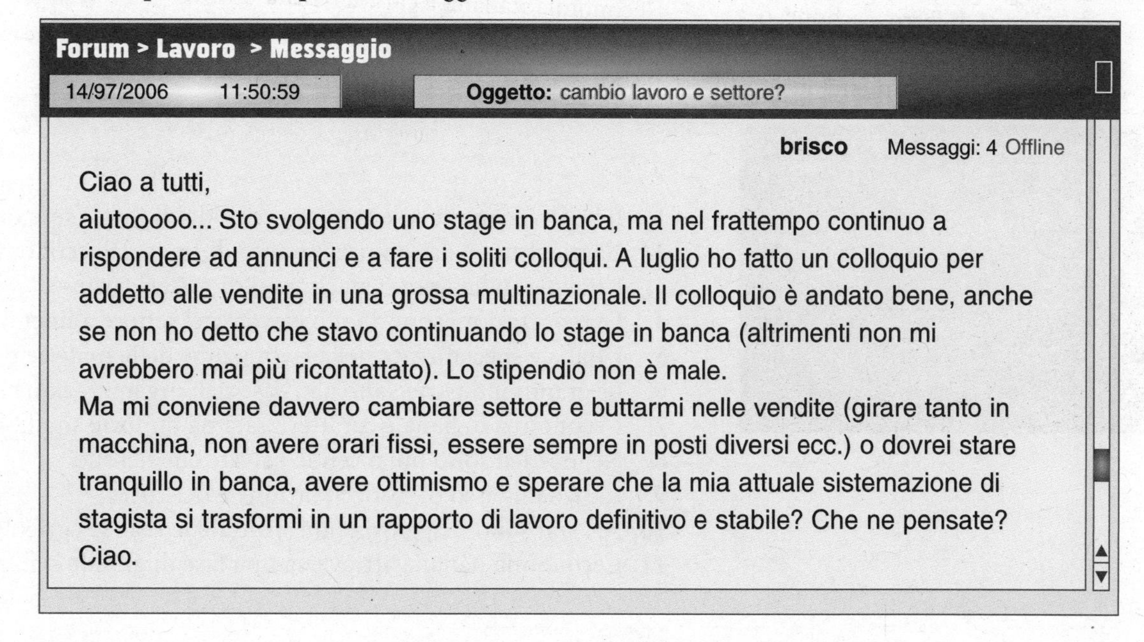

E21

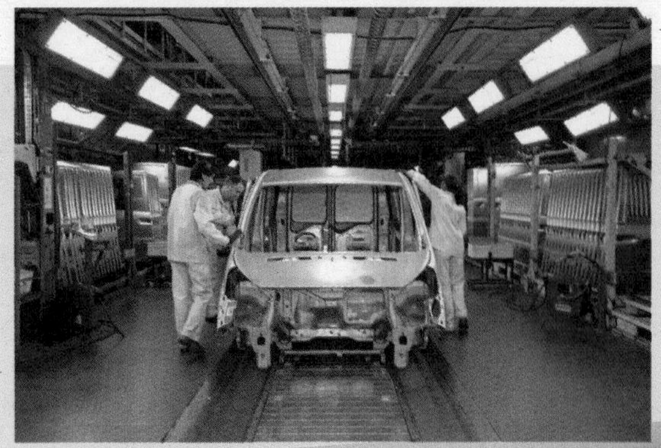

L'economia italiana

1a Com'è la situazione economica nel tuo paese? Quali sono i settori dell'economia più sviluppati?

1b Leggi questa breve presentazione dell'economia italiana e individua le informazioni contenute nel testo.

A partire dalla fine della seconda guerra mondiale il sistema economico italiano è molto cambiato. Infatti, se prima l'Italia era un paese prettamente agricolo, negli anni Cinquanta-Sessanta è stato protagonista di un notevole sviluppo produttivo ed economico (il cosiddetto "boom economico"): oggi l'Italia è un paese industrializzato, fa parte del G8, dell'Unione Europea e dell'OCSE (Organizzazione per la Cooperazione e lo Sviluppo Economico).
L'Italia ha poche risorse naturali: la maggior parte delle materie prime e il 75% dell'energia deve essere importato, dato che l'Italia non dispone di importanti giacimenti di ferro, carbone, o petrolio. L'estrazione di gas naturali, principalmente nella valle del Po e al largo del mar Adriatico, è recentemente aumentata e costituisce la risorsa mineraria principale del paese. Inoltre, poiché gran parte delle terre sono inadatte all'agricoltura, l'Italia è un paese importatore di cibo.
La forza dell'economia Italiana consiste nella lavorazione e produzione di beni, principalmente tramite industrie medio-piccole (spesso piccolissime e quasi sempre di proprietà familiare), che hanno portato molti prodotti italiani a eccellere nella competizione commerciale internazionale.
Le industrie automobilistiche, chimiche, farmaceutiche, elettroniche, della moda e del vestiario sono le più fiorenti.
L'economia italiana è caratterizzata da una forte differenza tra il nord e il sud.
Nel nord è presente un notevole sviluppo industriale con la preponderanza di aziende private, mentre il sud ha uno sviluppo molto minore e un tasso di disoccupazione molto alto, con punte del 20%; qui l'agricoltura ha un peso maggiore e l'industria è spesso statale.
Dal 2002 la crescita dell'economia italiana ha subito un preoccupante rallentamento e la crescita del Prodotto Interno Lordo, che con la crisi economica del 2004 si era attestata attorno allo 0%, si mantiene su una fascia che non supera l'1,8%, soprattutto a causa dei bassi valori della domanda interna e delle esportazioni.

(Adattato da www.wikipedia.org)

- ☐ **1.** Il boom economico è stato un periodo di forte crescita economica.
- ☐ **2.** L'agricoltura è da sempre il punto di forza dell'economia italiana.
- ☐ **3.** L'Italia non ha grandi giacimenti di materie prime.
- ☐ **4.** Le esportazioni sono molto elevate nel settore alimentare.
- ☐ **5.** L'Italia è specializzata nella lavorazione delle materie prime.
- ☐ **6.** Le grandi industrie sono alla base dell'organizzazione economica.
- ☐ **7.** L'economia italiana è caratterizzata da un forte squilibrio geografico.
- ☐ **8.** Nel nord ci sono più aziende private che nel sud.
- ☐ **9.** In Italia il tasso di disoccupazione è del 20%.
- ☐ **10.** Nel sud sono maggiormente sfruttate le risorse agricole.
- ☐ **11.** L'economia italiana attraversa una fase di grande sviluppo.

Le donne, l'azienda e la famiglia

2a Rispondi alle domande e confrontati con la classe.

Qual è la situazione delle donne che lavorano nel tuo paese?
Sono molte le donne che dirigono delle aziende? Che difficoltà hanno?

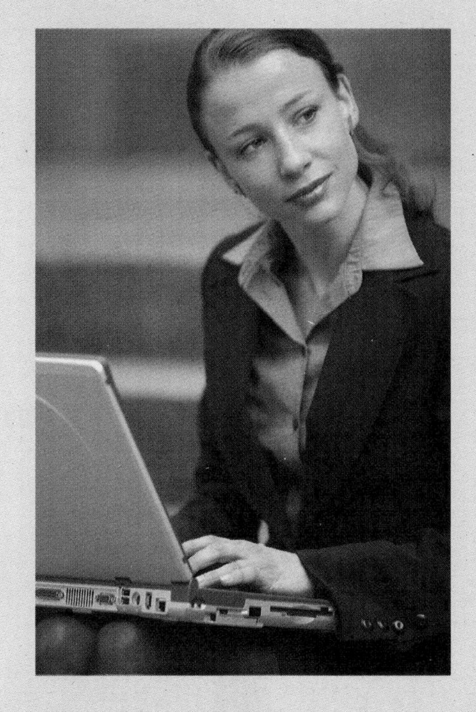

CD 1 t. 35

2b Ascolta più volte l'intervista e rispondi alle domande.

1. La percentuale di donne imprenditrici è
   - ☐ **a.** di poco più del 19%.
   - ☐ **b.** di poco più del 20%.
   - ☐ **c.** di poco più del 26%.
2. Ci sono più donne imprenditrici soprattutto
   - ☐ **a.** nel nord.
   - ☐ **b.** nel centro.
   - ☐ **c.** nel sud.
3. Molte donne che vogliono diventare imprenditrici
   - ☐ **a.** amano il rischio.
   - ☐ **b.** hanno paura di sacrificare la famiglia.
   - ☐ **c.** hanno bisogno di lavorare.
4. Secondo Rosa Gentile lo stato dovrebbe
   - ☐ **a.** aiutare economicamente le famiglie.
   - ☐ **b.** collaborare alla creazione di strutture per la famiglia.
   - ☐ **c.** dare più contributi alle donne imprenditrici.

3a In gruppo. Osservate alcuni dei dati che emergono da un'indagine sulle dirigenti delle imprese industriali (2005) e fate l'identikit delle donne manager che emerge da questa ricerca.

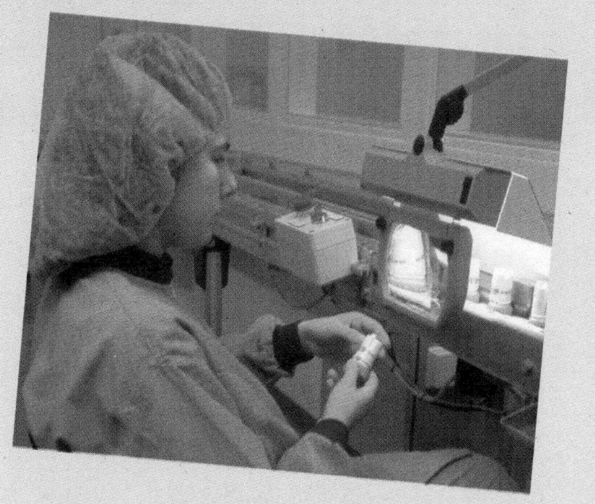

indagine di Federmanager sulle dirigenti delle imprese industriali (2005)

- 70% ha una laurea (contro il 60% degli uomini)
- 45 anni è l'età media (contro 50 degli uomini)
- 38 anni al top della carriera
- elevato livello sociale della famiglia di origine nel 50% dei casi
- 73% coniugate o conviventi (contro il 90% degli uomini)
- 43% senza figli (contro il 14% degli uomini)

Mamma mia!

In questa unità scopri alcuni aspetti del carattere degli italiani, impari a esprimere opinioni con il congiuntivo e a scrivere lettere di lamentela.

per cominciare

- **Che cosa ti suggeriscono queste immagini?**

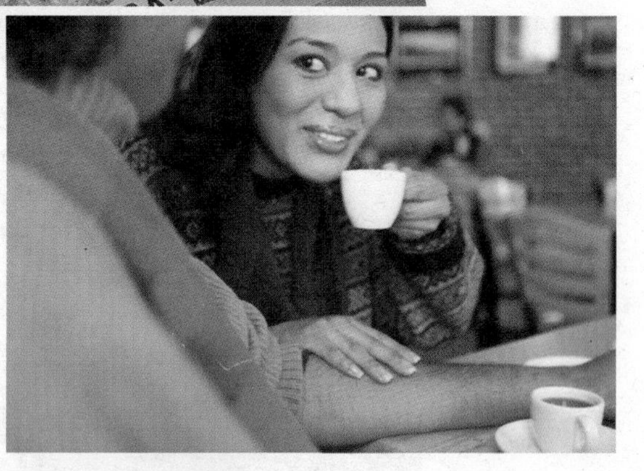

- **Questi sono alcuni vizi e virtù che gli italiani pensano di avere. Secondo te sono veri? Ne aggiungeresti altri?**

VIRTÙ

SAPERSI ARRANGIARE
GODERSI LA VITA
AVERE FANTASIA
ESSERE GENEROSI
PRENDERE LE COSE CON FILOSOFIA

VIZI

FARE I FURBI
ESSERE MENEFREGHISTI
ESSERE PRESUNTUOSI
ESSERE DISORGANIZZATI
ESSERE INAFFIDABILI

per capire

I giovani e la famiglia

1a A gruppi. A quale età i giovani nel tuo Paese lasciano la casa dei genitori? Quali sono i motivi per uscire di casa? Che cosa sai della situazione italiana?

- Non dici sempre di essere una persona adulta e indipendente? Bene, eccoti la bolletta del telefono!

CD 1 t.36

1b In coppia. Ascolta questa intervista al sociologo Marzano che parla del fenomeno della "famiglia lunga" in Italia. Poi scambia con un compagno le informazioni che hai raccolto.

1c Riascolta l'intervista e segna con una croce le risposte corrette.

1. Per "famiglia lunga" si intende:
   - ☐ **a.** la tendenza a sposarsi tardi
   - ☐ **b.** la tendenza a subire per lungo tempo l'autorità dei genitori
   - ☐ **c.** la tendenza a rimanere in famiglia anche se si è già indipendenti
2. Il fenomeno della "famiglia lunga" è:
   - ☐ **a.** tipicamente europeo
   - ☐ **b.** caratteristico dei Paesi mediterranei
   - ☐ **c.** tipicamente italiano
3. I giovani italiani tendenzialmente lasciano la famiglia d'origine
   - ☐ **a.** quando trovano un lavoro
   - ☐ **b.** quando si sposano
   - ☐ **c.** quando iniziano l'università
4. I giovani italiani trovano un lavoro stabile ed economicamente soddisfacente...
   - ☐ **a.** molto raramente
   - ☐ **b.** ma con poche garanzie
   - ☐ **c.** più tardi degli europei
5. Secondo Marzano molti giovani italiani hanno studiato più dei loro genitori e quindi
   - ☐ **a.** contrattano le regole di convivenza in famiglia
   - ☐ **b.** disprezzano i loro genitori
   - ☐ **c.** sono più indipendenti e fanno di testa loro
6. In Italia
   - ☐ **a.** è difficile trovare e comprare casa
   - ☐ **b.** le banche non fanno prestiti ai giovani
   - ☐ **c.** i genitori comprano la casa ai figli
7. Quali spiegazioni del fenomeno "famiglia lunga" vengono citate dal sociologo? (indicane 3)

1. ______________________
2. ______________________
3. ______________________

1d A gruppi. Com'è la situazione nel tuo Paese per quanto riguarda:

il mercato del lavoro

permanenza in famiglia

il mercato della casa

E1, 2, 3

Vizi e virtù degli italiani

2a In gruppi. Che cosa si dice degli italiani nel tuo Paese? Quali sono gli stereotipi più diffusi?

Gli italiani sono
ospitali, generosi, disonesti, simpatici, fannulloni...

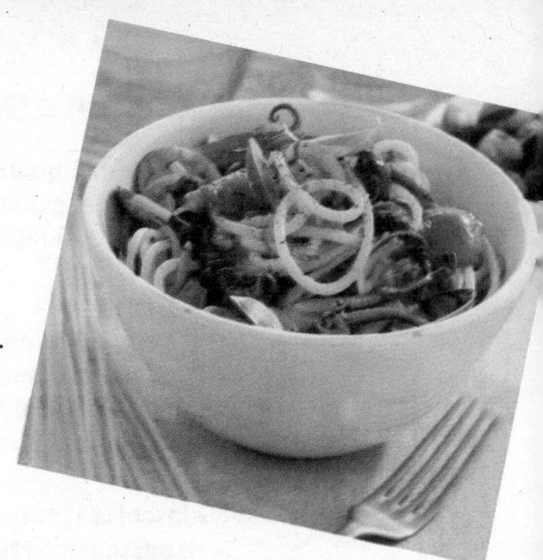

2b Leggi questo articolo in cui si parla del modo di vivere e di alcuni valori degli italiani e rispondi.

Una nazione allo specchio

Indagine conoscitiva su vizi e virtù degli italiani

Gli stereotipi sul nostro carattere nazionale, verso i nostri comportamenti più tipici, si sprecano da secoli, ma nella maggior parte dei casi risultano infondati, come dimostra l'orientamento di un'indagine, curata da DEMOS, sulle virtù e sulla solidarietà sociale degli italiani.
Innanzitutto gli italiani dimostrano un alto grado di soddisfazione in alcuni ambiti della sfera privata (la famiglia, gli amici, la casa), mentre sono meno contenti della loro situazione economica, del lavoro e del loro tempo libero. Infatti, dalla ricerca emerge che gli italiani sono inseriti in una fitta rete di relazioni parentali, amicali e di vicinato, che garantiscono sostegno personale, rassicurazione, servizi. Il 34% dei cittadini è generoso (fa donazioni per buone cause nazionali e globali, frequenta il commercio equo e solidale), mentre il 28% fa pratica di impegno sociale (volontariato associativo e individuale) e il 21% di impegno politico.
Gli italiani denunciano invece un basso grado di soddisfazione per la vita pubblica (solo uno su dieci si dice soddisfatto), soprattutto per la negativa considerazione verso la politica, il funzionamento delle istituzioni e della democrazia (il governo è l'organismo che gode di minor credito). L'insoddisfazione deriva anche dal giudizio negativo nei confronti dei servizi pubblici (ad esempio il servizio sanitario, pensionistico e scolastico). Dunque: soddisfazione privata, delusione pubblica e scarsa integrazione tra cittadino e Stato.
In altri termini il nostro "capitale sociale" (fatto di relazioni di solidarietà, di partecipazione, di attività altruiste e cooperative) non garantisce un rapporto di confidenza con le istituzioni e con lo Stato.
Di conseguenza il nostro è un profilo complesso e contrastato. Siamo generosi e diffidenti al tempo stesso; non ci fidiamo dello Stato, ma ne rivendichiamo l'intervento (ad esempio con asili nido, cassa integrazione in caso di licenziamento, *bonus* per le scuole private); mettiamo al centro di ogni interesse il nostro particolare, a livello individuale e familiare, ma riusciamo a esprimere comunque un alto grado di solidarietà sociale. Nell'insieme emerge l'immagine di una società che ha delle risorse di solidarietà, partecipazione e integrazione molto alte che non si traducono però in un buon rapporto con le istituzioni e la politica. Il problema è capire questa complessità, rassegnandoci alle nostre virtù, oltre che ai nostri vizi.

(Adattato da "La Repubblica", 13-07-2003)

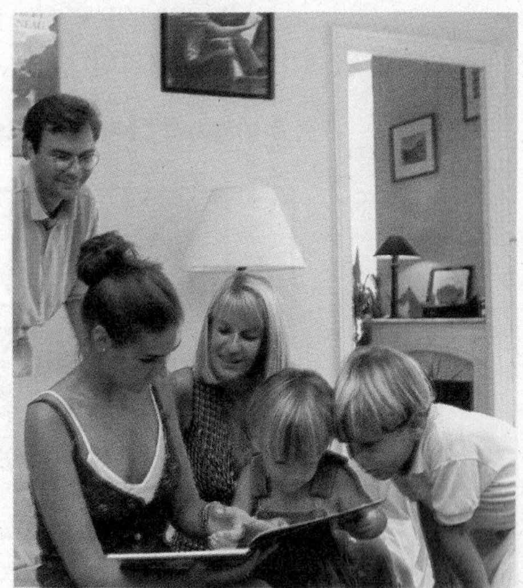

per capire

Quali tra queste affermazioni sono presenti nel testo?

1. Gli stereotipi sugli italiani non sono quasi mai veri.
2. Gli italiani sono in generale soddisfatti della propria vita privata.
3. Gli italiani sono molto delusi dalla disonestà dei politici.
4. Gli italiani quando hanno bisogno di aiuto si affidano molto ai parenti e ai vicini.
5. Circa un terzo degli italiani si preoccupa di chi è in difficoltà.
6. Quasi un terzo degli italiani svolge attività di volontariato.
7. Gli italiani in generale si disinteressano della politica.
8. Solo un italiano su dieci è soddisfatto delle istituzioni e dello Stato.
9. Molti italiani chiedono che lo Stato si occupi maggiormente dei cittadini.
10. Gli italiani sono molto solidali con le persone più vicine (parenti e amici).

Parole nuove

	Significato	Esempio	Note

Confronto fra culture

L'italiano si scopre altruista

Questi dati fotografano gli italiani rispetto ai valori sociali in cui credono:
1. gli impegnati (26%): sono giovani e istruiti, tolleranti e solidali, partecipano alla vita sociale e politica, ma hanno poca fiducia nelle istituzioni locali e nazionali;
2. i civici (35,5%): condividono molte delle caratterisiche degli impegnati, ma sono molto fiduciosi nelle istituzioni pubbliche;
3. i soli (29,1%): sono principalmente persone anziane o con bassa scolarità, hanno poche relazioni interpersonali su cui contare; mostrano tuttavia un alto indice di civismo e fanno donazioni;
4. gli amorali (17,4%): hanno un basso grado di senso civico.

- Com'è la situazione nel tuo Paese? Quali sono le opinioni dei tuoi connazionali rispetto a:
  - rapporto con lo Stato e le istituzioni locali
  - servizi pubblici
  - relazioni con amici, parenti e vicini
  - relazioni con chi è in difficoltà
- E qual è il "capitale sociale" della classe?

E4 →

I nomi che derivano da verbi

1a **Alcuni nomi si possono costruire a partire da verbi, come per esempio dal verbo regolare → il regolamento, dal verbo creare → la creazione. Rileggi il testo a p. 96 e trova i nomi che derivano da questi verbi.**

1. comportarsi → ______________
2. orientare → ______________
3. soddisfare → ______________
4. rassicurare → ______________
5. donare → ______________
6. considerare → ______________
7. funzionare → ______________
8. integrare → ______________
9. partecipare → ______________
10. licenziare → ______________

E5 →

1b **Trasforma questo testo sulla famiglia italiana sostituendo le parti sottolineate con il nome che deriva dal verbo in corsivo e modificando il testo di conseguenza.**

La famiglia italiana è una **banca**: il prestito per la prima casa spesso viene dai genitori, senza formalità, senza interessi, senza richieste di rimborso del capitale. La famiglia italiana è (1) un fondo per *assicurarsi*: in caso di necessità, genitori e parenti sono pronti a dare una mano.

La famiglia italiana è un **ufficio** (2) per *collocare* i figli: un connazionale su tre dice d'aver trovato (3) il posto che *occupa* grazie a familiari e parenti. Metà degli ingegneri, il 40 per cento dei dentisti e il 25 per cento dei notai hanno ereditato il mestiere dei genitori. Non sembra il massimo, per la concorrenza e la mobilità sociale: non c'è (4) niente che *cambi*.

La famiglia italiana è un **mercato** dove nulla si vende, molto si regala e tutto si baratta. Il figlio sistema il citofono, ma non paga per mettere l'auto nel garage dei genitori. Il vicino porta a spasso il cane della figlia, e il padre di lei, che fa l'infermiere, è disponibile quando c'è bisogno di (5) *iniettare* una medicina. L'antica solidarietà italiana, quella che piace e soffoca (dipende dalle occasioni e dall'umore), s'è raffinata e ha trovato nella famiglia il suo centro (6) per *smistare* oggetti (ci si passa di tutto: vestiti, giocattoli per i bambini e cellulari).

Una famiglia è un **albergo**, con servizio ventiquattr'ore su ventiquattro, televisore in camera e un'efficiente lavanderia. Se un tempo la famiglia era un ristorante dove non occorreva (7) *prenotare*, ora è diventata una tavola calda dove qualcosa si trova sempre (nel 1950 una casalinga passava in cucina sette ore al giorno, oggi quaranta minuti).

(Adattato da Beppe Severgnini, *La testa degli italiani*, Milano, Rizzoli, 2005)

1. ______________
2. ______________
3. ______________
4. ______________
5. ______________
6. ______________
7. ______________

E6 →

I proverbi

2a "I proverbi sono da sempre gli strumenti per tramandare la saggezza e la sapienza di un popolo". Leggi questo testo che parla di alcuni proverbi tipicamente italiani e di' se le affermazioni sono vere o false.

Secondo il linguista Luigi Pittano la caratteristica principale dei proverbi è il mostrare, in una struttura, spesso umoristica, un principio didattico o morale: *l'erba del vicino è sempre la più verde* ci spiega che l'invidia è antica quanto l'uomo e che non vale la pena di rodersi il fegato. I proverbi esprimono verità palesi in modo facile da ricordare. Il loro obiettivo non è solo quello di ammaestrare, ma spesso quello di aiutarci a mettere il cuore in pace: *errare è umano* o *la lingua batte dove il dente duole* ci consolano, proprio come farebbe una pacca sulla spalla da parte di un amico.

Nati nei campi, nelle osterie, nelle botteghe artigiane, nelle piazze dalle sconfitte o dagli errori di guerrieri, amanti o scienziati, i proverbi "sono il prodotto dell'umanità, proprio come la musica popolare, e all'umanità appartengono", come ben dice lo scrittore Arthaber.

Forse si possono individuare almeno 3 classi di proverbi: quelli consolatori, che ci ricordano l'inevitabilità della sventura e ci suggeriscono di vedere gli aspetti positivi di ogni cosa (*mal comune, mezzo gaudio*), quelli incoraggianti (*chi ben cominicia è a metà dell'opera*) e quelli istruttivi (*chi troppo vuole, nulla stringe*).

Ci sono proverbi che resistono da millenni, altri che sono cambiati con il cambiare degli stili di vita. Alcuni proverbi sono cambiati con il tempo, si sono evoluti, adattandosi alle tecnologie e così *chi dice donna, dice danno* è diventato *donna al volante pericolo costante*.

(Adattato da "Focus", maggio 2004)

Vero o falso?

	V	F
1. I proverbi possono servire a educare le persone.	☐	☐
2. I proverbi nascondono la verità.	☐	☐
3. I proverbi hanno un'origine popolare.	☐	☐
4. I proverbi non si adattano alla vita moderna.	☐	☐

2b Associa i proverbi citati nel testo al loro significato.

- ☐ **1.** L'erba del vicino è sempre più verde.
- ☐ **2.** Errare è umano.
- ☐ **3.** La lingua batte dove il dente duole.
- ☐ **4.** Mal comune, mezzo gaudio.
- ☐ **5.** Chi ben comincia è a metà dell'opera.
- ☐ **6.** Chi troppo vuole, nulla stringe.
- ☐ **7.** Chi dice donna, dice danno.
- ☐ **8.** Donna al volante, pericolo costante.

a. Le donne sono una fonte costante di pericoli e problemi.
b. Una buona parte del lavoro consiste nell'iniziare bene.
c. Le persone non sono perfette e quindi capita spesso di sbagliare.
d. Le donne guidano molto male.
e. Se non ti accontenti di quello che hai raggiunto, rischi di non ottenere niente.
f. Si pensa spesso alle cose che ci fanno male o che non ci piacciono.
g. Quello che hanno gli altri ci sembra sempre migliore di quello che abbiamo noi.
h. Una situazione spiacevole, se condivisa con altri, sembra meno dura da sopportare.

Quale tra i proverbi sopra fa riferimento all'avidità?
E all'invidia?

E8 →

2c In gruppo. Leggete questi proverbi italiani. Che significato hanno? Quali caratteristiche culturali emergono? Esiste un proverbio simile anche nella vostra lingua?

1. Tra moglie e marito non mettere il dito.
2. Moglie e buoi dei paesi tuoi.
3. L'unione fa la forza.
4. Tale padre, tale figlio.
5. Dio li fa e poi li accoppia.
6. Chi la fa, l'aspetti.
7. Chi trova un amico, trova un tesoro.
8. Meglio soli che male accompagnati.
9. Patti chiari, amicizia lunga.
10. Ogni promessa è debito.
11. Paese che vai, usanza che trovi.

2d Quali sono per te i tre proverbi più utili e più veri?

lessico

La lettera di lamentela

3a Leggi queste due lettere di lamentela. Chi è il destinatario e qual è lo scopo della lettera?

Egregio Assessore,
Le scrivo per manifestare il mio disappunto per la disattenzione dimostrata dalla giunta comunale verso i problemi di lunga data del quartiere della Martinella, in cui vivo da diversi anni. Mi riferisco in maniera particolare ai problemi di manutenzione e di illuminazione delle strade, che da tempo sembrano essere abbandonate a se stesse. Le faccio presente che, anche a causa delle abbondanti nevicate che si sono verificate lo scorso inverno, l'asfalto di via Ponticella si è notevolmente deteriorato e che si sono formate numerose buche che rendono molto pericoloso il passaggio con le automobili (mi permetto di dirLe che ho dovuto sostituire già due pneumatici della mia autovettura).
In secondo luogo vorrei segnalare che, nell'autunno dello scorso anno, contestualmente all'inizio di alcuni lavori di sostituzione dei vecchi lampioni, è stata tolta l'illuminazione stradale. Questi lavori, a distanza di un anno, non sono ancora terminati, con la conseguenza che buona parte della strada non è illuminata. Non le pare che sia passato già troppo tempo?
Mi rendo conto che i problemi che vi trovate ad affrontare sono molti, ma ritengo che la sicurezza dei cittadini debba essere garantita prima di ogni altra cosa.
Vi chiedo quindi cortesemente di intervenire quanto prima per trovare una soluzione, in mancanza della quale saremo costretti ad agire per vie legali.
Restando in attesa di un gentile riscontro, porgo
Distinti saluti

Antonella Diani

Egregi Signori,
Vi scrivo in merito alla bolletta Telecom del 07/06/2006 (n. RB05360166), intestata al sottoscritto, sulla quale ho trovato un addebito di 25,00 euro relativo a due chiamate (avvenute il 18/04/2006 e il 21/04/2006) a un numero speciale (899464676). Vi posso garantire che nessuno di noi in famiglia ha digitato tale numero. Dopo alcune ricerche, abbiamo scoperto che il numero in questione è stato attivato nei giorni e nelle ore indicati dalla bolletta a nostra insaputa attraverso una connessione Internet di tutt'altro tipo (un sito di ricette di cucina), che è stata registrata dal sistema di controllo del computer.
Per tali ragioni siete pregati di porre rimedio a questa situazione procedendo allo storno dei 25,00 euro dalla bolletta, dal momento che non c'è stata alcuna chiamata VOLONTARIA al numero sopra indicato.
Restando a disposizione per ulteriori spiegazioni e/o precisazioni, porgo
Distinti saluti
Silvio Guidi

A CHI?	PERCHÉ?
1. ______	______
2. ______	______

3b Sottolinea nei testi le espressioni che segnalano il fatto che si tratta di lettere di lamentela.

Le scrivo per manifestare il mio disappunto.

lessico

3c Nelle lettere che hai letto vengono usate espressioni molto formali. Che cosa significano nella lingua comune? Abbinale al significato corrispondente.

Espressione formale	Significato
☐ **1.** di lunga data	**a.** molto
☐ **2.** che si sono verificate	**b.** la persona che scrive
☐ **3.** notevolemente	**c.** senza che noi sapessimo
☐ **4.** si è deteriorato	**d.** insieme a
☐ **5.** contestualmente a	**e.** che durano da tanto tempo
☐ **6.** in attesa di un gentile riscontro	**f.** si è rovinato
☐ **7.** il sottoscritto	**g.** mentre aspetto una risposta
☐ **8.** il numero in questione	**h.** che ci sono state
☐ **9.** a nostra insaputa	**i.** il numero di cui sto parlando/scrivendo

3d Abbina ai verbi le espressioni sotto.

dei problemi — presente — conto — allo storno
distinti saluti — un numero telefonico — la sicurezza — in attesa
rimedio — in merito a — il proprio disappunto

1. affrontare ____________
2. attivare ____________
3. fare ____________
4. garantire ____________
5. porgere ____________
6. porre ____________
7. rendersi ____________
8. scrivere ____________
9. restando ____________
10. procedere ____________
11. manifestare ____________

E10 →

3e Immagina di trovarti nella situazione sotto e scrivi una lettera di lamentela alle Poste italiane.

> Sei abbonato al quotidiano *Corriere della Sera*, ma il postino non ti consegna regolarmente la posta. Il risultato è che devi comperare il giornale in edicola quando non viene consegnato oppure che, quando finalmente il postino ti consegna la posta, ti ritrovi con copie doppie e vecchie di quattro/cinque giorni del *Corriere*.

grammatica

Il congiuntivo presente

1a Che rapporto hai con i tuoi vicini di casa? Quali sono i motivi di litigio?

1b Leggi questo testo sui rapporti di vicinato in Italia e rispondi alle domande.

Il condominio, luogo trasversale per ossessioni verticali

Un italiano su quattro abita in un appartamento venuto su negli anni Sessanta e gli dà il nome che vuole: condominio, palazzo, palazzina, stabile, caseggiato.
Perché è importante capire un posto come questo? Perché mi sembra che il condominio sia il contrario della piazza: la piazza è il posto dove si va per trovare gli altri, il condominio è il luogo dove ci si chiude per non veder nessuno. Lo aveva capito Dino Buzzati, che nel 1963 ha pubblicato *Un amore, un romanzo edilizio* ambientato a Milano. La sua è una Milano magica e minacciosa, dove può succedere di tutto. Ma nei condomini, a quei tempi, almeno si parlava. I dirimpettai si scambiavano informazioni e zucchero, come buoni vicini americani (unica differenza: invece della staccionata, il pianerottolo). Oggi invece mi dispiace che le cose siano diverse, che il condominio perda la sua carica sociale e diventi un posto dove abitare, sospettare e protestare.
L'appartamento allora è bene che apra la porta alla nostra tana. [...]
Ma per capire il problema dobbiamo conoscere la definizione giuridica del contesto: il condominio è "una figura particolare di comunione forzosa che si esplica nelle parti comuni di edificio". E l'aggettivo "forzosa" credo che complichi di molto le cose. È l'aspetto obbligatorio infatti a rendere difficile la convivenza.
In America i vicini immagino che possano litigare per un prato mal rasato, in Germania per un odore molesto, in Inghilterra per una siepe, in Svizzera per un cane irrequieto. In Italia i condòmini dispongono di un arsenale di motivi di litigio.
Il catalogo di lamentele rivolto ai vicini è lungo: "Signor Bianchi, è meglio che rifaccia la ripartizione delle spese, perché quella che ha fatto mi sembra che non sia corretta"; "Marcella è giusto che i tuoi bambini capiscano che non possono mettersi a giocare nelle ore del pomeriggio, proprio quando magari si vorrebbe fare una pennichella"; "Voglio che venga messo a verbale che il signor De Carli non porta mai fuori la spazzatura". [...] Ho saputo di un intero condominio in causa con l'inquilino dell'ultimo piano, il quale, preoccupato per i costi del riscaldamento a metano, ha costruito un camino e ha installato un montacarichi per portar su la legna, tagliata di notte con la sega elettrica nel locale garage. Sembra un preambolo di un racconto dell'orrore: sarebbe interessante sapere come va a finire.

(Adattato da Beppe Severgnini, *La testa degli italiani*, Rizzoli, 2005.)

1c Leggi queste frasi tratte dal testo sopra. Sottolinea i congiuntivi e l'espressione che determina l'uso del congiuntivo come nell'esempio.

<u>Mi sembra</u> che il condominio <u>sia</u> il contrario della piazza.

1. Oggi invece mi dispiace che le cose siano diverse, che il condominio perda la sua carica sociale e diventi un posto dove abitare, sospettare e protestare.
2. L'appartamento allora è bene che apra la porta alla nostra tana.
3. E questo aggettivo "forzosa" credo che complichi di molto le cose.
4. In America i vicini immagino che possano litigare per un prato mal rasato.
5. "Signor Bianchi, è meglio che rifaccia la ripartizione delle spese, perché quella che ha fatto mi sembra che non sia corretta".
6. "Marcella, è giusto che i tuoi bambini capiscano che non possono mettersi a giocare nelle ore del pomeriggio".
7. "Voglio che venga messo a verbale che il signor De Carli non porta mai fuori la spazzatura".

1d Rifletti sull'uso del congiuntivo. Di' per ogni frase dell'esercizio 1c con quale funzione viene usato il congiuntivo e completa la tabella con le espressioni che richiedono l'uso di questo modo.

opinioni	incertezza, dubbio	stati d'animo	desiderio, volontà
	mi sembra che		

1e In coppia. Mettete nella giusta colonna della tabella sopra queste espressioni che richiedono il congiuntivo e aggiungetene altre che vi vengono in mente. Poi costruite una frase per ogni funzione.

penso che
non mi piace che
è strano che
non sono sicuro che
è importante che
spero che

E11

1f Completa la tabella con i verbi al congiuntivo presente.

verbi regolari	divent-are	perd-ere	apr-ire	cap-ire
io/tu/lui/lei/Lei				
noi	divent-iamo			
voi		perd-iate		
loro			apr-ano	cap-isc-ano

Il congiuntivo presente si costruisce partendo dalla radice dell'indicativo presente anche nel caso di alcuni verbi irregolari (quelli con * indicati qui sotto).
Le forme irregolari sono solo alla 1ª, 2ª, 3ª persona singolare e plurale (che io vada, tu vada, lui/lei vada, noi andiamo, voi andiate, loro vadano).

andare	vada*	stare	stia
avere	abbia	tenere	tenga*
dovere	debba	uscire	esca*
essere	sia	venire	venga*
fare	faccia*	potere	possa*
sapere	sappia	volere	voglia*

E12

1g Leggi queste due frasi che dipendono dalla stessa espressione (spero) che vuole il congiuntivo. Perché nella prima frase non viene usato il congiuntivo?

1. Spero di conoscere presto i nostri vicini di casa.
2. Spero che tu conosca presto i nostri vicini di casa.

1h Trasforma le frasi come nell'esempio facendo attenzione a scegliere tra il congiuntivo o di + infinito.

> I nostri vicini pensano (loro / essere simpatici).
> → I nostri vicini pensano di essere simpatici.

1. La mia vicina di casa è convinta (*loro / litigare per delle stupidaggini*)
2. Marco pensa (*lui / vendere l'appartamento con facilità*)
3. Mia figlia spera (*i signori Guidi / non lasciare più il portone aperto*)
4. Elisa dubita (*lei / riuscire a pagare le rate a fine mese*)
5. Mia moglie è contenta (*la nostra figlia più grande / uscire di casa*)
6. Mio marito è convinto (*lui / cambiare lavoro e trasferirsi*)
7. Suo padre non vuole (*lei / rientrare tardi la sera*)
8. Mi sembra (*io / collaborare abbastanza ai lavori domestici*)

1i Completa questi pettegolezzi tra vicini inserendo i verbi tra parentesi al congiuntivo presente.

1. Mi sembra che ultimamente il signor Rossi non (*stare*) __________ tanto bene.
2. Credo che Marcella (*partire*) __________ tra due giorni per le vacanze.
3. Penso che Carlo, il ragazzo del secondo piano (*uscire*) __________ con una nuova ragazza.
4. Mi auguro che il dott. Silveri (*smettere*) __________ di cantare sotto la doccia la mattina presto.
5. Non penso che Luca e Silvia (*tornare*) __________ per il pranzo, credo che (*mangiare*) __________ in ufficio.
6. Mi sembra che tu e Carlo non (*andare*) __________ molto d'accordo ultimamente.
7. Voglio che tu (*vedere*) __________ quello che ha fatto al mio giardino il cane della signora Carli.
8. Mi pare che Ilaria e Giovanni (*avere*) __________ due figli piccoli.
9. Spero che la ragazza del primo piano (*ricordarsi*) __________ di pagare la pulizia delle scale.
10. Mi pare che Daniele, il figlio di Lorella, (*fare*) __________ l'università.

1l Trasforma queste affermazioni in opinioni, utilizzando le espressioni sotto.

non penso che — credo che — pare che — è giusto che — dubito che — è improbabile che

1. Le persone che abitano vicine vanno sempre d'accordo.
2. A volte i vicini litigano per delle stupidaggini.
3. Spesso c'è poco rispetto per le persone che ci stanno vicino.
4. I vicini si dividono in due categorie: o sono degli impiccioni o dei menefreghisti.
5. Qualche volta i vicini rappresentano una risorsa fondamentale per la famiglia.
6. Si possono fare tante cose insieme, se si riesce a mettersi d'accordo.
7. Ogni tanto è necessario fare il primo passo per avere qualche cosa in cambio.
8. Di tanto in tanto serve irrigidirsi un po' per farsi rispettare.
9. I vicini si comportano sempre in modo maleducato.
10. I vicini possono diventare degli ottimi amici.

1 m In coppia. Leggi queste affermazioni che riguardano la convivenza con i vicini e di' al tuo compagno cosa ne pensi.

Dopo le 11 di sera non si può far rumore.

I bambini non devono giocare nei cortili e nei giardini condominiali.

In casa propria si deve sempre poter fare quello che si vuole.

In ascensore non si possono trasportare i mobili.

In un condominio non si possono tenere animali.

La spazzatura si deve portare fuori a turno.

I pronomi combinati (sintesi)

2 a Leggi e rifletti sulla posizione dei pronomi combinati evidanziati. Poi completa le regole sotto.

1.
● Ci avete portato le foto del matrimonio?
○ Certo che ve le abbiamo portate. Anzi siamo venuti proprio per portarvele.

2.
● Perchè non ci dici cosa ti ha detto Marco?
○ Non ve lo dico, perché non posso dirvelo!
● Ma dai! Diccelo, Marco non si arrabbierà.

3.
● Hai mangiato la torta? Te ne avevo lasciata una fetta sul tavolo in cucina?
○ Me la sono mangiata tutta, era proprio buona.

4.
○ Ma cosa ti sei fatta?
● Non me lo dire! Sono caduta dal motorino. Avevo comprato un vaso di fiori per Marcella. Portandoglielo, ho preso una buca e sono caduta. Glielo puoi portare tu con la macchina?
○ Ma certo, prima devo passare in banca, e poi posso portarglielo io.

I pronomi personali si trovano in genere prima del verbo.

I pronomi personali si trovano dopo il verbo con i verbi ____________________

I pronomi personali si trovano prima o dopo il verbo con i verbi ____________________

grammatica

2b Completa queste frasi scegliendo tra i pronomi combinati della lista sotto.

te lo   gliela   me l'   cela   glielo   te li   glielo   ve le   te ne   glieli

1. Voglio regalare alla mia vicina che si sposa un servizio di piatti. Vieni con me a comprar________?
2. Ho deciso di fare conoscere la mia fidanzata ai miei genitori. Domani ________ presento.
3. Ieri ho detto a Carlo dei soldi per la pulizia delle scale, ma oggi ________ ridico perché ho paura che si dimentichi.
4. Hai visto che bella quella lampada? ________ ha regalata mia mamma per Natale.
5. Che notizia ci dovete dare? Non teneteci sulle spine. Dite________!
6. Ho dei libri da restituirti. Se sei in casa, ________ porto subito.
7. Se dovete andare al cinema e non sapete a chi lasciare le bambine ________ posso guardare io.
8. A casa ho una collezione di fumetti, se ti piacciono ________ posso dare qualcuno.
9. Ho fatto dei biscotti per Marta, ma sono venuti male e non ho avuto il coraggio di dar ________.
10. Se ti vuoi mettere il mio vestito al matrimonio di Giulia e Silvio, ________ presto volentieri.

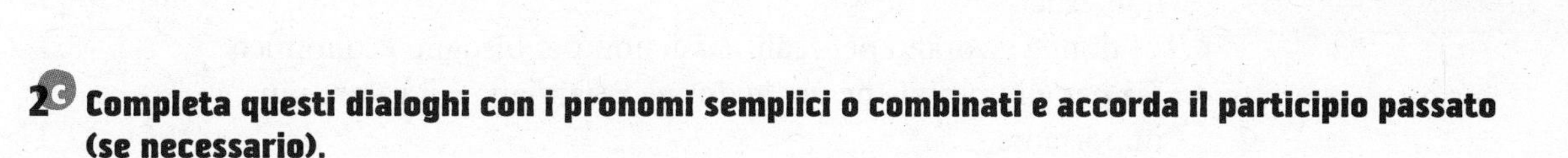

2c Completa questi dialoghi con i pronomi semplici o combinati e accorda il participio passato (se necessario).

1. ● ________ sei ricordato di comprare il pane?
   ○ No, ________ ________ sono dimenticat____. Vado a prender________ ora.
2. ● Sai che Marco ha una nuova fidanzatina? ________ ________ ha presentat____ ieri. ________ ha portat____ a casa dopo la scuola e hanno fatto i compiti insieme tutto il pomeriggio.
   ○ Chissa come ________ hanno fatt____ bene quei compiti!
3. ● Ho incontrato Luisa sul pianerottolo. ________ ha dett____ di dar________ questa torta per il tuo onomastico.
   ○ Che gentile a ricordarsi, anch'io due mesi fa. ________ ________ avevo fatt____ una per il suo compleanno.
4. ● Hai già comprato il regalo per le nozze di Matteo e Anna?
   ○ No, ________ ________ sono completamente dimenticat____, non ________ ________ ho ancora comprat____. Come facciamo adesso? Quando si sposano?
   ● Sabato. Sai se ________ piacciono i vasi di vetro? ________ ho vist____ uno bellissimo nella vetrina del negozio qui sotto.

E7, 15, 16

Alcuni aggettivi e pronomi indefiniti

3a Leggi queste affermazioni e rispondi.

Come sono i ruoli di genere in Italia? Quali sono gli stereotipi connessi con l'identità maschile e femminile? Ecco alcuni dati emersi da un'indagine sui rapporti tra uomo e donna.

1. Secondo molti intervistati, quando si parla di ruoli maschili e ruoli femminili ci si riferisce ad alcune sfere della vita: in particolare il mondo del lavoro in cui dovrebbe definirsi l'identità maschile e il mondo del lavoro domestico in cui ogni donna dovrebbe trovare l'espressione della sua femminilità.

2. Molti in Italia, circa il 50% tra uomini e donne, ritengono che agli uomini spetti svolgere qualche lavoro domestico, anche se alcuni, pochi per fortuna (solo il 10%), continuano a pensare che non sia obbligatorio aiutare le donne in casa. In ogni caso nessuno pensa che l'uomo debba essere prima di tutto un casalingo.

3. Tanti in Italia pensano che il lavoro retribuito delle donne sia solo un mezzo per sostenere economicamente la famiglia e non un veicolo di auto-realizzazione.

4. Non c'è niente al di sopra dello stare in famiglia tra i doveri degli italiani, perché tutti (uomini e donne) lo pongono come dovere primario. Per gli uomini significa condividere i lavori domestici e non lavorare troppo fuori casa, per le donne lavorare per necessità, ma senza trascurare i figli.

(Adattato da
Ideali, aspettative e atteggiamenti degli italiani all'inizio del XXI secolo
IRPP, giugno 2005)

Vero o falso?

	V	F
1. I ruoli di genere sono idee che gli uomini e le donne hanno sui propri ruoli nella famiglia e nella società.	☐	☐
2. Gli uomini italiani pensano che sia giusto svolgere tutti i lavori domestici.	☐	☐
3. Le donne lavorano per realizzarsi, non per bisogno economico.	☐	☐
4. Sia per gli uomini che per le donne la famiglia è il valore più importante.	☐	☐

Tu cosa pensi dei doveri maschili e femminili all'interno della famiglia?

3b Rileggi le affermazioni al punto 3a e sottolinea gli aggettivi e i pronomi indefiniti. Quali tra quelli sottolineati sono aggettivi e quali pronomi?

Aggettivi	Pronomi
________	________
________	________
________	________
________	________
________	________

3c Rifletti sull'uso degli aggettivi e dei pronomi indefiniti e rispondi alle domande.

1. Quali pronomi sono usati con
   a. un verbo al singolare? ________
   b. un verbo al plurale? ________
2. Quali pronomi e aggettivi non cambiano di numero e di genere? ________

Se *nessuno* e *niente* sono dopo il verbo *vogliono* il *non* (*non* è venuto *nessuno*!; *non* mi piaceva *niente!*); se sono prima del verbo all'inizio della frase si usano senza *non* (*Nessuno* è venuto!; *niente* mi piaceva!).

3d Uomini e donne. Completa questi stereotipi sul comportamento maschile e femminile concordando i pronomi o gli aggettivi nel modo corretto.

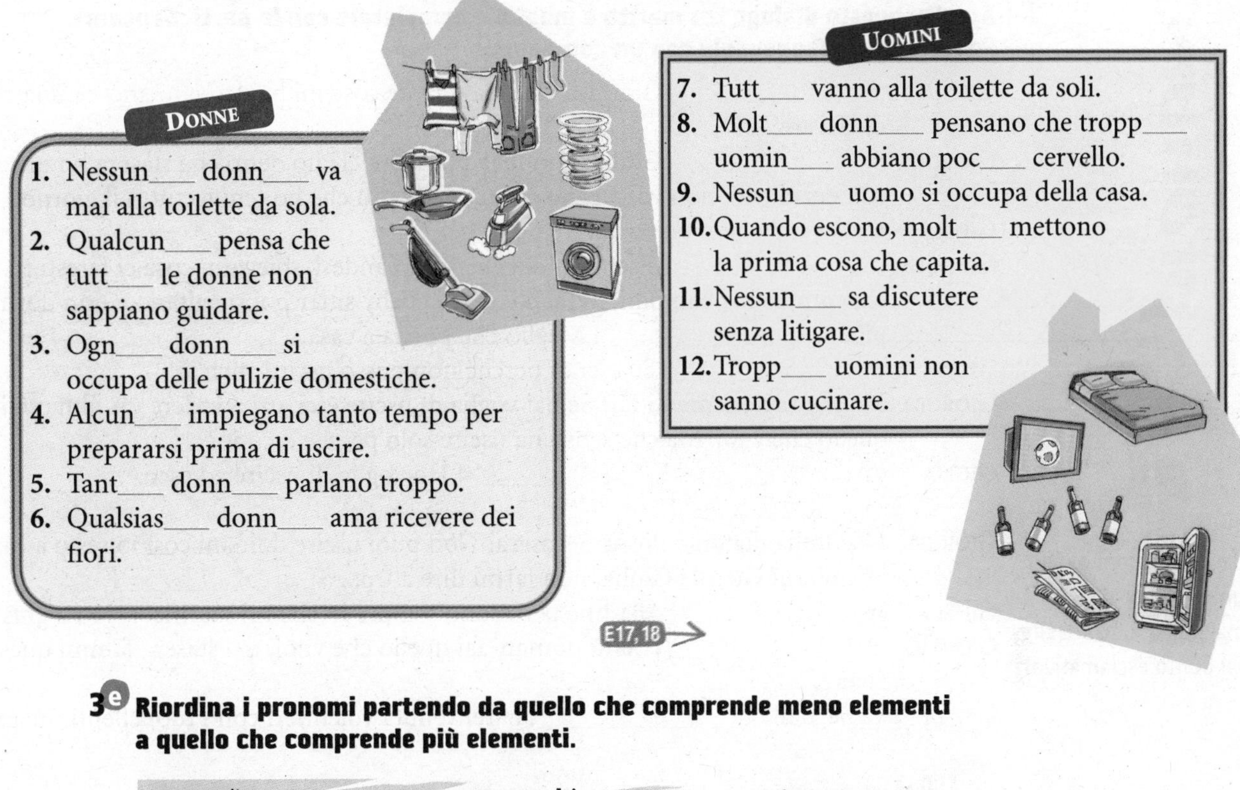

DONNE

1. Nessun____ donn____ va mai alla toilette da sola.
2. Qualcun____ pensa che tutt____ le donne non sappiano guidare.
3. Ogn____ donn____ si occupa delle pulizie domestiche.
4. Alcun____ impiegano tanto tempo per prepararsi prima di uscire.
5. Tant____ donn____ parlano troppo.
6. Qualsias____ donn____ ama ricevere dei fiori.

UOMINI

7. Tutt____ vanno alla toilette da soli.
8. Molt____ donn____ pensano che tropp____ uomin____ abbiano poc____ cervello.
9. Nessun____ uomo si occupa della casa.
10. Quando escono, molt____ mettono la prima cosa che capita.
11. Nessun____ sa discutere senza litigare.
12. Tropp____ uomini non sanno cucinare.

E17,18

3e Riordina i pronomi partendo da quello che comprende meno elementi a quello che comprende più elementi.

troppo/i	poco, pochi	ognuno
qualcuno, qualcosa	alcuni	tutto/i
uno	molto/i, tanto/i	niente, nessuno

– ←――――――――――――――――――――――――――――→ +

3f Completa questo testo sui parenti più odiati dalle donne italiane, scegliendo tra gli aggettivi e i pronomi indefiniti sotto.

~~nessuno~~	niente (2 volte)	molte (2 volte)	poche	qualcosa
tutti	troppe	alcune	qualche	

Parenti serpenti: ora tocca ai cognati

(1) Nessuno qualche anno fa avrebbe immaginato questo risultato, perché (2) __________ eravamo concordi nel riterere la suocera il parente meno sopportato tra i familiari. Ma i tempi cambiano e, secondo un recente sondaggio, per le donne italiane non c'è (3) __________ di peggio delle cognate invadenti e criticone.
(4) __________ mogli dei propri fratelli sarebbero una vera minaccia della pace familiare per le donne italiane.
(5) __________ donne italiane (ben il 53%) tra i 20 e i 64 anni pensano infatti che la cognata o le cognate siano le persone che creano maggiori problemi in famiglia e con le quali si litiga più spesso. Solo (6) __________ (il 23%) hanno invece indicato la suocera come il parente serpente per eccellenza, (7) __________ davvero, se si pensa a quanto succedeva solo (8) __________ anno fa.
Ed ecco alcuni motivi per cui le cognate risultano davvero insopportabili: invadenza, avere sempre (9) __________ di cattivo da dire, il voler sempre seminare discordia.
E allora che cosa fare?
(10) __________ donne (il 56%) fanno finta di (11) __________, ma il 47% cerca di vedere la propria cognata il meno possibile, che è forse la soluzione più facile da attuare.

E19,22

pronuncia

L'intonazione e le interiezioni

CD 1 t. 37

1a Ascolta questo dialogo tra marito e moglie e completalo con le parti mancanti. Poi interpreta leggendolo con un compagno.

GIULIA (1) ______________ Giorgio! Guarda quante cose mi hai lasciato ancora una volta da lavare!

GIORGIO (2) ______________ Giulia, non te la prendere! Ti ho detto che stasera ho una cena con dei clienti, non vorrai che esca con i vestiti che ho tenuto tutto il giorno!

GIULIA E io? Perché non posso venire pure io?

GIORGIO (3) ______________! Esco con dei clienti finlandesi, spiegami cosa ci faresti tu... e poi chi curerebbe i bambini, lo sai che con la baby sitter poi si agitano e non dormono più. (4)______________! Meglio che tu stia a casa.

GIULIA (5) ______________! Se esci tu perché non posso uscire anch'io!

GIORGIO Ma che ragionamenti fai? Se hai voglia di uscire esci, vai a vedere un film o fai quello che vuoi. Ma che senso ha uscire solo perché esco io?

GIULIA (6) ______________! ______________! Ho voglia di uscire ed esco. (7)______________!

GIORGIO Ma Giulia ragiona! Proprio stasera? Non puoi uscire domani così io resto a casa con i bambini? Guarda Giulia, non farmi dire altro... (8)______________!

GIULIA (9)______________! Alla fine però sono sempre io che mi sacrifico. Non è giusto.

GIORGIO (10) ______________! Senti domani fai quello che vuoi, ma stasera fammi questo favore.

GIULIA Va be' dai! (11) ______________! Sarei venuta volentieri con i tuoi clienti finlandesi.

!

Le interiezioni hanno l'intonazione dell'esclamazione (sono seguite dal punto esclamativo).

CD 1 t. 38

1b Completa questi microdialoghi con le interiezioni sotto, poi ascoltali per un controllo.

Zitto!	Coraggio!	Ma va!	Per carità!	Figurati!
Peccato!	Uffa! Che palle!	No comment!	Per fortuna!	
Povera me!	Mamma mia!	Neanche per sogno!	Punto e basta!	

1. ● Zitto! Non vedi che sto guardando la TV!
   ○ __________ Che caratterino!
2. ● Purtroppo stasera non posso proprio venire al cinema!
   ○ __________ Mi dispiace.
3. ● Guarda che disordine hanno fatto i bambini! __________
   ○ __________ Ti aiuto a sistemare così facciamo prima!
4. ● Stasera devi studiare! Non esci. __________
   ○ __________ __________ Sempre in casa a studiare!
5. ● Scusa, so che sono molto in ritardo e che ci tenevi molto a vedere questo film!
   Sei sempre la solita! __________
6. ● Io e i miei amici domani abbiamo deciso di fare bungee jumping. Vuoi venire con noi!
   ○ ______________ Soffro di vertigini e voi siete matti!
7. ● Come sta Marco? Si è ripreso?
   Sta bene, __________ Ma ci siamo presi uno spavento!
8. ● Ho fatto una torta, ne vuoi una fetta?
   ○ __________ Ne ho già mangiate due fette a casa dei miei genitori.
9. ● Allora li prendi tu i bambini a scuola? Non è un problema?
   ○ __________ Lo faccio volentieri.
10. ● Sai che ho vinto al Lotto?
    ○ __________ Non ci credo.

E24

produzione libera

1 Problemi in famiglia

Role-play. In coppia. Vai in Appendici, leggi quale è il tuo problema e preparati a interpretare il tuo ruolo con il tuo compagno.

2 Io e gli altri

- In coppia. Parlate del vostro rapporto con:
  - la famiglia (genitori, fratelli, cugini, zii ecc.);
  - i vicini di casa.
- Fate parte di qualche associazione di volontariato?
- Siete soddisfatti dei servizi sociali del vostro Paese (sanità, mezzi pubblici, istruzione ecc.)?

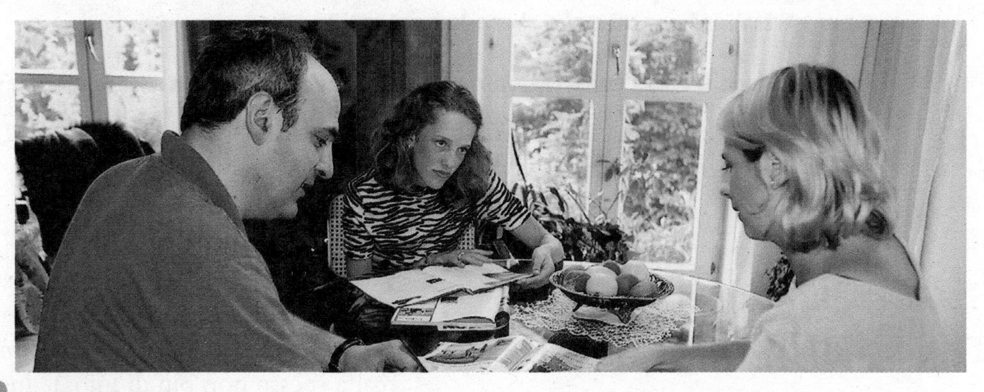

3 Lamentarsi

In coppia. Immaginate di avere dei problemi con il vostro vicino di casa. Andate da lui e lamentatevi con tono cortese. A turno spiegate le vostre ragioni e difendetevi.

Studente A

- i bambini saltano e corrono fino alle 24
- lascia sempre la porta dell'ascensore aperta
- parcheggia la macchina davanti al cancello
- sbatte i tappeti quando ho i panni stesi

Studente B

- suona il pianoforte la mattina presto
- ha usato l'ascensore per traslocare dei mobili
- mette le biciclette nel cortile interno
- cucina sempre pesce che puzza terribilmente

4 Il giovane esploratore

Leggi questa lettera che un ragazzo ha scritto a un giornale.
Che cosa pensi del suo problema? Come risponderesti alla sua lettera?

Ho 19 anni e un grande desiderio di conoscere il mondo, di vedere da vicino come si vive in altri Paesi. Finora i miei genitori hanno fatto il possibile per trattenermi, anche perché sono figlio unico. Ma io vorrei proprio partire!
Adesso mi sto informando per trovare qualche lavoretto anche saltuario, in Europa o in Australia. Partirò usando i miei risparmi, perché i miei non sono d'accordo. Mi dispiace molto doverli deludere, ma penso che se non farò questo viaggio ora, non lo farò mai più. Ho sempre studiato con buoni risultati: intendo iscrivermi all'università, ma non so se in Italia o all'estero. Mamma e papà dicono che sono matto.

Mauro

E21, 23 →

La famiglia del XXI secolo

1a In piccoli gruppi. Discutete sul valore del matrimonio e dei figli. Per voi quanto contano? E per gli italiani pensate che siano importanti?

1b Fai una prima lettura orientativa e dai un titolo a ciascun paragrafo del testo.

Ruoli maschili e femminili — Rinnovamento e tradizione — Lavoro e figli
Sposarsi o convivere? — Figli sì, figli no

Ideali familiari: vecchie e nuove tendenze

1. ______________________

Secondo i risultati di una recente indagine sugli atteggiamenti degli italiani in tema di popolazione, stili di vita e dinamiche familiari, il Bel Paese si configura come una terra in movimento, un luogo dove nuove idee iniziano ad affermarsi senza però entrare in conflitto con le tradizioni, in particolare del matrimonio con figli.

2. ______________________

Se la domanda "Matrimonio o convivenza?" posta in altri paesi avrebbe un senso, resta per noi una domanda retorica. Non c'è dubbio infatti che l'Italia sia un paese in cui il matrimonio è una tappa molto importante, forse fondamentale per la maggioranza dei cittadini. I dati lo confermano: le coppie che scelgono di convivere invece di sposarsi sono un fenomeno fortemente minoritario, che non raggiunge il 2% del totale delle famiglie. Tuttavia nel corso degli ultimi 20 anni le preferenze verso l'unione libera sono andate aumentando in particolare tra i più giovani (20- 29 anni) che sono favorevoli ad una sperimentazione del rapporto di coppia prima di sposarsi. Nonostante l'obiettivo di vita a cui tendere sia il matrimonio, il numero di quelli che si celebrano ogni anno è in diminuzione (spesso a causa della prolungata permanenza dei giovani nella famiglia), mentre è in notevole aumento il numero di separazioni (+ 59%) e divorzi (+ 66.8% dal 1995 al 2004).

3. ______________________

Sposarsi e basta, senza prevedere o sperare nella nascita di uno o più figli, interessa poco agli italiani per i quali il mix ideale è il matrimonio con figli (in realtà spesso non più di uno; la media è di 1,3 figli per donna). Ma se il desiderio di avere figli non è ritenuto come una motivazione sufficiente a sposarsi, resta ancora netta l'opposizione all'idea che un genitore solo possa allevare i figli altrettanto bene che due genitori.

4. ______________________

In generale gli italiani indicano uno o due figli come numero ottimale per riuscire a conciliare tra loro i diversi obiettivi della vita: lavoro, soldi, interessi, amici, vita armoniosa con il partner ecc. Non va dimenticato però che il sopraggiungere dei figli e i problemi legati alla loro cura spingono ben il 45% delle donne italiane a rinunciare alla propria professione.

5. ______________________

Questo significa che nel nostro paese non è cambiato l'atteggiamento verso il ruolo del maschio come lavoratore e della femmina come organizzatrice della famiglia? In realtà un qualche cambiamento è in corso, perché la metà degli intervistati, indipendentemente se uomini o donne, ritiene che agli uomini spetti svolgere la metà dei lavori domestici, soprattutto quando la moglie lavora (anche se al sud questa immagine del maschio che si impegna nei lavori di casa stenta di più che nelle altre zone del paese ad essere accettato). Ma per la stragrande maggioranza degli italiani (il 90%) l'idea della moglie lavoratrice è accettata solo come mezzo necessario per sostenere economicamente la famiglia, non come veicolo di auto-realizzazione della donna.

(Adattato da *Ideali, aspettative e atteggiamenti degli italiani all'inizio del XXI secolo*, IRPP, giugno 2005)

1c Rileggi il testo con più attenzione e scegli l'affermazione che riassume meglio ogni paragrafo.

1. **a.** In Italia il processo di evoluzione verso modelli di vita "moderni" è veloce e radicale.
   b. L'Italia riesce a rinnovarsi senza perdere di vista i legami con i valori del passato.
2. **a.** Malgrado il numero dei matrimoni sia in diminuzione, gli italiani continuano ad avere il culto del matrimonio. Tuttavia le coppie più giovani cominciano anche a convivere.
   b. In Italia il numero dei matrimoni è in calo perché i giovani restano a lungo in famiglia, mentre sono in aumento le convivenze.
3. **a.** Per gli italiani sposarsi significa avere figli che vanno allevati assieme.
   b. Gli italiani si sposano per avere figli: non importa poi se questi vengono cresciuti da un solo genitore.
4. **a.** Gli italiani pensano che i figli non siano un ostacolo per la realizzazione dei loro obiettivi di vita.
   b. Per le donne italiane non è un problema rinunciare al lavoro quando nascono i figli.
5. **a.** Parecchi italiani pensano che l'uomo debba aiutare la donna nei lavori di casa, ma che la donna debba lavorare fuori casa solo se necessario per mantenere la famiglia.
   b. In Italia l'idea del marito casalingo e della donna lavoratrice è pienamente accettata tranne che nel sud.

1d In coppia. Commentate il grafico che illustra come si è modificata (dal 1991 al 2002) l'opinione degli italiani verso i cambiamenti che riguardano la vita familiare. Poi confrontatevi con il resto della classe. Nei vostri Paesi ci sono dei cambiamenti nella vita familiare? Che cosa ne pensate?

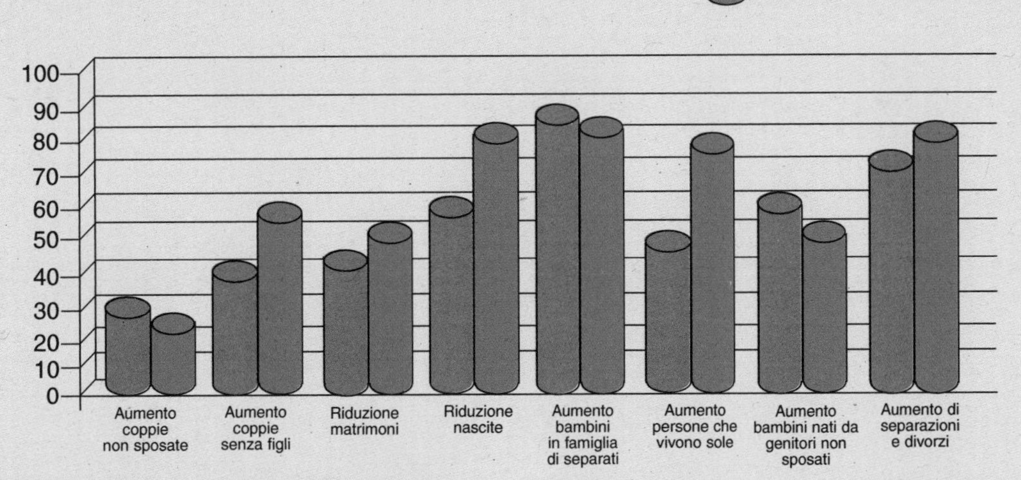

Come sono cambiati i *single*?

CD 1 t.39

2a Ascolta questa intervista sul fenomeno dei *single* e rispondi. V F

1. Un tempo i *single* amavano sentirsi liberi di spendere e avere sempre nuovi partner. ☐ ☐
2. I *single* di oggi sono persone colte, impegnate e soddisfatte. ☐ ☐
3. Sempre più *single* cercano contatti nuovi tramite Internet. ☐ ☐
4. I *single* oggi cercano rapporti passeggeri e poco impegnativi. ☐ ☐
5. I *single* di un tempo cercavano partner sinceri e affidabili. ☐ ☐

esercizi

- comprensione orale
- comprensione scritta
- lessico
- grammatica
- pronuncia

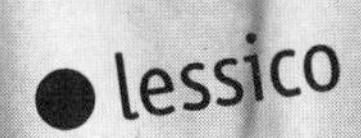

1 unità

Da dove vieni?

comprensione orale

1 CD t. 1

Ascolta il racconto di Monica e scegli la risposta giusta.

1. L'aereo di Monica
   - ☐ **a.** è arrivato in orario.
   - ☐ **b.** era in ritardo.
   - ☐ **c.** ha avuto un guasto per il freddo.

2. Monica
   - ☐ **a.** ha perso la sua valigia
   - ☐ **b.** non ha trovato i suoi bagagli.
   - ☐ **c.** ha preso per errore la valigia di un altro viaggiatore.

3. La famiglia inglese aspettava Monica
   - ☐ **a.** all'aeroporto.
   - ☐ **b.** alla fermata della metropolitana.
   - ☐ **c.** a casa.

4. La famiglia inglese non l'ha riconosciuta
   - ☐ **a.** perché non l'aveva mai vista.
   - ☐ **b.** perché non aveva bagagli.
   - ☐ **c.** perché aveva tagliato i capelli.

5. Monica non poteva telefonare perché
   - ☐ **a.** i telefoni non funzionavano.
   - ☐ **b.** non c'erano telefoni.
   - ☐ **c.** non aveva il numero.

6. La compagnia aerea
   - ☐ **a.** ha riconsegnato le valigie dopo qualche giorno.
   - ☐ **b.** ha pagato una somma per l'inconveniente.
   - ☐ **c.** non ha più ritrovato le valigie.

2 CD t. 2 **Annunci ai viaggiatori**

Associa gli annunci alle informazioni.

Annuncio 3 ______ **a.** Il treno è in ritardo.

______ **b.** Il treno parte da un altro binario.

______ **c.** Sul treno in partenza si può viaggiare solo con prenotazione.

______ **d.** C'è un treno che passa sul primo binario.

______ **e.** Chi deve prendere l'aereo deve andare subito all'uscita 6.

______ **f.** I viaggiatori che sono in lista d'attesa devono andare al desk della compagnia.

______ **g.** Alla partenza dell'aereo i viaggiatori devono spegnere i cellulari.

comprensione scritta

3

a **Beppe Severgnini è un famoso giornalista del "Corriere della Sera". Recentemente è stato invitato alla sede del Consiglio dell'Unione Europea per una conferenza. Leggi questo breve resoconto della sua serata a Bruxelles e rispondi alle domande.**

ERASMUS E "STAGES" CONTRO L'INTOLLERANZA

Mi è piaciuto tornare, un quarto di secolo dopo, nel posto dove ho cominciato a sognare il mio mestiere. Era l'autunno 1979: ero uno "stagiaire" ventiduenne, poco pagato ma molto felice, con una tesi di laurea da fare, i capelli di un altro colore, un appartamento microscopico e una Fiat 127 color nocciola.
Gli "stagiaires" continuano ad arrivare alla Commissione, per uscire di casa, annusare l'Europa e imparare qualcosa. Un paio s'erano imbucati* alla conferenza (nessuno s'imbuca come uno "stagiaire") e alla fine sono venuti a chiedermi: "Viene alla nostra festa, stasera?". Ho lasciato un numero di cellulare. Nel pomeriggio, un messaggio. "Il posto si chiama 'La Bouche a L'Oreille'. Vicino al Parco del Cinquantenario, intorno alle undici. La aspettiamo. Sarà un delirio."
Sono andato e dico subito: eravamo più deliranti noi nel 1979. Gli "stagiaires" oggi sono più grandi, più titolati e - apparentemente - più posati. Ragazze e ragazzi italiani sono mescolati a tedeschi colti, spagnole sorridenti, greci scuri che studiano olandesi bionde. Milano e Roma, Catania e Padova, Pescara e Pavia: l'Italia che in Italia litiga, qui capisce di somigliarsi molto. Diversi vengono da un Erasmus - un programma europeo introdotto nel 1987, che prevede un periodo di studi in un altro Paese. Tutti sembrano contenti di essere lontani, liberi, con le chiavi di casa in tasca, il sabato mattina davanti e un lavoro che li aspetta il lunedì. Li capisco, ma non glielo posso dire. Li invidio, ma è meglio che lo tenga per me. Li ammiro, in qualche modo: hanno una bella luce negli occhi, più chiara dei lampioni umidi di Bruxelles. Arrivano qui e sono italiani, svedesi, inglesi e polacchi: vanno via e saranno europei. So che può sembrare orribilmente retorico, ma è vero. State sicuri che questi ragazzi non diranno stupidaggini su altri popoli, non proveranno risentimenti nazionali. Vedranno le differenze, che ci sono: ma le apprezzeranno e ci giocheranno, sapendo che insaporiscono la torta dell'Europa.
Gli "stages" alla Commissione e il programma Erasmus sono i soldi meglio spesi dall'Unione Europea, sono un investimento intelligente. Sono un modo di costruire consuetudini, e reti di conoscenze: venticinque anni dopo, i miei migliori amici in Europa sono quelli delle serate di Bruxelles. Erasmus e "stage" sono formidabili strumenti contro l'intolleranza e la xenofobia. Sono convinto che, davanti a certe affermazioni razziste, non serve protestare. Bisogna mettere in mano allo sciocco di turno una Samsonite e un biglietto aereo. Vada, veda. Quando torna, non ripeterà le stesse stupidaggini. Dico queste cose per me e per voi, naturalmente. I ragazzi di Bruxelles le sanno già, e le tengono nel cuore.

* imbucarsi: termine colloquiale che significa "partecipare senza essere invitati".

(Adattato dal "Corriere della sera", 2006)

1. Severgnini è stato a Bruxelles per uno *stage*
   - ☐ **a.** all'inizio della sua carriera di giornalista.
   - ☐ **b.** dopo aver finito i suoi studi in Italia.
   - ☐ **c.** quando ancora studiava all'univeristà.
2. Gli "stagiaires"
   - ☐ **a.** hanno inviato Severgnini a una festa.
   - ☐ **b.** hanno organizzato una festa dopo la conferenza.
   - ☐ **c.** hanno festeggiato il loro arrivo a Bruxelles.
3. Secondo Severgnini i programmi Erasmus sono utili soprattutto perché
   - ☐ **a.** offrono agli studenti la possibilità di studiare all'estero.
   - ☐ **b.** educano alla tolleranza e al rispetto degli altri popoli.
   - ☐ **c.** offrono ai giovani europei nuove opportunità di lavoro.

b **Collega i verbi del testo alle definizioni.**

☐ 1. litigare (r. 25)	a. valutare positivamente, considerare buono
☐ 2. somigliarsi (r. 26)	b. dare sapore
☐ 3. invidiare (r. 33)	c. guardare con piacere e meraviglia
☐ 4. ammirare (r. 34)	d. desiderare per sé quello che altri hanno
☐ 5. apprezzare (r. 42)	e. discutere vivacemente
☐ 6. insaporire (r. 43)	f. essere simili

c **Collega i nomi del testo alle definizioni.**

☐ 1. delirio (r. 18)	a. superficiale, poco intelligente
☐ 2. stupidaggine (r. 40)	b. odio per gli stranieri
☐ 3. risentimento (r. 41)	c. cosa stupida
☐ 4. xenofobia (r. 51)	d. pazzia, esaltazione
☐ 5. sciocco (r. 54)	e. rabbia, rancore

4

a **Leggi rapidamente il modulo con le indicazioni per partecipare ai programmi AFS intercultura e metti il titolo di ogni paragrafo.**

condizioni di pagamento	età per partecipare	viaggi
borse di studio	iscrizione e selezione	servizi offerti

AFS (American Field Service) è un'organizzazione internazionale fondata in America nel 1914. L'associazione italiana AFS Intercultura è nata nel 1955 e organizza scambi internazionali per gli studenti delle scuole superiori, con programmi di studio in Paesi di tutto il mondo.

MODALITÀ DI ISCRIZIONE

____

Possono iscriversi al concorso Intercultura gli studenti di scuola media superiore nati tra il 1° gennaio 1990 e il 30 giugno 1992.

____

Le date di scadenza per l'iscrizione sono:
-10 novembre 2006: solo chi si iscrive entro questa data può richiedere una borsa di studio Intercultura (riduzione della quota di partecipazione)
- 31 gennaio 2007: per concorrere all'assegnazione dei posti disponibili alla quota di partecipazione indicata nei programmi.
I colloqui per la selezione dei candidati si terranno durante l'ultimo fine settimana di febbraio. A questi incontri di selezione sono invitati anche i genitori dei candidati.

____

Alla compilazione della documentazione definitiva vengono richiesti 600 euro a titolo di deposito. Gli altri versamenti sono stabiliti come segue: 20% della quota al momento dell'accettazione del candidato e il saldo 30 giorni prima della partenza.

____

Le famiglie con un reddito inferiore ai 65.000,00 euro possono richiedere una borsa di studio, erogata sotto forma di riduzione della quota di partecipazione. La borsa di studio Intercultura può essere erogata una sola volta allo stesso candidato, ma a diversi figli della stessa famiglia.
In aggiunta alle borse di studio di Intercultura, ogni anno esistono circa 200 posti gratuiti messi a concorso da aziende, enti o banche che coprono per intero il costo del soggiorno all'estero.

____

Tutti i vincitori di un soggiorno all'estero partecipano alle medesime attività e godono degli stessi benefici:
la selezione e la preparazione; il viaggio con vettori scelti da Intercultura; l'ospitalità per tutta la durata del programma;
la frequenza della scuola e i libri di testo; una completa assistenza all'estero; una copertura assicurativa per responsabilità verso terzi; una assicurazione per incidenti, per malattie e per invalidità permanente.

____

Tutte le partenze sono previste dall'aeroporto di Roma. Le date effettive di partenza e ritorno vengono comunicate alla fine della fase di selezione. Intercultura si riserva il diritto di modificare la località di partenza o le date dei programmi per cause di forza maggiore. Non sarà possibile in alcun caso prendere in considerazione richieste di viaggi in date o da aeroporti diversi da quelli previsti.

b Rileggi il testo e indica quali affermazioni sono vere.

- ☐ **1.** Per partecipare ai diversi programmi bisogna avere 18 anni.
- ☐ **2.** Ai colloqui per la selezione partecipano anche i genitori.
- ☐ **3.** La quota di partecipazione deve essere interamente pagata 30 giorni prima della partenza.
- ☐ **4.** Per avere una borsa di studio è sufficiente iscriversi entro il 10 novembre 2006.
- ☐ **5.** Chi ha la borsa di studio paga una quota inferiore.
- ☐ **6.** Più figli della stessa famiglia possono avere una borsa di studio.
- ☐ **7.** Tutte le borse di studio sono pagate da aziende, enti e banche.
- ☐ **8.** La quota di partecipazione comprende anche l'iscrizione alla scuola e l'assicurazione.
- ☐ **9.** Il viaggio deve essere pagato a parte.
- ☐ **10.** Le date di partenza sono fissate dai gruppi di partecipanti.

lessico

5

Abbina queste parole della grammatica alla definizione del dizionario e aggiungi un esempio.

desinenza preposizione congiunzione avverbio pronome ausiliari aggettivo

	definzione	esempi
avverbio	Parte invariabile del discorso che specifica o modifica il significato di un verbo, di un aggettivo o di un altro avverbio.	velocemente, molto
1.	Parte invariabile del discorso che collega tra loro parole o frasi.	
2.	Parte finale variabile di una parola.	
3.	Parte variabile del discorso che si aggiunge al nome per indicarlo o qualificarlo.	
4.	Verbi usati con altri verbi per formare i tempi composti.	
5.	Parte variabile del discorso che si usa al posto del nome per evitare ripetizioni.	
6.	Parte invariabile del discorso che si usa davanti a un nome, un pronome, un avverbio o un verbo all'infinito per formare i complementi.	

6

Descrivi il verbo sottolineato aiutandoti con le parole seguenti.

ausiliare coniugazione desinenza tempo accordo persona

Ieri Paola e Maria sono andate a Milano.

7

Descrivi i gruppi nominali sottolineati aiutandoti con le parole seguenti.

articolo desinenza femminile/maschile singolare/plurale

Al corso ho conosciuto una ragazza argentina e dei ragazzi coreani.

8

Trova le domande. Usa il tu (informale), poi ripeti l'esercizio usando il Lei (formale).

1. ______________________ Christian Meister.
2. ______________________ M-e-i-s-t-e-r.
3. ______________________ Sono francese, vengo dall'Alsazia.
4. ______________________ Ne ho 32.
5. ______________________ Da tre anni, sono arrivato nel 2003.
6. ______________________ Sono fotografo, lavoro per una rivista di moda.
7. ______________________ Sì, mia moglie è italiana, l'ho conosciuta in Francia.
8. ______________________ È stilista, anche lei lavora nel settore della moda.
9. ______________________ Ho una bambina di due anni.

9

Completa il testo con i verbi al passato prossimo (attenzione: il participio passato di questi verbi è irregolare!).

scegliere	mettere	accorgersi	prendere
rimanere	togliere	fare	
aggiungere	vedere	chiedere	

Dopodomani parto per una vacanza in Vietnam e così ieri sera (1) ______________ a casa e (2) ______________ i bagagli: nel mio zaino da montagna (3) ______________ dei vestiti e la biancheria, ma poi (4) ______________ che non c'era abbastanza spazio per i miei libri, allora (5) ______________ i maglioni e (6) ______________ solo una felpa di cotone. Poi (7) ______________ un paio di scarpe da ginnastica e le ho messe nella tasca sopra, insieme al mio piccolo *beauty case*. Pensando al mare (8) ______________ anche un paio di sandali e... basta, credo di avere tutto quello che mi serve. Eh sì, quando viaggio, mi piace essere leggero, tanto che quando Petra (9) ______________ il mio bagaglio mi (10) ______________ : "Parti per il fine-settimana?".

10

Trasforma questi brevi racconti al passato e prova a indovinare dove sono stati questi viaggiatori.

Scegliamo questa destinazione perché è vicina a Genova e non perdiamo tempo per il viaggio, anche se ci andiamo in macchina per essere più liberi. Visitiamo i paesini della costa e dell'entroterra; ci fermiamo anche qualche giorno al festival del cinema, perché mio marito è un appassionato. A me invece la cosa che piace di più di questa zona è la campagna, soprattutto i fiori e i profumi.

Faccio 18 ore di volo, ma ne vale la pena perché quest'anno ho un mese di vacanza. I primi dieci giorni li passo nel sud, al mare, anche se ho paura a fare il bagno perché ci sono gli squali (dicono che non sono pericolosi, ma io non mi fido).
Poi prendo un volo nazionale e mi sposto verso est per andare da degli amici che vivono lì. Insieme facciamo un trekking a piedi nelle "montagne blu". Sarà fantastico!

Partono in aereo, anche se Anna è un po' preoccupata perché non le piace volare.
Hanno bisogno di imparare la lingua, e frequentano un corso tutte le mattine, dalle 9 alle 13. Nel pomeriggio però sono libere, così possono visitare la città e soprattutto i musei d'arte che ad Anna piacciono molto. Silvia invece preferisce la vita all'aria aperta e così fa delle lunghe passeggiate nei parchi lungo il fiume. La sera escono spesso per vedere dei concerti o bere una birra nei pub.

grammatica

11

Completa il testo con gli articoli (determinativi e indeterminativi) e le desinenze dei nomi e degli aggettivi.

Takashi è ______ ragazzo giapppones_ che vive da due ann_ a Bologna. Ha 26 anni ed è cuoco, lavora in ______ osteria del centro. L'ho intervistato nella sua casa, ______ piccol_ appartamento che condivide con un colleg_ bolognes_.

- ● Perché sei venuto in Italia?
- ○ Per imparare tutt_ ______ segreti della cucin_ italian_, perché ______ mi_ sogno è aprire un ristorant_ italian_ in Giappone.
- ● È stato difficile trovare casa e lavoro in Italia?
- ○ Sì, soprattutto trovare casa non è facil_ per ______ stranieri, perché ______ appartament_ sono molto car_. Con ______ lavoro invece non ho avuto problem_: ho frequentato per qualche mes_ la scuol_ alberghier_ e poi ______ zio di ______ mio compagn_ di scuola mi ha proposto quest_ lavoro. Sono stato molto fortunat_.
- ● Frequenti altri giapponesi a Bologna?
- ○ Sì, certo. Ci sono molt_ ragazz_ giapponesi a Bologna perché c'è ______ buon_ scuola per imparare ______ italiano. Pochi però vengono per lavorare, sono quasi tutti student_.

12

Riscrivi le parti tra parentesi, utilizzando un pronome (diretto o indiretto) e modificando, se necessario, il participio passato. Fai attenzione alla posizione del pronome.

Quando ero a studiare in Inghilterra, ho conosciuto Nicole, una ragazza di Parigi molto simpatica e appassionata di musica italiana. La prossima settimana vado [trovare Nicole] a trovarla *dei vecchi dischi di musica italiana.* [Ho trovato i dischi] e [porto a lei] (1) ______________ (2) ______________ *in un mercatino dell'usato, sono sicuro che* [piaceranno molto a Nicole] (3) ______________. *Ho comperato qualche regalo anche per i suoi genitori che* [ospiteranno me] (4) ______________ *nella loro casa.* [Ho conosciuto i genitori di Nicole] (5) ______________ *a Londra, perché sono venuti a* [trovare Nicole] (6) ______________ *molte volte. Suo padre è un amante del vino italiano, quindi* [ho comperato per lui] (7) ______________ *delle bottiglie di vino piemontese (spero di non* [rompere le bottiglie] (8) ______________ *durante il viaggio!); sua madre invece è appassionata d'arte e* [ho preso per lei] (9) ______________ *la stampa di un quadro di Modigliani. Nicole ha anche un fratello ma non* [conosco suo fratello] (10) ______________; *spero che sia goloso perché ho deciso di* [portare a lui] (11) ______________ *dei cioccolatini. Se non* [piacciono a lui] (12) ______________ [mangeremo noi i cioccolatini] (13) ______________!

13

Trova delle domande, come nell'esempio, usando i pronomi diretti.

- ● Perché non la mangi (la pizza)?
- ○ Perché sono a dieta.

1. ______________ L'anno scorso a New York.
2. ______________ Perché non ho il loro numero di telefono.
3. ______________ No, l'ho appena comprato.
4. ______________ In un mercatino, costavano pochissimo.
5. ______________ Sul secondo ripiano della libreria.
6. ______________ No, non ne ho mai sentito parlare. È bello?

 **14**

Completa le frasi con le preposizioni.

1. Mi chiamo Sean, vengo ______ Irlanda, ______ Dublino. Abito ______ Italia da sei anni e insegno inglese agli adulti ______ una scuola privata ______ Roma.
2. È la prima volta che vengo ______ Calabria ______ vacanza, mi è piaciuta moltissimo. Purtroppo parto tra pochi giorni, devo tornare ______ lavoro.
3. Jeanne è la mia vicina di casa e spesso andiamo insieme ______ fare le spese, perché io non ho la macchina. Questa mattina è dovuta andare ______ aeroporto a prendere una sua zia che è venuta ______ trovarla, così mi ha accompagnato ______ ufficio. È davvero molto gentile.
4. Siamo appena tornati ______ Stati Uniti, siamo stati ______ Florida per fare un corso di inglese. Abitavamo ______ una bella villetta vicino ______ mare, proprio davanti ______ un bosco di eucalipti: era un posto meraviglioso!

15

Completa i dialoghi con le preposizioni di o a.

1. ● Nicola, puoi smettere ______ fare rumore? Se continui ______ disturbarmi non finirò mai ______ scrivere questa relazione!
   ○ Uffa, da quando hai cominciato ______ studiare sei diventato insopportabile!
2. ● Ciao Carlo, ti vedo in splendida forma!
   ○ Direi! Ho smesso ______ fumare, ho iniziato ______ correre 2 volte alla settimana e mi sono anche messo ______ fare una dieta!

16

Completa il riassunto del racconto di Monica (vedi es. 1, p. 2) con le seguenti congiunzioni.

ma perché così se mentre siccome però

Il mio arrivo a Londra è stato un disastro (1) ______ le mie valigie sono finite su un altro aereo. Sono arrivata in orario, alle 10:15 e, (2) ______ aspettavo i bagagli all'aeroporto, ho chiamato la famiglia che mi ospitava per chiedere (3) ______ potevano venire a prendermi alla stazione della metropolitana verso le 11.
(4) ______ ho perso molto tempo per aspettare (inutilmente) le mie valigie e fare la denuncia alla polizia e (5) ______ sono arrivata alla stazione della metropolitana dopo mezzanotte. (6) ______ non c'era più nessuno ad aspettarmi ho cercato di telefonare, (7) ______ i telefoni erano rotti.
Non sapevo proprio cosa fare! Fortunatamente alla fine ho trovato delle persone gentili che mi hanno aiutata. Che avventura!

pronuncia e ortografia

17  CD t. 3

Ascolta le parole e segna con una croce quelle con l'accento sull'ultima sillaba.

1.	2.	3.	4.	5.	6.	7.	8.	9.	10.	11.	12.	13.	14.	15.

18

Riascolta e scrivi le parole che hanno l'accento sull'ultima sillaba.

____

____

____

L'accento in italiano si scrive quando la sillaba accentata è quella finale di parola.

19

Completa le frasi usando una parola con l'ultimo accento sulla sillaba.

1. La pizza è buona, ____________ ne ho mangiata solo un po' perché ho ____________ cenato.
2. Io non prendo il ____________, preferisco il ____________.
3. Lavori in questo ristorante? ____________, da due anni.
4. Questa ____________ è molto ____________ piccola di Firenze.
5. ____________ Roberto non viene al cinema con noi? Non ____________, deve studiare.
6. L'estate prossima ____________ in vacanza in Grecia.
7. Parti domenica? No, domenica non posso, parto ____________.

20

Aiutandoti con le rime, prova a completare la filastrocca con le parole mancanti

più pere meta cucù metà però

Per colpa di un accento
un tale di Santhià
credeva d'essere alla (1)________
ed era appena a (2)________.
Per analogo errore
un contadino a Rho
tentava invano di cogliere
le (3)________ da un (4)________.
Non parliamo del dolore
di un signore di Corfù
quando, senza più accento,
il suo (5) ________ non cantò (6)________.

(da Gianni Rodari, *Il libro degli errori*, Einaudi 1977)

2 unità

Che cosa è successo?

comprensione orale

1 CD t. 4

a **Ascolta il notiziario una prima volta e indica l'argomento delle diverse notizie inserendo il numero corrispondente.**

☐ tentata rapina
☐ maltempo
☐ crollo di una casa
☐ terremoto
☐ grave incidente
☐ lotteria "Gratta e vinci"

b **Riascolta e scegli la risposta corretta.**

1. L'auto dei carabinieri
☐ **a.** andava ad alta velocità.
☐ **b.** è stata tamponata.
☐ **c.** si è ribaltata.

2. I rapinatori
☐ **a.** hanno cercato di derubare un furgone che portava valori.
☐ **b.** hanno sparato sulle guardie che ora sono in ospedale.
☐ **c.** hanno derubato un casello autostradale.

3. Nell'esplosione della casa
☐ **a.** è morta una donna e ci sono stati diversi feriti.
☐ **b.** è morta una donna e due edifici sono stati distrutti.
☐ **c.** sono morti tutti gli abitanti della casa.

4. Il terremoto
☐ **a.** è stato molto forte ma non ci sono stati feriti.
☐ **b.** è stato leggero ma ha provocato danni alle case.
☐ **c.** non ha provocato danni a persone o cose.

5. La lotteria "Gratta e vinci"
☐ **a.** ha venduto più biglietti del mese scorso.
☐ **b.** ha venduto 36 milioni di biglietti.
☐ **c.** ha aumentato il totale delle vincite.

6. La notizia è
☐ **a.** Dopo il bel tempo arriva il freddo.
☐ **b.** Continua il freddo intenso.
☐ **c.** Nevica su tutta l'Italia.

2 CD t. 5

Ascolta più volte la registrazione completa.

Ho uno zainetto che ________ ________ ________ ________ ________. L'avevo sulle spalle anche mentre ________ ________, solo che ________ ________ ________ ________ è suonato il cellulare, ________ ________ ________ lo zainetto, ________ ________ e poi non me lo sono più rimesso. È ________ lì ________ ________, vicino a me, e quando ________ ________ ________ per andare via... non ________ ________.
"Cavoli! Chissà ________ ________!"
"Ero furente, mi sono ________ la serata."
"Avevi ________ ________"
"No, non molti, ________ ________ ________ era nuovo e comunque ________ ________ i ________, la carta d'identità, la patente...".

comprensione scritta

3

a Leggi la prima parte dell'articolo e riordina i paragrafi della seconda parte. Poi rispondi alle domande.

E il ladro resta in mutande

1

Il furto lo ha lasciato in mutande. E una volta tanto non parliamo del derubato. A restare senza pantaloni, infatti, è stato proprio il ladro. Quando i carabinieri lo hanno arrestato, in effetti, il ladro era in mutande, perché i pantaloni li aveva usati per calarsi dalla finestra di una villetta di Manerbio in cui si era introdotto per rubare.

Qualcosa però è andato storto: il ladro è stato sorpreso dai padroni di casa che erano ancora svegli, e ha cercato di fuggire calandosi da una finestra, appendendo i suoi pantaloni a una trave di legno, in modo da potersi aggrappare e attutire il salto nel giardino.

☐ Ad attenderlo nel cortile, però, c'era già il padrone di casa che è riuscito a immobilizzarlo fino a quando sono arrivati i carabinieri di Manerbio, che lo hanno arrestato con l'accusa di tentata rapina aggravata.

☐ Resta da aggiungere che, sulla macchina dei militari, il malvivente ci è salito con i pantaloni, prontamente recuperati e riconsegnati dalla padrona di casa al legittimo proprietario, insieme alle scarpe che aveva lasciato in giro nella fretta di svestirsi per la fuga.

☐ Il ladro ha capito di essere stato scoperto e ha cercato di scappare da una finestra. Per non farsi male, si è tolto le scarpe, si è tolto i pantaloni e li ha appesi a una trave di legno che divideva in due la finestra, per poi calarsi e attutire la caduta.

☐ L'arrestato è un trentasettenne di Brescia, disoccupato e con precedenti per furto. Era entrato in azione lunedì a mezzanotte, con l'aiuto di un complice che era rimasto in strada a fare il palo e che alla fine è riuscito a scappare.

☐ Lui, invece, aveva imboccato le scale esterne di una villetta, che conducono al solaio. Riuscito a entrare passando dalla finestra, è stato udito dalla signora che era ancora sveglia. La donna, allarmata, ha svegliato il marito e ha chiamato i carabinieri. Il padrone di casa, insieme al figlio diciassettenne, è salito in solaio con un bastone.

(Adattato da "L'Eco di Bergamo", 16-06-04)

b **Vero o falso?**

	V	F
1. Il ladro ha svegliato i padroni di casa.	☐	☐
2. Il ladro era con un'altra persona che non è entrata in casa.	☐	☐
3. Il ladro è entrato da una finestra.	☐	☐
4. Il ladro aveva già rubato altre volte.	☐	☐
5. Il padrone di casa l'ha trovato in solaio.	☐	☐
6. Il ladro ha usato i pantaloni per calarsi dalla finestra.	☐	☐
7. I carabinieri aspettavano il ladro in cortile.	☐	☐
8. I carabinieri hanno arrestato anche il suo complice.	☐	☐

c **Abbina parole ed espressioni al significato corrispondente.**

1. lasciare / restare in mutande	a. scappare
2. andare storto	b. che collabora a un furto, a un crimine
3. fuggire	c. controllare che non arrivi la polizia
4. complice	d. restare senza niente
5. fare il palo	e. ladro, rapinatore
6. disoccupato	f. andare male
7. malvivente	g. che non lavora

4

Trova l'intruso.

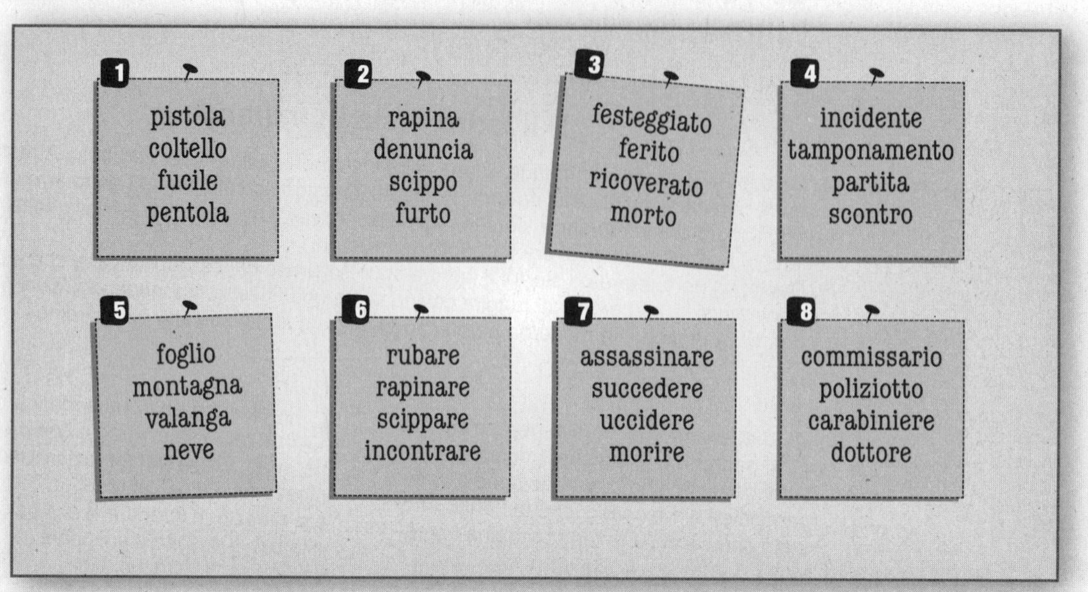

5

Che cosa fanno?

1. carabinieri
2. poliziotti
3. guardie di finanza
4. guardie forestali
5. pompieri
6. guardie del corpo
7. vigili urbani

a. arrestano contrabbandieri e falsari.
b. fanno parte di un corpo speciale dell'esercito e hanno compiti di polizia.
c. controllano il traffico cittadino.
d. sorvegliano i boschi.
e. mantengono l'ordine pubblico e scoprono chi ha commesso i crimini.
f. spengono gli incendi.
g. proteggono le persone importanti.

6

La polizia sta ricercando un uomo e una donna che hanno rapinato una banca.
Tu li hai visti: descrivili!
Se vuoi, usa le parole del box.

alto/basso	pantaloni
magro/grasso	giaccone
lungo/corto	camicetta
liscio/riccio	stivali
chiari/scuri	foulard
a righe	braccialetti
a quadretti	collana
a pois	occhiali
gonna	cintura
giacca	

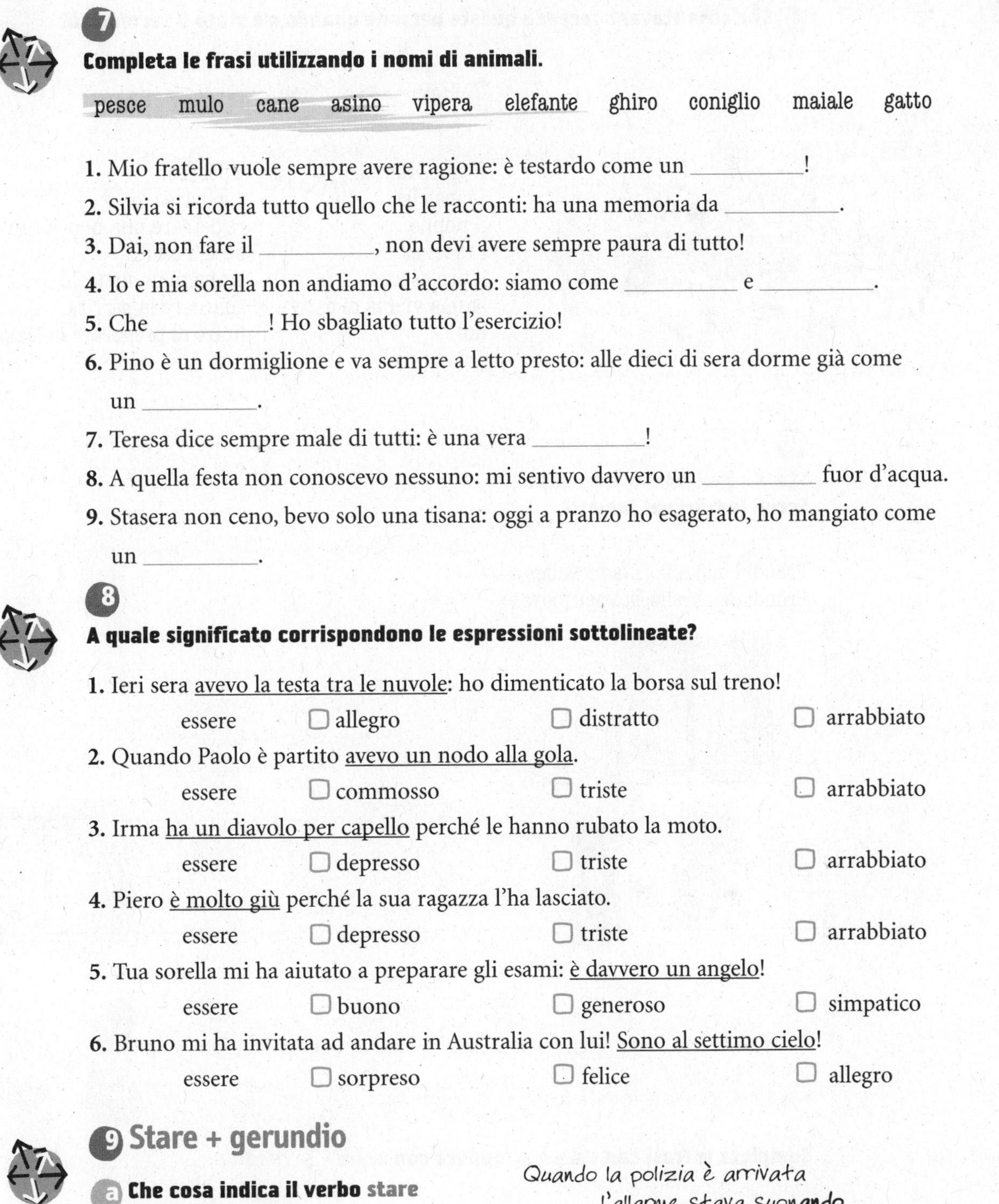

7 **Completa le frasi utilizzando i nomi di animali.**

pesce mulo cane asino vipera elefante ghiro coniglio maiale gatto

1. Mio fratello vuole sempre avere ragione: è testardo come un __________!
2. Silvia si ricorda tutto quello che le racconti: ha una memoria da __________.
3. Dai, non fare il __________, non devi avere sempre paura di tutto!
4. Io e mia sorella non andiamo d'accordo: siamo come __________ e __________.
5. Che __________! Ho sbagliato tutto l'esercizio!
6. Pino è un dormiglione e va sempre a letto presto: alle dieci di sera dorme già come un __________.
7. Teresa dice sempre male di tutti: è una vera __________!
8. A quella festa non conoscevo nessuno: mi sentivo davvero un __________ fuor d'acqua.
9. Stasera non ceno, bevo solo una tisana: oggi a pranzo ho esagerato, ho mangiato come un __________.

8 **A quale significato corrispondono le espressioni sottolineate?**

1. Ieri sera avevo la testa tra le nuvole: ho dimenticato la borsa sul treno!
   essere ☐ allegro ☐ distratto ☐ arrabbiato
2. Quando Paolo è partito avevo un nodo alla gola.
   essere ☐ commosso ☐ triste ☐ arrabbiato
3. Irma ha un diavolo per capello perché le hanno rubato la moto.
   essere ☐ depresso ☐ triste ☐ arrabbiato
4. Piero è molto giù perché la sua ragazza l'ha lasciato.
   essere ☐ depresso ☐ triste ☐ arrabbiato
5. Tua sorella mi ha aiutato a preparare gli esami: è davvero un angelo!
   essere ☐ buono ☐ generoso ☐ simpatico
6. Bruno mi ha invitata ad andare in Australia con lui! Sono al settimo cielo!
   essere ☐ sorpreso ☐ felice ☐ allegro

grammatica

9 Stare + gerundio

a **Che cosa indica il verbo stare con il gerundio?**

a. un'azione appena iniziata
b. un'azione in corso
c. un'azione conclusa

Quando la polizia è arrivata
*l'allarme stava suon**ando***
*i ladri stavano mett**endo** i soldi nella borsa*
*il guardiano stava dorm**endo***

Come si forma il gerundio?

- are > - ______________
- ere > - ______________
- ire > - ______________

Alcuni verbi irregolari formano il gerundio dalla prima persona del presente:
bevo > bevendo *dico > dicendo* *faccio > facendo*

b **Che cosa stavano facendo queste persone quando c'è stato il terremoto?**

Il giornalista stava scrivendo un articolo.

il giornalista	riposarsi
i musicisti	cucinare
il nonno	registrare una nuova canzone
i ragazzi	bere il caffè
il professore	scrivere un articolo
la mia vicina di casa	guardare la partita
noi	finire di preparare la lezione

10

Stare + gerundio o stare per?
Scrivi le frasi nei fumetti.

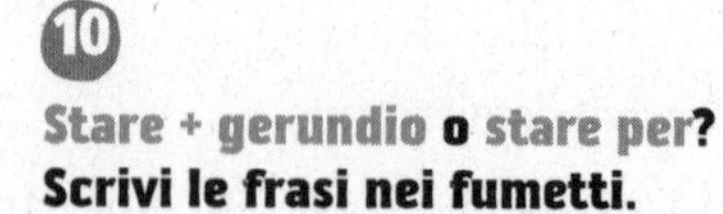

Prendi l'ombrello, sta piovendo
Prendi l'ombrello, sta per piovere

Completa le frasi con stare per oppure con stare + gerundio.

1. (*partire*) a. Sbrigati, è tardi! Il treno ______________________ .
   b. Non correre, è inutile. Il treno ______________________, prenderemo il prossimo.

2. (*fare*) a. Marioooo! Puoi rispondere tu al telefono? ______________ la doccia.
   b. ______________ la doccia, ma se vieni subito ti aspetto, la farò più tardi.

3. (*finire*) a. Matilde ______________ l'università, si laurea tra dieci giorni.
   b. ______________ di vedere un film, poi vado a letto.

4. (*andare*) a. Pronto? Ciao Patrizia! Scusami ma ______________ al lavoro e devo ancora finire di vestirmi. Ti richiamo stasera.
   b. Pronto? Chi sei? Non ti sento! ______________ al lavoro e c'è troppo rumore. Chiamami tra dieci minuti.

11 I verbi modali: imperfetto o passato prossimo?

a Osserva le frasi.

a. Ieri sono dovuto andare in questura (perché mi hanno rubato la borsa).
b. Ieri dovevo andare in questura (ma non ho avuto tempo).

Quale delle due frasi indica un'azione che si è sicuramente realizzata?

I verbi modali	- usati all'**imperfetto** indicano un'intenzione, un'azione che si può/deve/vuole fare, ma non dicono con certezza se l'azione si è realizzata. - usati al **passato prossimo** indicano un'azione che si è sicuramente realizzata.

b Completa le frasi.

Volevo comprare un'auto nuova ma non avevo abbastanza soldi.

Ho voluto comprare un'auto nuova così ho venduto il motorino.

1. **a.** Ieri non ho potuto telefonarti ____________________
   b. Siccome non potevo telefonarti ____________________
2. **a.** L'estate scorsa abbiamo voluto visitare Firenze ____________________
   b. L'estate scorsa volevamo visitare Firenze ____________________
3. **a.** I miei amici hanno dovuto studiare per gli esami ____________________
   b. I miei amici dovevano studiare per gli esami ____________________

12

Completa le frasi usando il passato prossimo o il trapassato prossimo.

1. (*io - cambiare*) __________ appena __________ la moto quando (*avere*) __________ l'incidente.
2. Quando (*io - aprire*) __________ la borsa, (*accorgersi*) __________ che mi (*loro - rubare*) la borsa.
3. Siccome Laura (*perdere*) __________ il portafogli con la patente, non (*potere*) __________ prendere la macchina.
4. Sabato (*io - andare*) __________ a vedere il film di Salvatores che mi (*tu - consigliare*) __________: è bellissimo!
5. Ieri sera io e Gianna (*andare*) __________ finalmente __________ alla Scala: abitiamo a Milano da due anni, ma non ci (*andare*) __________ mai __________ prima.
6. È vero che (*voi - comprare*) __________ un appartamento in centro? Non mi (*dire*) __________ che stavate cercando casa!

13

Completa le frasi usando il passato prossimo, l'imperfetto o il trapassato prossimo.

1. (*io - incontrare*) __________ __________ Gianni, che __________ bianco come un lenzuolo perché (*lui - vedere*) __________ appena __________ una rapina.
2. Ieri sera (*essere*) __________ stanchissima perché la notte prima (*dormire*) __________ poco.
3. (*io - arrabbiarsi*) __________ __________ molto perché alle otto Gianni non (*rientrare*) __________ ancora __________ dal lavoro così (*andare*) __________ al cinema da sola.
4. Roberto (*essere*) __________ preoccupato perché la sua ragazza (*avere*) __________ il trasferimento in Brasile e lui non (*sapere*) __________ cosa fare.
5. Quando ti (*telefonare*) __________ mi hanno detto che (*partire*) __________ per il Giappone da una settimana.
6. (*io - vedere*) __________ Anna e Giulio alla festa di Pietro, ma (*essere*) __________ molto stanchi, forse perché (*tornare*) __________ dagli Stati Uniti il giorno prima.

14

Completa le notizie di cronaca coniugando i verbi (passato prossimo, imperfetto, trapassato prossimo).

Furto alla posta centrale

Un uomo armato di una pistola giocattolo, (*rapinare*) (1) __________ ieri l'ufficio postale di Piazza Marconi, subito dopo che i portavalori (*depositare*) (2) __________ 150.000 euro che (*dovere*) (3) __________ servire per il pagamento delle pensioni.

La polizia (*portare*) (4) __________ in questura molte persone sospette, ma nessuno (*riconoscere*) (5) __________ il rapinatore, perché (*portare*) (6) __________ un enorme cappello che gli (*coprire*) (7) __________ gli occhi e parte del viso.

Incidente nella notte

L'alta velocità (*costare*) (1) __________ la vita a due giovani di 21 e 27 anni. Il primo incidente (*succedere*) (2) __________ a tarda notte in Sardegna, vicino a Cagliari. Intorno alle quattro del mattino Marino Ferru, che (*passare*) (3) __________ la serata in un locale dell'hinterland con altri quattro amici, (*rientrare*) (4) __________ in città. Improvvisamente, mentre (*imboccare*) (5) __________ una curva presso l'Hotel Sirti, (*perdere*) (6) __________ il controllo dell'auto e (*finire*) (7) __________ contro il guardrail.

15

Le "leggende metropolitane" sono storie che nascono dal nulla e, anche se non sono vere, si diffondono misteriosamente. Alcune sono "di moda" per un periodo e poi spariscono, altre hanno successo e viaggiano per il mondo. Scegli una di queste leggende metropolitane e raccontala in una lettera a un amico. Aggiungi tutti i particolari che vuoi per farla sembrare il più possibile vera.

Il motociclista va in frantumi

Un motociclista viene sbalzato di sella e piomba a terra sbattendo la testa. Sembra illeso, non ha ferite e viene accompagnato in un bar vicino. Entrato nel locale, l'uomo si toglie il casco che l'aveva protetto nella caduta. Ma a questo punto il cranio si apre improvvisamente in due.

Il cane-topo

Una coppia raccoglie un cagnolino sulla spiaggia di un paese esotico. Riesce a portarlo illegalmente in Italia. Ma una volta arrivato tra le mura domestiche l'animale si rivelerà un temibile topo di cui farà le spese il povero gatto di casa.

La botola

In un negozio di abbigliamento una ragazza si prova un vestito. Non vedendola uscire dal camerino, il suo ragazzo entra e lo scopre vuoto. Fa chiamare la polizia che trova una botola nel camerino. Sotto c'è una cantina con la ragazza legata e imbavagliata.

16

Riscrivi la lettera sostituendo le parti sottolineate con il pronome ci. Attenzione alla posizione!

Da: A:
Oggetto:

Caro Tony,
ieri mentre stavo andando al lavoro mi è successa una cosa incredibile. Sono andato <u>al lavoro</u> in autobus, perché nevicava e non volevo andare <u>al lavoro</u> in macchina. Alla seconda fermata è salita Sofia, la mia ex-ragazza. Ci siamo lasciati due mesi fa (anzi, lei mi ha lasciato!!), ma la nostra storia è stata bellissima, io penso sempre <u>alla nostra storia</u>...
Così sono rimasto davvero sorpreso quando Sofia mi ha detto che era contentissima di vedermi, che anche lei pensa sempre a me (devo credere <u>a questo</u>?) e che vorrebbe tornare con me.
Mi ha chiesto se possiamo vederci, così l'ho invitata domani sera da me: spero che verrà <u>da me</u>, è capace di cambiare idea da qui a domani!!
Non so davvero cosa fare, Sofia è una persona inaffidabile, oggi mi ama, domani no...
Io tengo molto <u>a Sofia</u>, sono molto affezionato <u>a lei</u>, ma non so se voglio stare di nuovo con lei.
Cosa dici, posso provare <u>a stare di nuovo con lei</u> o è meglio che le dica addio per sempre?
Ciao,
Bruno

La pianificazione "Posta in arrivo" sarà eseguita fra minuti

17

Abbina alle frasi i diversi significati del pronome ci.

a. NOI
b. A NOI
c. NOI (con verbi riflessivi)
d. QUI/LÌ (luogo)
e. A QUESTO

☐ **1.** **Ci** sono andato l'anno scorso.
☐ **2.** Hai vinto 1000 €? Non **ci** credo!
☐ **3.** **Ci** incontriamo tutti i giorni al bar.
☐ **4.** Vieni a salutar**ci**.
☐ **5.** Noi **ci** siamo alzati alle 7, e voi?
☐ **6.** **Ci** hanno regalato un nuovo hi-fi.
☐ **7.** **Ci** penso sempre.
☐ **8.** Tu non **ci** ascolti mai.
☐ **9.** Mi piace questo parco, **ci** sto bene.
☐ **10.** Ci piace molto il caffè.

18

Nei titoli di giornale spesso il participio passato sostituisce la forma passiva. Osserva l'esempio e trasforma allo stesso modo i titoli che seguono.

Anziana derubata della borsa mentre attraversa la strada. → *<u>Un'</u>anziana (signora) <u>è stata derubata</u> della borsa mentre <u>attraversava</u> la strada.*

1. Catturati i ladri che ieri hanno rapinato la Banca Popolare.
2. Bambino investito sulle strisce pedonali: si cerca il conducente dell'auto.
3. Computer rubati nella notte in un negozio del centro.
4. Antiquario di Treviso imbrogliato da un cliente: il quadro era falso.
5. Alpinista colpito da un fulmine durante un temporale.

19

a **Rileggi rapidamente i cinque articoli a p. 22 del manuale e sottolinea gli avverbi che terminano in -mente. Come sono formati?**

Da un ☐ nome ☐ aggettivo ☐ femminile ☐ maschile + suffisso *-mente*

Con gli aggettivi in *-le* e *-re* cade la vocale finale. (Es.: ____________)

b Modifica le frasi con un avverbio in -mente derivato da uno di questi aggettivi.

~~lento~~ improvviso generale inutile chiaro allegro particolare

Il ragazzo camminava lentamente verso casa.

1. La serata è finita __________ con un po' di musica.
2. Mi ha detto __________ che non voleva più vedermi.
3. A mezzogiorno __________ pranzo in una trattoria.
4. Ho aspettato __________ per due ore, Roberta non è arrivata.
5. La lezione di ieri è stata __________ interessante.
6. Stavo attraversando la strada quando __________ è arrivata una macchina.

20 Le preposizioni di tempo

a Leggi il dialogo e sottolinea le espressioni di tempo.
Rifletti sul significato delle preposizioni.

- ● Paola? Sono qui fuori dal cinema Capitol dalle 19:30. Non avevamo un appuntamento per vedere "Crash"?
- ○ Sì, lo so, ma ho aspettato l'autobus per 20 minuti e non è arrivato.
  Sto arrivando a piedi, tra due minuti sono lì.
- ● Sì, ma ormai è troppo tardi, il film è cominciato cinque minuti fa! Pazienza, andremo a bere una birra.
- ○ Ma no, dai, se è cominciato solo da cinque minuti forse possiamo ancora entrare. Se ci sono i trailers e la pubblicità secondo me facciamo ancora in tempo. Arrivo!

Quale preposizione indica

1. un'azione futura __________
2. la durata di un'azione __________
3. un momento preciso del passato __________
4. un'azione del passato che dura ancora nel presente __________

b Completa le frasi con le preposizioni di tempo.

tra da per fa a

1. __________ due giorni parto per la Nuova Zelanda. Non vedo l'ora!
2. Ho studiato il tedesco __________ 5 anni quando ero al liceo, ma non lo parlo __________ molto tempo.
3. C'è Gianna? No, è uscita dieci minuti __________, ma tornerà __________ poco.
4. Lavoro in questo ufficio __________ tre anni.
5. Luca si è trasferito in Francia tre anni __________. È __________ molto tempo che non lo vedo.
6. Ho conosciuto tuo fratello molto tempo __________, abbiamo lavorato insieme __________ un anno.
7. Di mattina la banca chiude __________ 13:15, ma nel pomeriggio riapre __________ un altro paio d'ore, __________ 14:15 __________ 16.

21

Completa l'articolo di cronaca con:

non appena infatti intanto quando tuttavia poi anche

Quelle del sabato sera non sono tutte cattive compagnie, anzi. A Bologna, un gruppo di ragazzi ha messo in riga un amico che aveva scippato una donna di 54 anni. I ragazzi, (1) __________ si sono accorti che il loro amico aveva commesso uno scippo, hanno invertito la marcia per tornare dalla vittima del furto e restituirle la borsetta. La donna, (2) __________, era stata soccorsa da un testimone, che aveva (3) __________ segnalato la targa dell'auto alla polizia. "Signora, mi scusi tanto - ha detto lo scippatore, un 23enne di Rovigo, (4) __________ ha restituito la borsa - controlli pure, c'è tutto, non ho preso niente". (5) __________ è ripartito con i suoi amici sulla Ford Fiesta.
Il pentimento non è bastato (6) __________ a far dimenticare la bravata. Gli uomini della polizia hanno (7) __________ rintracciato il gruppo di amici e il giovane è stato denunciato per furto.

22 CD t.6 L'accento di enunciato

pronuncia

a Ascolta questi enunciati e sottolinea la frase che è maggiormente in rilievo.

1. *Se vuoi uscire, usciamo.*
2. Lo compro io o lo compri tu?
3. Ho pagato io, anche per Lisa e Paolo.
4. Se non ti sbrighi, perdi il treno.
5. Adesso vado, ma torno subito.
6. Compriamolo, se ti pare importante.
7. Lui parla poco e tu non ascolti.

L'alternanza di suoni forti e deboli non riguarda solo le sillabe o le parole, ma anche le frasi. In un gruppo di frasi (enunciato) una può essere più in rilievo delle altre per evidenziare uno stato d'animo o sottolineare un'informazione/una richiesta.

Riascolta e ripeti imitando l'intonazione.

CD t.7

b In alcuni casi l'enfasi su una frase può cambiare il senso dell'enunciato. Ascolta gli enunciati e sottolinea la frase che è maggiormente in rilievo. Poi prova a spiegare la differenza tra uno e l'altro.

1. Telefonami appena ti è possibile.
   Telefonami appena ti è possibile.
2. Mangialo se ti piace.
   Mangialo se ti piace.
3. Posso rimanere in casa finché non torni.
   Posso rimanere in casa finché non torni.
4. Non è lontano se ci vai in aereo.
   Non è lontano se ci vai in aereo.

Rileggi imitando l'intonazione.

23 CD t.8 Le intonazioni

Ascolta le frasi e indica a quali stati emotivi corrisponde l'intonazione di ciascuna frase.

	felice	arrabbiato	sorpreso	incerto
a. Mi pagano 300 €	1			
b. Barbara arriva stasera				
c. L'hanno trasferito a Roma				

Riascolta e imita le diverse intonazioni.

3 unità

Io vorrei andare in Sardegna, ma...

comprensione orale

1 CD t.9

Stai per partire per una breve vacanza in Italia. Ascolta le previsioni del tempo e completa questa sintesi. Se hai bisogno di aiuto, utilizza le parole nella lista sotto.

centro-sud	nuvoloso	miglioramento
sulle isole	temporali	aumento
brutto	piovere	temperature
bel tempo	al nord	

Stamattina al nord il tempo è particolarmente (1) __________:
piove, è (2) __________ e ci sono dei (3) __________.
Nel centro-sud, invece, c'è (4) __________ e fa caldo.
A partire dalla mattinata, però, ci sarà un (5) __________ e verso sera smetterà di (6) __________.
Da mercoledì inizia il bel tempo anche (7) __________.
Al sud e (8) __________ fa già molto caldo: 29 a Reggio Calabria e a Catania 27-28 gradi.
Da giovedì le (9) __________ sono in (10) __________ in tutta la penisola, soprattutto al (11) __________.

2 CD t.10

a **Ascolta il notiziario sull'andamento del traffico e indica, per ciascuna domanda, le 2 risposte corrette.**

1. Sulla A4 Milano-Brescia
   - ☐ **a.** c'è molto traffico da Milano verso Brescia.
   - ☐ **b.** c'è molto traffico nella direzione di Milano.
   - ☐ **c.** andando verso Brescia ci sono 6 km di coda.
   - ☐ **d.** su tutta l'autostrada si viaggia su una corsia.

2. Sulla Milano-Meda
   - ☐ **a.** un camion si è ribaltato sulla tangenziale nord.
   - ☐ **b.** c'è stato un incidente tra un camion e tre auto.
   - ☐ **c.** due camion si sono ribaltati.
   - ☐ **d.** lo svincolo di Paderno Dugnano è bloccato.

3. Sulla A12 Genova-Rosignano
   - ☐ **a.** un autotreno si è rovesciato vicino a Livorno.
   - ☐ **b.** il traffico è bloccato in direzione Livorno.
   - ☐ **c.** non si può entrare in autostrada.
   - ☐ **d.** il casello di Livorno è chiuso.

b Collega le parole al disegno.

code
svincolo
corsia
direzione
casello
bivio
traffico intenso

3 CD t. 11

a Gianna sta pensando alle vacanze mentre ascolta distrattamente la radio. L'annuncio di una trasmissione attira la sua attenzione. Ascoltala con lei e rispondi.

1. In quale regione d'Italia si trova l'itinerario proposto?
   ____
2. Con quale mezzo di trasporto ci si muove?
   ____
3. Il percorso è
   - ☐ a. in collina, vicino al mare.
   - ☐ c. tra le montagne.
   - ☐ d. in pianura, con leggeri saliscendi.
4. Il percorso è
   - ☐ a. sull'isola del Sinis.
   - ☐ b. sulla penisola del Sinis.
   - ☐ c. nella regione del Sinis.
5. Il percorso è
   - ☐ a. su stradine secondarie.
   - ☐ b. su sentieri.
   - ☐ c. su piste ciclabili.

b Riascolta e indica che cosa si può vedere lungo il percorso.

- ☐ 1. lo stagno di Cabras
- ☐ 2. dei bellissimi paesaggi
- ☐ 3. delle isolette sabbiose
- ☐ 4. i fenicotteri rosa
- ☐ 5. un villaggio di pescatori
- ☐ 6. un'antica città fenicia
- ☐ 7. un vulcano
- ☐ 8. il golfo di Oristano

4 CD t. 12

Dettato puzzle. Ascolta più volte la registrazione e completa.

● Forse ________ ________ a un posto dove fare delle ________ ________, sempre ________ ________ ma magari di una ________, affittando ________ ________ sul posto…
Mia sorella per esempio ________ ________ ________ dall'Elba e mi diceva che ________ ________ ________ ________ di cose: bicicletta, cavallo, persino una ________ ________ ________!

○ L'Elba? Non ci avevo pensato, ci sono andata diverse volte da piccola. È vero che il ________ ________ ________ ________, e poi ________ vicino, mentre per la Sardegna il ________ ________ ________ è veramente lungo… Ma dove stava tua sorella? In albergo?

● No, ________ ________ ________ una roulotte in un ________. M'ha detto che era un po' caro, però si sono trovati ________ ________.

5

a Leggi il dépliant e metti i titoli che mancano.

museo dei burattini — palazzo comunale — i magazzini del sale
per raggiungere Cervia — ospitalità — cattedrale
iniziative — gastronomia — teatro comunale

XXVI Festival Internazionale dell'Aquilone

Cervia, Lungomare Grazia Deledda 22 aprile - 1° maggio 2006

____

Concorso internazionale di aquiloni (Cervia's Cup 2006)
Stage per la costruzione di aquiloni
Spettacoli: volo notturno sul mare
Combattimento di aquiloni giapponesi
Mercatino di prodotti etnici
Mercatino gastronomico
Gita in bicicletta al Parco Naturale del Delta del Po

INFORMAZIONI TURISTICHE

____

in auto: autostrada A14 Bari-Bologna uscita Cesena, poi prendere la S.S. 71 bis direzione Cervia (km 12)
in treno: linea Milano-Ancona, coincidenze a Ravenna o Rimini per Cervia-Milano Marittima

____

Pensioni convenzionate (30euro/notte): Mareblu (0544 971276), Adriatico (0544 973109)
Campeggi in zona: Campeggio Pinarella (0544 976523), Campeggio Pineta (0544 977298)

____

Durante il festival sarà in funzione un ristorante all'aperto con specialità locali (piadina romagnola, gnocco fritto, brodetto di pesce, vino locale)

DA VEDERE

- ______________________ (XVIII sec.) La chiesa, che ha una facciata molto semplice e lineare, contiene dipinti secenteschi di notevole pregio artistico.
- ______________________ Aperto al pubblico tutti i giorni feriali dalle 8:30 alle 12:30, contiene alcune vetrine con i reperti storici di Cervia antica. Nel cortile interno si apre Piazza delle Erbe, da sempre luogo di scambio e commercio.
- ______________________ Tipico teatro d'opera rinascimentale, è il gioiello della città. Decorato con splendidi affreschi, accoglie circa 300 posti divisi tra la platea, i palchi e il loggione
- ______________________ Costruiti già nel '600, erano usati come deposito del sale in attesa di destinazione commerciale. La Torre S. Michele proteggeva Cervia e il sale da potenziali nemici provenienti dal mare. Nell'accogliente giardino davanti ai Magazzini del sale splende una fontana chiamata "il tappeto sospeso", ideata da Tonino Guerra.
- ______________________ Raccoglie non solo migliaia di marionette della tradizione europea, ma anche volumi, riviste, immagini e videocassette sulle compagnie di teatro di figura di tutto il mondo.

b **Hai trovato questo dépliant sul Festival Internazionale dell'Aquilone e vorresti andarci con due amici: Sergio, appassionato di storia dell'arte e amante della buona cucina, e Barbara, appassionata di teatro e grande sportiva. Scrivi un e-mail a Sergio e Barbara per informarli di questa iniziativa e convincerli a venire con te (spiega dov'è, come ci si può andare, che cosa potrebbero fare/vedere).**

6 E se il viaggio va male?

a Prima di leggere il testo, verifica se conosci alcune parole che si trovano spesso nei documenti che riguardano i viaggi. Tra parentesi sono indicate le righe del testo dove troverai queste parole.

☐ **1.** quota (riga 5)	**a.** rottura, danneggiamento
☐ **2.** entro (riga 9)	**b.** protezione
☐ **3.** tutela (riga 17)	**c.** compenso per un danno
☐ **4.** rimborso (riga 18)	**d.** foglio stampato da riempire
☐ **5.** penale (riga 18)	**e.** protesta, lamentela
☐ **6.** risarcimento (riga 24)	**f.** somma da pagare
☐ **7.** modulo (riga 26)	**g.** prima di
☐ **8.** danno (riga 28)	**h.** restituzione
☐ **9.** reclamo (riga 29)	**i.** multa

b Leggi le informazioni ai viaggiatori di Telefono Blu, un'associazione di tutela dei consumatori. Poi metti una crocetta accanto alle 6 informazioni contenute nel testo, (vedi p. 24).

Mancata partenza
Che succede se all'ultimo momento il turista che ha prenotato una vacanza decide di non partire? E se il viaggio viene cancellato prima della partenza dal venditore o dall'organizzatore?

Il viaggiatore può recedere dal contratto solo nel caso in cui gli venga comunicata la modifica di un elemento
5 essenziale del viaggio. In qualsiasi altro caso, saranno addebitate la quota di iscrizione e parte del prezzo del viaggio (10% fino a 30 gg. prima della partenza, 50% da 20 gg. a 3 giorni prima della partenza e l'intera quota dopo tali termini).
Il turista che non può usufruire di un pacchetto turistico prenotato può farsi sostituire da un'altra persona purché l'organizzatore ne sia informato per iscritto entro 4 giorni lavorativi prima della data fissata per la partenza.
10 Invece, se il viaggio è cancellato prima della partenza per qualsiasi motivo, tranne che per colpa del turista, questi ha diritto di usufruire di un altro pacchetto di qualità equivalente o superiore senza supplemento, o di un pacchetto turistico qualitativamente inferiore con restituzione della differenza di prezzo. In alternativa possono essere rimborsati, entro 7 giorni lavorativi dalla cancellazione, gli importi già corrisposti.

Overbooking risarcito
15 *Quali tutele per il passeggero che non può imbarcarsi per overbooking?*

La prassi dell'overbooking non è illecita, ma il regolamento 295/91 dell'Unione europea detta alcune norme per garantire un minimo di tutela ai viaggiatori. Ecco le principali. Il passeggero "rifiutato" ha il diritto di scegliere tra: rimborso senza penale del biglietto per la parte di viaggio non effettuata; volo alternativo il prima possibile fino alla destinazione finale; volo alternativo a una data successiva a lui più conveniente.
20 In ogni caso la compagnia ha l'obbligo di pagare immediatamente una compensazione (150 euro per i voli sotto i 3.500 km e di 300 per quelli oltre). Inoltre la compagnia dovrà assicurare agli sfortunati passeggeri, a titolo gratuito: un messaggio mediante telefonata, telex, fax; consumazioni in relazione all'attesa; eventuale albergo.

Bagaglio smarrito
Si ha diritto a qualche risarcimento se, a fine volo, non si riesce a rientrare in possesso del proprio bagaglio?

25 Il passeggero deve recarsi subito all'Ufficio oggetti smarriti munito dello scontrino rilasciatogli all'imbarco e del biglietto aereo e riempire l'apposito modulo (Pir). Se dopo le prime 24 ore il bagaglio non è stato rintracciato, la compagnia offre al passeggero non residente una somma per le prime necessità.
Per la perdita o i danni ai bagagli verificatisi durante il trasporto sono previste somme di risarcimento (per es., sui voli internazionali, fino a 24 euro per chilo per il bagaglio registrato). Il reclamo scritto per ottenere il risarcimento
30 deve essere presentato alla compagnia entro precisi termini, pena la decadenza del diritto: per il traffico nazionale entro tre giorni per i danni e 14 per la perdita; per gli internazionali i termini salgono a sette e 21 giorni.

1. Se l'organizzatore aumenta il costo del pacchetto posso annullare il contratto. ☐
2. Se rinuncio a una prenotazione devo pagare in ogni caso una penale pari al 50% del viaggio. ☐
3. Se non posso partire per un viaggio, un familiare può automaticamente sostituirmi. ☐
4. Se l'organizzatore annulla il viaggio ho diritto a un viaggio dello stesso tipo e costo. ☐
5. Se l'organizzatore annulla il viaggio mi deve informare almeno 7 giorni prima. ☐
6. Le compagnie aeree dovrebbero accettare prenotazioni solo per i posti effettivamente disponibili. ☐
7. In caso di overbooking posso farmi rimborsare l'intero costo del biglietto. ☐
8. In caso di overbooking posso effettuare gratuitamente lo stesso viaggio in un altro momento. ☐
9. In caso di overbooking la compagnia deve pagare al viaggiatore una penale di 150 euro. ☐
10. Se i miei bagagli non arrivano a destinazione devo fare una denuncia alla polizia. ☐
11. Se i miei bagagli sono danneggiati, devo presentare un reclamo scritto per chiedere un risarcimento. ☐
12. Se i miei bagagli si perdono su un volo internazionale, ho 21 giorni di tempo per presentare il reclamo. ☐

c Associa alcune espressioni del linguaggio burocratico che hai trovato nel testo alle espressioni corrispondenti più comuni.

☐ 1. recedere dal contratto (riga 4)
☐ 2. addebitare (riga 5)
☐ 3. gg. (riga 6)
☐ 4. importi corrisposti (riga 13)
☐ 5. (non) effettuata (riga 18)
☐ 6. a titolo gratuito (riga 21)
☐ 7. rientrare in possesso (riga 24)
☐ 8. rilasciatogli (riga 25)
☐ 9. non residente (riga 27)
☐ 10. verificatisi (riga 28)

a. fatta
b. annullare
c. che non abita sul posto
d. giorni
e. far pagare
f. senza pagare
g. somme pagate
h. che gli è stato dato
i. che sono successi (accaduti)
l. riavere

7

Completa le frasi scegliendo la parola giusta.

1. Il Monte Bianco è la *cima/vallata/diga* più alta d'Italia.
2. Le *montagne/vallate/cascate* del Niagara sono le più famose del mondo.
3. In Trentino ci sono delle bellissime *strade/piste/corse* da sci.
4. Le *foreste/pinete/vallate* sono formate da piante di pino.
5. Il fianco della montagna è coperto da un *sentiero/torrente/ghiacciaio*.
6. D'estate, quando fa molto caldo, i *mari/torrenti/ghiacciai* sono quasi asciutti.
7. Il villaggio turistico si trova in una piccola *baia/salita/costa* vicino al porto.

8

Trova nel crucipuzzle i nomi di 8 mezzi di trasporto per andare in vacanza.

S	A	E	R	E	O	M	B	U	S
T	S	I	P	S	C	A	I	L	T
R	P	O	M	T	C	D	C	A	R
A	U	T	O	M	O	B	I	L	E
G	L	E	T	I	P	A	C	O	N
H	L	D	O	R	L	R	L	I	O
E	M	E	A	C	I	D	E	S	M
T	A	S	L	E	I	S	T	O	I
T	N	E	A	P	R	A	T	I	R
O	I	G	R	O	G	N	A	V	E

9

Le vacanze possono essere... Forma delle coppie abbinando a ogni aggettivo il suo contrario.

attive
estive marine oziose invernali
montane stressanti economiche tranquille
riposanti noiose brevi avventurose faticose
divertenti rilassanti
costose lunghe

E tu come definisci le tue ultime vacanze? Scegli tre aggettivi.

_______________ _______________ _______________

10 Nomi e aggettivi alterati

Franco è a Roma per lavoro e invia un messaggio alla moglie. Trasforma le espressioni tra parentesi eliminando gli aggettivi e modificando il nome con i suffissi -ino / -etto, -one, -accio.

Alcuni nomi e aggettivi possono essere alterati aggiungendo dei suffissi:
lavor-etto → piccolo lavoro
lavor-one → grande lavoro
lavor-accio → brutto lavoro

Cara Piera,
il mio viaggio a Roma per il momento è un disastro. Stamattina quando sono partito c'era un (*brutto tempo*) tempaccio terribile, faceva freddo e pioveva, così sono arrivato alla stazione bagnato fradicio. Sul treno ero seduto vicino a un (*uomo grande e grosso*) (1) _______________ che occupava tutto il sedile e ho viaggiato per 4 ore schiacciato in un (*piccolo angolo*) (2) _______________. Anche a Roma pioveva e io ovviamente avevo dimenticato sul treno il mio (*piccolo ombrello*) (3) _______________ tascabile, così sono arrivato all'appuntamento bagnato, spettinato e stanco. Dovevo presentare un nuovo software per la gestione dell'email, ma la connessione a Internet funzionava male e così ho fatto una (*brutta figura*) (4) _______________. Verso le cinque ho finito e sono andato in albergo per fare una doccia: la segretaria diceva di avermi prenotato un (*piccolo albergo*) (5) _______________ in centro, economico ma piacevole, ma appena sono arrivato mi sono accorto che era un (*brutto posto*) (6) _______________, sporco e poco accogliente. Così ho deciso di cercarne un altro, ma ho camminato due ore prima di trovarlo. Insomma, è stata una (*brutta giornata*) (7) _______________, spero proprio che domani andrà meglio.

11 I prefissi di negazione

Utilizza i prefissi per formare il contrario di queste parole. Poi verifica sul dizionario.

aggettivi

_____utile
_____logico
_____piacevole
_____ubbidiente
_____regolare
_____capace
_____preciso
_____gonfio

nomi

_____felicità
_____onestà
_____certezza
_____attenzione
_____decisione
_____razionalità
_____prudenza
_____piacere

I prefissi usati per formare i contrari sono *in-*, *dis-* e *s-*.
In- ha le varianti *im-* (davanti alle parole che cominciano con *p-/b-*), *ir-* (davanti alle parole che cominciano con *r-*), e *il-* (davanti alle parole che cominciano con *l-*).

12

Completa le frasi derivando un aggettivo in -ibile / -abile dai verbi tra parentesi. Attenzione anlcuni aggettivi sono formati anche con un prefisso di negazione (es. tradurre: traducibile / intraducibile).

1. Il museo non è molto lontano, è comodamente (*raggiungere*) ____________ a piedi.
2. In centro c'è molto traffico e l'aria è (*respirare*) ____________.
3. Con quel travestimento da poliziotto, tuo fratello è davvero (*riconoscere*) ____________.
4. Questa sedia è molto comoda perché ha l'altezza (*regolare*) ____________, si può alzare e abbassare.
5. È vero che il suo comportamento è (*criticare*) ____________, ma anche gli altri sono stati scortesi con lui.
6. Non riesco a leggere l'indirizzo, la tua scrittura è quasi (*comprendere*) ____________.
7. Questa pastasciutta è troppo salata, è davvero (*mangiare*) ____________.
8. Il biglietto dell'autobus vale per 75 minuti, quindi è ancora (*utilizzare*) ____________.

13

Completa i dialoghi a p. 27 con i verbi al condizionale e indovina qual è la destinazione consigliata per il fine settimana.

CONSIGLI PER UN WEEK-END DI PRIMAVERA

Stage di cucina e pittura in Toscana
Alla scoperta delle ricette della nonna o, se preferite, dei segreti della pittura a olio: sono questi i corsi organizzati dalla fattoria Iesolana, sulle colline di San Casciano a pochi chilometri da Firenze. La fattoria dispone di 7 camere doppie, tutte con bagno privato, sauna e piscina.

Appennino con lentezza
Trekking con gli asini
Viaggio sulle colline da Gombola al Cimone, al passo lento dell'asino, con lunghi momenti di risposo e piacevoli esplorazioni. Una camminata in armonia con la natura, verso i pezzi di storia di queste montagne, per un'esperienza di trekking dolce riservato a chi ricerca un rapporto con il territorio e le persone che lo abitano. Pernottamento in tenda.

Week-end benessere in Val di Non
L'albergo Edelweiss apre la stagione con un week-end dedicato alla cura del corpo: bagni di fieno, sauna, shiatsu, in un pacchetto relax tutto compreso. L'albergo, dotato di ogni comfort, è situato nel cuore di una pineta secolare, a due passi dai sentieri dell'altopiano della Predaia e dalla pista ciclabile.

1. Michele a una coppia di amici:
Io credo che (*dovere*) (1) ____________ farvi una vacanzina riposante, ma anche stare all'aria aperta, fare moto, perché avete lavorato troppo, negli ultimi tempi.
(*sembrare*) (2) ____________ proprio il posto per voi: (*andare*) (3) ____________ in bicicletta, (*fare*) (4) ____________ delle passegiate e poi al rientro vi (*godere*) (5) ____________ il piacere di un bel massaggio o una sauna. Quasi quasi (*venire*) (6) ____________ anch'io!

2. Carlo alla moglie:
Secondo me per i ragazzi (*essere*) (1) ____________ davvero un'esperienza speciale: (*scoprire*) (2) ____________ un diverso modo di vivere, di spostarsi, di stare insieme. (*imparare*) (3) ____________ che qualche volta vale la pena di fare fatica per essere in armonia con la natura. E poi credo che (*essere*) (4) ____________ entusiati di dormire all'aria aperta...

3. Matilde a suo marito:
(*potere*) (1) ____________ andare a ____________, è una zona magnifica, ci sono stata molti anni fa e mi (*piacere*) (2) ____________ tornarci. E poi tu (*imparare*) (3) ____________ finalmente a cucinare così non (*dovere*) (4) ____________ sempre farlo io! E dopo il corso (*potere*) (5) ____________ nuotare, passeggiare... sarebbe un week-end davvero rilassante.

14

Completa le frasi seguenti utilizzando il verbo al condizionale.

1. A che ora partiamo domattina?
   Io (*cercare*) ____________ di partire prima delle sette, perché poi c'è molto traffico.
2. Volete cenare in pizzeria o al ristorante?
   Noi (*mangiare*) ____________ una pizza, se a voi non dispiace.
3. A che ora finisce lo spettacolo?
   (*dovere*) ____________ finire alle 10, ma non ne sono sicuro.
4. Che facciamo stasera, andiamo al cinema?
   Io (*rimanere*) ____________ volentieri a casa, sono stanco morto.
5. Fa freddo fuori?
   Sì, (*fare*) ____________ meglio a metterti una giacca perché sta per piovere.
6. Che invidia, Franco parte per Città del Messico!
   Non lo invidio affatto, è una città che (*vedere*) ____________ volentieri, ma non ci (*vivere*) ____________ mai, è troppo caotica.
7. I miei genitori (*venire*) ____________ volentieri a trovarmi, ma non ho posto per ospitarli.
8. Perché non lasciate i bambini alla nonna, così vi fate un bel viaggetto voi due soli?
   Lei li (*tenere*) ____________ con piacere, ma loro non ci vogliono stare.

15

Completa inserendo il pronome corretto e il verbo al condizionale.

1. Sono già le dieci, è troppo tardi per uscire!
   Uffa, se fosse per ____________, (*stare*) ____________ sempre in casa!
2. I tuoi genitori non sono contenti che tu vada a vivere da sola?
   Figurati! Se fosse per ____________, mi (*volere*) ____________ in casa fino alla pensione!
3. È vero che a Gianni non piace il pesce?
   No davvero, se fosse per ____________, (*mangiare*) ____________ pastasciutta tutte le sere!
4. Non siete ancora in vacanza?
   Se fosse per ____________, (*partire*) ____________ domani, ma i nostri amici lavorano fino a domenica.
5. Sono le sette e sei ancora al lavoro?
   Già, la mia capufficio mi ha lasciato un sacco di lettere da scrivere. Fosse per ____________, (*lavorare*) ____________ anche di notte!

16

Che cosa risponderesti? Completa le risposte come nell'esempio. Fai attenzione ai pronomi.

● *Mi presenteresti quel ragazzo con gli occhiali?*
○ *Te lo presenterei ma non lo conosco.*

1. Che cosa prendi? Ci sono degli ottimi dolci! ______________
2. Venite a vedere "La vita è bella"? ______________
3. Andate in montagna, domenica? ______________
4. Anche i vostri amici verranno a sciare, la prossima settimana? ______________
5. Perché non vai in vacanza con i tuoi amici? ______________

17

Completa l'e-mail utilizzando i verbi al futuro.

Posta in arrivo | Da | Oggetto | Oggetto | Inizia con | Inviato

Da:
Oggetto:
A:

Caro Marco,

sono felicissima perché io, Barbara e Sergio siamo finalmente riusciti a organizzare la nostra piccola vacanza a Cervia. (*Partire*) (1) __________ giovedì mattina, con il treno delle 6.40, e alle 12 (*essere*) (2) __________ già in spiaggia. Chissà, se c'è bel tempo (*prendere*) (3) __________ anche il sole!
Il festival degli aquiloni (*cominciare*) (4) __________ la sera, quindi nel pomeriggio (*avere*) (5) __________ il tempo di visitare un po' Cervia, magari (*fare*) (6) __________ anche un giro in bicicletta (Sergio porta la sua, io e Barbara la (*noleggiare*) (7) __________ sul posto).
Penso proprio che ci (*divertire*) (8) __________ molto, anche se (*sentire*) (9) __________ la tua mancanza... sei proprio sicuro di non poterci raggiungere sabato mattina? Pensaci!!

Ti abbraccio,
T.

18

Completa il dialogo tra Sandro e Luigi coniugando i verbi al futuro o al condizionale.

● Che cosa (*fare*) (1) __________ quest'estate?
○ Non ho ancora dei programmi precisi. Lucrezia (finire) (2) __________ il corso il 30 luglio, poi (partire) (3) __________ per le vacanze, io (volere) (4) __________ andare al mare, Lucrezia (preferire) (5) __________ la montagna...
● (*Potere*) (6) __________ venirci a trovare al lago di Garda, la casa è grande e (*esserci*) (7) __________ una stanza tutta per voi.
○ Interessante! Ci (*piacere*) (8) __________ visitare quella zona, non ci siamo mai stati. Ne (*parlare*) (9) __________ con Lucrezia e poi ti (*fare*) (10) __________ sapere.

19

Correggi gli errori nell'uso dei pronomi.

1.
- ● Ciao! Stasera abbiamo organizzato una festa per il compleanno di Dario, **ne** sapevi?
- ○ Sì, ti chiamavo proprio per sapere cosa portare. Potrei preparare una torta...
- ● Ti ringrazio, **le** ho già preparate tre. E poi ieri Alberto ha portato i cannoli dalla Sicilia: **ne** ho già assaggiati, sono buonissimi. Magari ci vorrebbe un po' di vino...
- ○ D'accordo, **lo** porto io due bottiglie. A più tardi!

2.
- ● Vieni stasera alla festa di Dario?
- ○ No, non posso venire perché devo studiare. Se tu ci vai, **le** puoi portare anche il mio regalo?
- ● Cos'è? Sono dei dischi?
- ○ No, è un libro di Camilleri.
- ● Ah, bello, anch'io l'ho letto uno l'estate scorsa. Io invece **lo** ho comprato due piccole lampade in stile liberty per la sua nuova casa. **Ne** ho trovate in un mercatino delle pulci, sono bellissime, tutte colorate.
- ○ Ottima idea!

20

Completa le frasi con i pronomi ci e ne.

1.
- ● Domenica vieni in montagna a raccogliere funghi?
- ○ No, grazie, _____ sono già stato la settimana scorsa, abbiamo camminato per ore e non _____ ho trovato nemmeno uno.

2.
- ● Hai visto l'ultimo film di Tornatore?
- ○ No, ma vorrei andar _____: Silvia l'ha visto e _____ ha parlato benissimo.

3.
- ● Dovrei finire questo lavoro, ma sono stanco, non _____ ho voglia...
- ○ Non pensar _____, lo finirai stasera. Adesso hai bisogno di riposarti, vieni a bere un caffè con me.

4.
- ● Vado a preparare i bagagli: prendo due valigie o secondo te _____ basta una?
- ○ Prendi_____ due, abbiamo un sacco di cose da metter _____.

21

Completa il dialogo con le forme adeguate di quello e bello.

Come per l'aggettivo *quello*, la desinenza di *bello* dipende dall'articolo che accompagna il nome.

- ● Allora, hai preparato i bagagli?
- ○ Non ancora, devo mettere tutto in (1) _________ zaino prima di sera
- ● Ma hai abbastanza spazio? Ti sei portato (2) _________ maglione di lana che ti ha fatto la nonna? E quel (3) _________ berretto caldo caldo? Secondo me dovresti portarti anche dei (4) _________ calzettoni di lana, può fare freddo!
- ○ Ma mamma, non vado al Polo Nord! Mi bastano (5) _________ calzini lunghi, farà un po' freschino solo la sera. Il maglione lo porto perché è (6) _________, ma il berretto è davvero inutile. Porterò solo (7) _________ con la visiera.
- ● Ma dove andrete a dormire?
- ○ Gigi e Piera vanno in albergo, io e Lisa dormiamo in tenda, mamma, te l'ho già detto. C'è un (8) _________ campeggio vicino al lago...
- ● (9) _________ amici, loro in albergo e voi in campeggio! Al lago poi, con tutta (10) _________ umidità! E tutti (11) _________ insetti...
- ○ Mamma, smettila e lasciami finire i bagagli. Tutti gli anni mi ripeti le stesse cose!

22

Completa con le preposizioni semplici o articolate.

Di solito passo il fine settimana (1) ________ mare, ma questo week-end ho preferito andare (2) ________ montagna insieme (3) ________ mia sorella. Lei voleva andarci (4) ________ macchina, ma io ho paura (5) ________ come guida, (l'ultima volta che siamo andate (6) ________ vacanza guidava (7) ________ 140 all'ora), così l'ho convinta a prendere il treno. Il viaggio (8) ________ Rovereto non è molto lungo, siamo arrivate (9) ________ un paio d'ore e abbiamo raggiunto l'albergo (10) ________ piedi. (11) ________ ritorno, invece, abbiamo preso il pullman perché volevamo passare la domenica pomeriggio (12) ________ lago, ma, quando siamo arrivate a Sirmione, mi sono accorta (13) ________ avere dimenticato la borsa (14) ________ pullman, così abbiamo dovuto rinunciare (15) ________ passeggiata. Mia sorella era furibonda!

23

a **Associa alle frasi i diversi significati di anzi.**

☐ **1.** Mi telefona tutti i giorni, **anzi**, spesso due volte al giorno!	**a.**	al contrario
☐ **2.** Non è vero che ha studiato poco, per l'esame, **anzi**, ha studiato addirittura di notte!	**b.**	o meglio
☐ **3.** Ci vediamo davanti al cinema alle nove, **anzi**, facciamo alle otto e mezzo, così prima ci beviamo un caffè.	**c.**	addirittura, perfino

b **Completa le frasi con:**

anzi invece di piuttosto che

1. Non sei in ritardo, ________ sei piuttosto in anticipo.
2. Preferirei rinunciare alla vacanze, ________ partire con te!
3. ________ arrivare alle sei, come aveva detto, è arrivato alle nove.
4. Teo cerca sempre di risparmiare: ________ spendere i soldi dal parrucchiere si taglia i capelli da solo.
5. Ti do una risposta domani per e-mail, ________ ti telefono.
6. Durante le vacanze dovresti fare un po' di sport, ________ stare tutto il giorno steso al sole!

24 CD t. 13 L'ortografia dei suoni [k] (pesca), [tʃ] (pace) e [ʃ] pesce

Ascolta e completa lo scioglilingua con le lettere sc, sci, cc, c, ch.
Poi riascolta lo scioglilingua e rileggi il testo il più velocemente possibile.

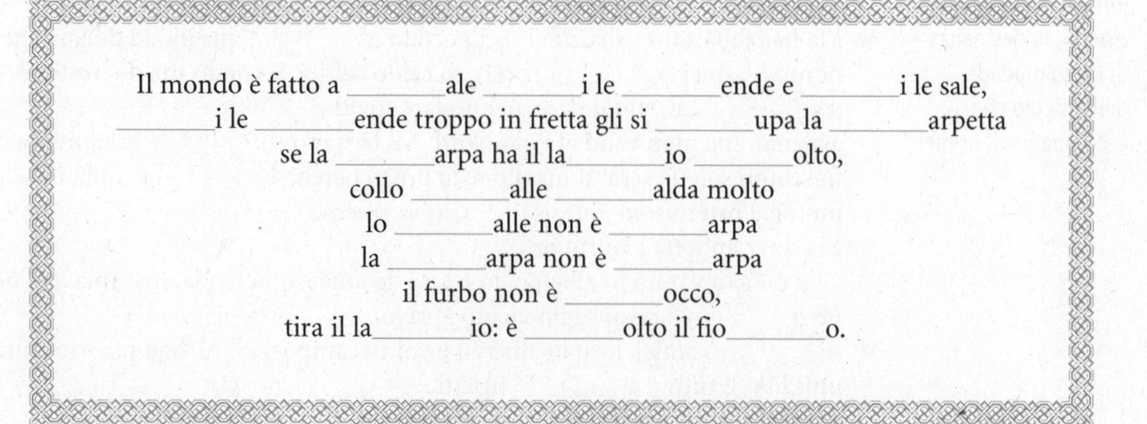

Il mondo è fatto a ________ale ________i le ________ende e ________i le sale,
________i le ________ende troppo in fretta gli si ________upa la ________arpetta
se la ________arpa ha il la________io ________olto,
collo ________alle ________alda molto
lo ________alle non è ________arpa
la ________arpa non è ________arpa
il furbo non è ________occo,
tira il la________io: è ________olto il fio________o.

pronuncia

25

a **Osserva il plurale di questi nomi. Che cosa cambia nella desinenza?**

fuoco - fuochi
banca - banche
fungo - funghi
targa - targhe

☐ il suono
☐ l'ortografia

CD t. 14

b **Scrivi il plurale di questi nomi. Poi ascolta e verifica.**

1. il lago → ____________
2. la paga → ____________
3. il banco → ____________
4. la panca → ____________
5. l'incarico → ____________
6. il collega → ____________
7. il dialogo → ____________
8. il catalogo → ____________

! In alcune parole l'ortografia rimane la stessa e quindi cambia il suono!
amico → amici
medico → medici
psicologo → psicologi

c **Scrivi le forme (singolare femminile e plurale maschile e femminile) di questi aggettivi.**

simpatico ____________ ____________ ____________
stanco ____________ ____________ ____________
lungo ____________ ____________ ____________
largo ____________ ____________ ____________

26 CD t. 15

Ascolta le frasi e completa.

1. Il ____________ ha preparato un pranzetto ____________.
2. Non bere quell'____________: è ____________!
3. I miei compagni di ____________ mi hanno regalato un ____________ a forma di ____________.
4. Alla mostra c'erano ____________ bellissimi ____________.
5. ____________ lo incontro mi batte sempre il ____________.
6. ____________ è il tuo segno zodiacale? L'____________?
7. ____________ ____________ sono a ____________, ____________ sono a righe.

Quando il suono [k] è seguito dalla vocale [u] e da un'altra vocale si scrive **QU**, come in ***quaderno***, ***quindici***.
In alcune parole, come in *a**cqu**a*, il suono [kw] è lungo e si scrive ____________. (es.: acquistare, acquerelli).

Alcune parole fanno eccezione: scuola, cuocere, cuoco, cuore, cuoio, scuotere.

4 unità

Ma dai, usciamo!

comprensione orale

1 CD t.16

a **Ascolta questa trasmissione radio in cui un esperto parla del rapporto tra i giovani e i media. Quali tra le informazioni sotto vengono citate nella trasmissione?**

1. L'esperto parla di mezzi d'informazione.
2. I giovani preferiscono i media elettronici.
3. Non a tutti piace Internet.
4. Per molti giovani Internet è un modo di evadere dalla realtà.
5. I giovani amano molto la TV.
6. TV, radio e cellulare hanno funzioni simili per i giovani.
7. I media sono molto importanti anche per gli adulti.

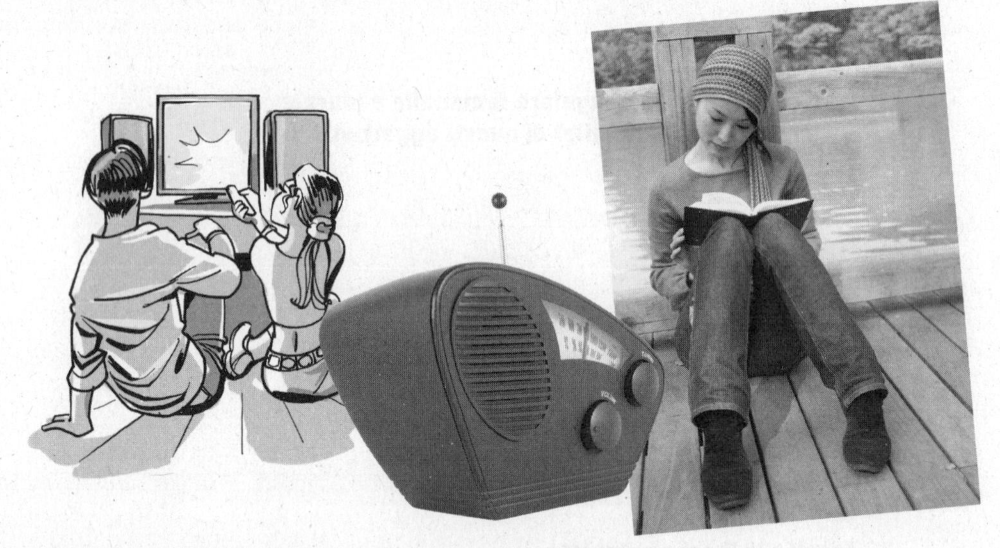

b **Riascolta la trasmissione e decidi se le informazioni sono vere o false.**

	V	F
1. Per il 30% dei giovani, Internet è facile da usare.	☐	☐
2. I media cartacei (giornali e riviste) non sono molto amati dai giovani.	☐	☐
3. Ai giovani piace molto la radio, perché possono decidere come e quando ascoltarla.	☐	☐
4. La TV che piace ai giovani assomiglia alla radio.	☐	☐
5. I giovani ascoltano la radio solo per divertirsi.	☐	☐
6. I giovani tra i 14 e i 18 anni usano i mezzi di informazione per divertirsi.	☐	☐
7. I giovani con più di 25 anni non ascoltano più la radio.	☐	☐

comprensione scritta

2 CD t. 17

Ascolta questa intervista a Tiziano Ferro e rispondi alle domande.

1. Chi è Tiziano Ferro?
______
2. Come gli è venuta l'ispirazione per il suo nuovo lavoro?
______
3. Che cosa lo ha aiutato molto nel suo lavoro?
______
4. Come si chiama il suo nuovo lavoro?
______
5. Che cosa fa la gente con Tiziano Ferro?
______
6. A lui piace questa cosa?
______
7. Perché si definisce un "amico virtuale"?
______

3  CD t. 18

Ascolta più volte questo brano del dialogo tra Anna e Giovanni e completa con le parti mancanti.

GIOVANNI: Ma sei pazza? (1) ______ ______ ______ ______, dai, non esagerare. (2) ______ ______ ______, vedi se (3) ______ ______ ______ va bene. Al parco Sant'Agostino c'è la festa della birra e (4) ______ ______ ______ ______ con un maxischermo (5) ______ ______ ______ partita. (6) ______ ______ ______ dove vuole andare Marta?

ANNA: No, (7) ______ ______ ______ ______ avremmo potuto decidere insieme quando ci incontravamo.

GIOVANNI: (8) ______ ______ ______ così. (9) ______ ______ un po' (10) ______ ______ ______, intorno alle 8 e mezza, e vediamo se (11) ______ ______ ______ va bene di andare in Sant'Agostino... sono sicuro di sì, perché secondo me anche Marco e Luca la settimana scorsa (12) ______ ______ ______ ______, anche perché non si sapeva ancora. (13) ______ ______ ______ la partita (14) ______ ______ la partita, se voi (15) ______ ______ ______ avete voglia, vi prendete qualcosa da bere, tanto ci sarà un sacco di gente in giro.

4 **Leggi questo testo sul rapporto dei giovani italiani con il cellulare e fai le attività.**

MESSAGGINO AMORE MIO

Ogni giorno dai telefonini italiani 45 milioni di sms. Sono brevi, economici e vanno dritti al cuore. Un gioco che entusiasma i giovani. Un po' meno gli insegnanti.

Frammenti di un discorso amoroso. Lui: COST? (traduzione: come stai?). Lei: MMM (Mi manchi moltissimo). SYTxcneopza? (*See you tonight per cinema o pizza?*). Lui: KXXX (Okay, baci). I due "marziani" sono adolescenti in possesso di uno strumento che sembra diventato indispensabile per la comunicazione: il cellulare (secondo l'ultimo rapporto Iard il 90% dei giovani tra i 15 e i 17 anni ne possiede uno). Che serve anche, ma forse soprattutto, per spedirsi messaggini. Gli sms stanno creando una vera e propria rivoluzione nella comunicazione tra i giovani. Le cifre sono impressionanti: ogni giorno in Italia circolano 200.000 messaggini che servono soprattutto "a tener viva la rete di contatti tra i giovani" spiega Fausto Colombo, docente di Teoria e tecniche della comunicazione di massa dell'Università Cattolica di Milano. "Sono una piccola ma significativa rivoluzione nel modo di comunicare. Rendono vivi i tempi morti di attesa. Creano una socializzazione leggera ma ampia. E soprattutto calda: a differenza di quanto succede nelle chat, **il dialogo negli sms è diretto e intimo, tra due persone che si conoscono bene**. E possono trasmettere le emozioni di un istante, che, altrimenti rimarrebbero inespresse. In Italia hanno avuto un successo straordinario perché **rispondono al bisogno giovanile e mediterraneo della chiacchiera fine a se stessa.** Forse oggi i ragazzi non hanno grandi progetti politici. Ma i loro sentimenti, i sogni, sono sinceri. Le *chat* invece sono fredde, concettuali. Per questo non hanno avuto un grande successo in Italia".

Tra i motivi del dilagare degli sms c'è il basso costo: circa 20 centesimi. Nessun *teenager* potrebbe permettersi di telefonare a tutti gli amici tre o quattro volte al giorno solo per sapere cosa stanno facendo.

Ma questo bisogno di comunicare ha un solo limite tecnico: i 160 caratteri al massimo da trasmettere in un solo messaggio. Da qui le abbreviazioni, il linguaggio contratto, gli *emoticon* (le faccine o icone delle emozioni come :-) felicità; :-(tristezza; :'-(pianto). Una riduzione della lingua scritta a quella orale? "In parte sì, perché il testo e soprattutto i simboli imitano la comunicazione orale" è la risposta di Michele Cortelazzo, professore di Grammatica all'Università di Padova. "Da sempre però il linguaggio giovanile tende ad essere, per sua natura, il più veloce possibile; gli sms esaltano solo questa tendenza. In realtà **chi li utilizza dimostra di padroneggiare abbastanza bene l'italiano scritto**. Non c'è un impoverimento. Anzi, riuscire a esprimere emozioni in poco spazio è un buon esercizio. Da qui le sperimentazioni, i giochi linguistici. Perché, non dimentichiamolo, chi usa gli sms si diverte".

Invece l'aspetto ludico del cellulare non entusiasma affatto gli insegnanti. Sia perché molti ragazzi sembrano più interessati ai telefonini che alle lezioni, sia perché, via telefonino, si fanno aiutare nei compiti in classe. "Non drammatizzerei" è il parere di Cortelazzo. "Il limite delle 160 battute è molto rigido. Uno studente può farsi mandare la soluzione di un problema di matematica. Ma il tema di italiano o la versione di latino non ci staranno mai".

(Adattato da "Io donna", 10-03-05)

a **Scegli la risposta giusta.**

1. I giovani usano il cellulare soprattutto per
   - ☐ **a.** fare giochi elettronici.
   - ☐ **b.** chiamare gli amici.
   - ☐ **c.** mandare messaggi.

2. Gli sms sono così utilizzati perché
   - ☐ **a.** sono una nuova forma di comunicazione.
   - ☐ **b.** sono economici.
   - ☐ **c.** sono molto brevi e semplici.

3. Gli sms vengono usati dagli adolescenti soprattutto
   - ☐ **a.** per esprimere i propri sentimenti.
   - ☐ **b.** per prendere accordi e fare proposte.
   - ☐ **c.** per conoscere nuove persone.

4. Le caratteristiche tipiche degli SMS (le abbrevizioni, le faccine) sono dovute al fatto che
   - ☐ **a.** i giovani sono creativi.
   - ☐ **b.** lo spazio è limitato.
   - ☐ **c.** la lingua dei giovani è rivoluzionaria.

5. Gli insegnanti sono in genere contrari all'uso del telefonino perché i ragazzi
   - ☐ **a.** non seguono le lezioni e lo usano nei compiti in classe.

- [ ] **b.** lo usano in classe disturbando le lezioni.
- [ ] **c.** non imparano a scrivere e fanno errori di ortografia.

6. Michele Cortelazzo pensa che gli sms

- [ ] **a.** esaltino la "velocità" tipica del linguaggio giovanile.
- [ ] **b.** siano scritti in un italiano scorretto.
- [ ] **c.** siano poco utili per esprimere emozioni.

b Abbina queste parole sottolineate del testo al loro sinonimo.

1. frammento	**a.** saper usare
2. morto	**b.** vuoto
3. ampio	**c.** pezzo
4. inespresso	**d.** grande
5. sincero	**e.** non detto
6. padroneggiare	**f.** appassionare
7. entusiasmare	**g.** vero

c Trova nel testo il sinonimo di queste parole.

1. (r. 16-19) importante ______________
2. (r. 19-24) attimo ______________
3. (r. 43-47) evidenziare ______________
4. (r. 46-50) semplificazione ______________
5. (r. 52-56) giocoso ______________

lessico

5 La lingua degli SMS

a Giulia conosce Francesco in discoteca, se ne innamora e riesce ad avere il suo numero di cellulare da Marco. Leggi i messaggi che gli manda e scrivi le abbreviazioni sottolineate che corrispondono alle parole sotto.

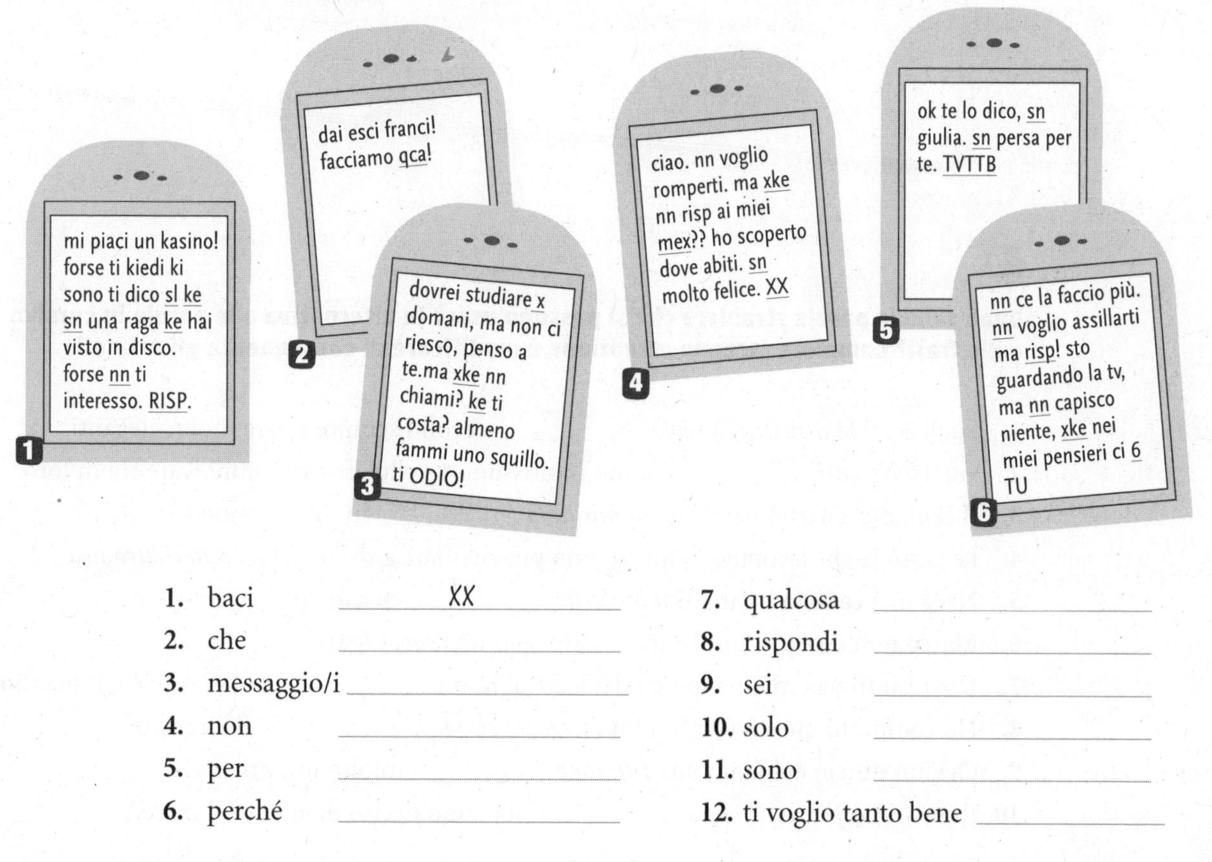

1. baci ___XX___	**7.** qualcosa ______________
2. che ______________	**8.** rispondi ______________
3. messaggio/i ______________	**9.** sei ______________
4. non ______________	**10.** solo ______________
5. per ______________	**11.** sono ______________
6. perché ______________	**12.** ti voglio tanto bene ______________

b **Rileggi i messaggi di Giulia e abbina le parole tipiche della lingua dei giovani alle espressioni corrispondenti in italiano standard.**

1. rompere	**a.** chiamare al telefono
2. fare uno squillo	**b.** tanto, molto
3. raga	**c.** sono innamorata di te
4. un casino	**d.** disturbare
5. sono persa per te	**e.** ragazzo/a/i/e

c **Riscrivi sul diario di Francesco i messaggi di Giulia, correggendo gli errori di ortografia e inserendo la punteggiatura.**

1. ______________________________

2. ______________________________

3. ______________________________

4. ______________________________

5. ______________________________

6. ______________________________

6

Quali sono le parole straniere che si possono usare in alternativa alle parole in corsivo nelle frasi? Completa facendo attenzione a modificare di conseguenza gli articoli.

1. Sugli aerei le *assistenti di volo* __________ devono sempre essere molto eleganti.
2. Gli *adolescenti* __________ usano moltissimo il cellulare per comunicare tra di loro.
3. Il cantante Tiziano Ferro ha *ammiratori* __________ in tutto il mondo.
4. Le persone che lavorano in ufficio non possono fare a meno della *posta elettronica* __________.
5. Nella mia camera ho molti *manifesti* __________ di cantanti.
6. Marco non esce più con Laura: è stato solo un *amore breve* __________.
7. Dovresti trovare più tempo da dedicare al *riposo* __________ e alle cose che ti piacciono.
8. Ho comprato questo vestito in un *negozio elegante* __________ del centro.
9. Oggi in ufficio abbiamo una *riunione* __________ molto importante.
10. Il prossimo *fine settimana* __________ abbiamo deciso di andare al mare.

7 Formazione di parola

I suffissi -ale, -ile e -oso si usano per formare gli aggettivi a partire da nomi. Forma degli aggettivi con le parole nella lista, scegliendo tra i suffissi -ale, -ile, e -oso, e completa le frasi.

pericolo	noia	studio	primavera
natura	avventura	stagione	genio
morte	paura	orgoglio	femmina

Frammenti di un discorso amor-oso
Gli sms rispondono al bisogno giovan-ile di comunicare
La chat è fredda e concettu-ale

1. Se hai mal di gola, ma non vuoi prendere medicine, puoi provare con un rimedio __________.
2. Sembra che l'inverno sia finito: il cielo è sereno e c'è un bel venticello __________.
3. Carlo è diventato __________ da quando gli hanno detto che rischia di essere bocciato.
4. Alcuni serpenti sono molto pericolosi perché hanno un veleno __________.
5. Fabio è in difficoltà e io gli avrei prestato volentieri dei soldi, ma lui è un ragazzo davvero __________ e non li ha voluti.
6. La scalata del monte Bianco è __________, perché ci sono molti crepacci.
7. La ragazza di Daniele è davvero molto __________: indossa sempre le gonne e i tacchi a spillo.
8. Da giovane d'estate facevo dei lavori __________ per guadagnarmi qualche soldo e andare in vacanza.
9. Sara è davvero __________! Riesce a risolvere qualsiasi problema.
10. Il film che ho visto ieri sera era una pizza! Non ricordo di aver mai visto un film così __________.
11. A Giulia non piacciono i film horror perché è una ragazza molto__________.
12. Il nostro viaggio in Brasile è stato molto __________ perché abbiamo esplorato anche parte della foresta Amazzonica.

8

Leggi le definizioni del significato dei suffissi -eria e -teca.
A quali posti si riferiscono le definizioni sotto?

-eria: "il posto/il negozio che vende..."
-teca: " luogo usato come raccolta, deposito"

1. ____________________: locale in cui si vende birra.
2. ____________________: locale in cui si fanno e si vendono pizze.
3. ____________________: luogo in cui sono raccolti i libri che possono essere consultati e dati in prestito.
4. *eno*-____________________: luogo in cui sono raccolti vini tipici pregiati in bottiglie che possono essere venduti al pubblico.
5. ____________________: locale in cui si cucinano e servono solo pasta e spaghetti.
6. *ludo*-____________________: locale pubblico in cui sono raccolti giochi di diverso tipo.
7. ____________________: luogo in cui sono raccolti film che possono essere dati in prestito.

9

a **Che parole usi per parlare di film? Ordina queste parole nel box giusto e aggiungine altre che conosci.**

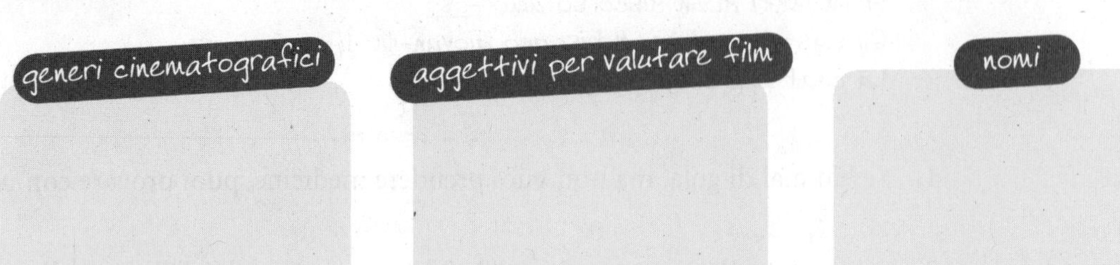

attore/attrice
avvincente
colonna sonora
commedia
d'avventura
d'azione
di fantascienza
divertente
drammatico
durata
noioso
protagonista
personaggio
romantico
scena
spettacolare
commovente
regista
violento
letterario

generi cinematografici | aggettivi per valutare film | nomi

b **Leggi queste trame di film e poi completa i commenti (che alcuni spettatori hanno scritto su un sito Internet) scegliendo tra le parole dell'esercizio 9a.**

1. **My name is Tanino**

Regia: Paolo Virzì; **Anno di produzione:** 2001; **Durata:** 100'; **Genere:** Commedia; **Attori:** Corrado Fortuna (Tanino); Rachel McAdams (Sally Garfield)
Trama: Tanino, un giovane siciliano di vent'anni, incontra Sally, una ragazza americana in vacanza in Sicilia. I due si scambiano un bacio fugace e subito dopo Sally riparte per gli Stati Uniti, dimenticandosi la sua videocamera...

2. **La meglio gioventù**

Regia: Marco Tullio Giordana; **Anno di produzione:** 2003; **Durata:** 360'; **Genere:** Drammatico; **Attori:** Luigi Lo Cascio (Nicola Carati); Adriana Asti (Adriana Carati)
Trama: Due fratelli condividono sogni e amicizie finché l'incontro con una ragazza psichicamente disturbata (Giorgia) non cambierà la loro vita. Angelo, il padre, è genitore affettuoso, ma troppo esuberante; Adriana, la madre, è insegnante moderna e irreprensibile. C'è poi Giovanna, la figlia maggiore, entrata giovanissima in magistratura e Francesca, la più piccola, che sposerà Carlo, il migliore amico di suo fratello. Attraverso questo piccolo nucleo di personaggi si ripercorrono, parallelamente, le vicende e le cronache che hanno caratterizzato la storia recente dell'Italia.

3. **Canone inverso**

Regia: Ricky Tognazzi; **Anno di produzione:** 2000; **Durata:** 130'; **Genere:** Drammatico; **Attori:** Hans Matheson (Jeno Varga); Mélanie Thierry (Sophie Levi)
Trama: Praga, anni Sessanta. Un violinista suona un "canone inverso", una musica che la mamma di Jeno cantava prima di addormentarsi. La passione per la musica è uno stimolo importante per Jeno: è grazie alla musica che incontra il suo migliore amico, l'aristocratico David Blau, e il grande amore della sua vita, la celebre pianista Sophie Levi. Il racconto però non riserva un lieto fine: quella notte di Praga riporta a un'altra notte, in cui tutto si interrompe all'improvviso. Sia la storia d'amore che l'amicizia.

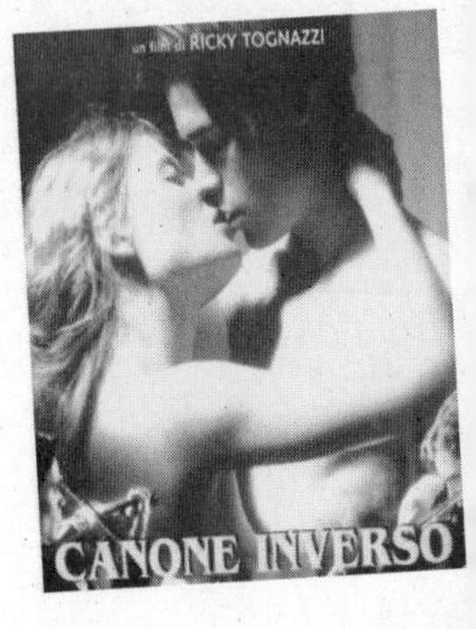

a. *My name is Tanino* (2001)
Ho riso tantissimo. È una delle (1) ______________ più (2) ______________ che abbia mai visto. Paolo Virzì, il (3) ______________, è veramente in gamba.

b. *La meglio gioventù* (2003)
Un film che rivisita 50 anni di storia italiana. Gli (4) ______________ sono tutti ragazzi giovani, a volte al primo film, ma sono bravissimi e, secondo me, faranno strada nel mondo del cinema. Un film sentimentale e (5) ______________ (ho pianto davvero tanto!), ma comunque non noioso, anzi direi proprio (6) ______________: nonostante la (7) ______________ (ben 360 minuti) sono rimasto incollato alla poltrona.

c. *Canone inverso* (2000)
Un film sull'Olocausto e la seconda guerra mondiale, temi davvero (8) ______________, ma un film anche sulla musica e l'amore. Il (9) ______________ è infatti un eccellente musicista e la sua musica domina tutto il film e rende la (10) ______________ davvero eccezionale. Andateci se volete sentire buona musica!

10

Leggi queste biografie di sportivi italiani famosi e completale con che/di (primo testo) e con i comparativi irregolari (secondo testo). Sai dire chi sono i due personaggi?

grammatica

a

Un certo Pinturicchio

Nasce il 9 novembre 1974 a Conegliano Veneto (TV). Tutti sanno che è un bravo giocatore, ma fin da quando era giovanissimo in lui si ammirano (1) __________ la classe e l'eleganza (2) __________ la bravura. Dicono di lui che è freddo, ma chi lo conosce, sa che (3) __________ (4) __________ freddo è sensibile e correttissimo. La sua prima squadra è il San Vendemiano, ma passa prima al Conegliano e al Padova e poi, nel 1996, alla Juventus che ha una categoria (5) __________ alta (6) __________ altre tre squadre. Nel 2001 il calciatore si fa male seriamente e sono in molti a considerarlo finito, e il recupero della forma è (7) __________ doloroso (8) __________ difficile. Ma dopo quasi nove mesi Pinturicchio (soprannome di un pittore che gli è stato dato dall'avvocato Agnelli) ritorna a essere il più bravo e il più fantasioso tra i giocatori italiani e da lì ricomincia la sua famosissima carriera.

b

Grinta, simpatia e... che spettacolo!

migliore (2 volte) peggiore maggiore inferiore superiore

Nasce il 16 febbraio 1979 ed è il (1) __________ centauro italiano. Già da bambino è appassionato di motori e a soli diciotto anni diventa campione mondiale. Il padre infatti è un ex pilota, non certo (2) __________ del figlio, e quindi il piccolo inizia a seguire le gare motociclistiche ancora prima di camminare. I costi per intraprendere questo sport sono però (3) __________ a quanto la famiglia si possa permettere e il campione inizia con le minimoto. È la scelta (4) __________. Il giovane pilota comincia a vincere le gare, e nel 1993, debutta in sella a una moto vera. Nel 1995, conquista il titolo nazionale (a sedici anni: il più giovane della storia). Negli anni dispari (1997, 1999, 2001, 2003) vince il campionato mondiale.
La sua capacità innata di conquistare il pubblico non è (5) __________ alla capacità di cavalcare una moto ed è il motociclista che a un'età così giovane ha vinto il (6) __________ numero di mondiali.

11 Il superlativo relativo e assoluto

Osserva gli esempi e completa le frasi sotto, usando il superlativo relativo o assoluto.

Superlativo relativo	Superlativo assoluto
*Pinturicchio è **il** calciatore italiano **più famoso**.* Articolo + Nome + *più/meno* + Aggettivo *Pinturicchio è **il più** famoso **dei** calciatori italiani.* *Il calcio è **lo sport più** amato **dagli italiani**.* (c. d'agente). Articolo + (Nome) + *più/meno* + Aggettivo + *di/da*	*Pinturicchio è **famosissimo**.* *Il calcio è **amatissimo**.* Aggettivo + -*issimo/a/i/e*

1. La musica pop è (*amata*) ________ ________ ________ ________ giovani italiani.
2. La squadra di calcio (*amata*) ________ ________ italiani è la Juventus.
3. Ieri allo stadio ho visto la partita (*bella*) ________ ________ ________ mia vita.
4. L'arbitro Collina è (*conosciuto*) ________ ________ ________ all'estero.
5. "La vita è bella" è (*poetico*) ________ ________ ________ ________ film di Benigni.
6. I film comici sono (*divertente*) ________ ________.
7. Generosità e simpatia sono le qualità (*aprezzate*) ________ ________ ________ giovani italiani.
8. Marco è il mio amico (*caro*) ________ ________.
9. Le commedie sono i film (*visti*) ________ ________ ________ giovani italiani.
10. Genitori e fratelli sono (*importanti*) ________ ________ ________ nella vita dei giovani italiani.

12

Inserisci i pronomi personali (diretti o indiretti), il pronome partitivo ne o i pronomi riflessivi (facendo attenzione all'accordo del participio passato) nella pagina del diario di Marco che trovi sotto.

Una questione di precedenza

La mia amica Marzia trova sempre un nome per nuovi strani tipi sociali e ieri (1) ________ ha trovat______ uno nuovo per le persone che si fermano proprio davanti a te e ti impediscono di passare, ti bloccano. (2) ________ ha chiamat______ i bloccanti. Ecco che cosa è successo. Eravamo al bar. Abbiamo bevuto un caffè, Marzia (3) ________ ha raccontat______ delle sue disavventure in amore, io (4) ________ ho raccontat______ della partita della Juve, poi siamo usciti. Davanti alla porta c'era una tipa che voleva entrare, (5) ________ ha guardat______ ed è rimasta lì ferma. Nel frattempo altre persone hanno finito il caffè e (6) ________ sono spostat______ verso la porta. Ma la ragazza non (7) ________ è moss______; allora Marzia ha commesso l'errore fatale: (8) ________ ha guardat______, (9) ________ ha fatt______ un sorriso, (10) ________ è girat______ di fianco e (11)________ ha fatt______ entrare, la ragazza (12) ________ ha schiacciat______ contro lo stipite e (13) ________ è intrufolat______ nel locale. "I bloccanti sono ovunque!" (14) ________ ha dett______ Marzia "uffici, negozi, ambulatori, stazioni dove danno il meglio di sé. Aiutoo! Siamo circondati!"

(Adattato da "Io donna", 28-01-2006)

13

Completa queste frasi con i pronomi combinati di prima e seconda persona singolare.

1. ● Ti servono dei guanti?
   ○ Sì, ma mia mamma mi ha detto che ______ ______ regala lei a Natale.
2. ● Ho telefonato a Marzia per chiederle un favore, ma lei si è rifiutata di far ______.
   ○ Che cattiva!
3. ● Quante mele mi serviranno per fare questa torta?
   ○ Mah, secondo me ______ ______ servono quattro o cinque.
4. ● Perché non vuoi dirmi come si chiama il ragazzo con cui stai uscendo?
   ○ Non ______ ______ dico perché tanto non lo conosci.
5. ● Mi potresti prestare quella tua bella maglietta con il fiore?
   ○ Certo che ______ ______ presto.
6. ● Quanti fogli ti servono per stampare quella relazione?
   ○ ______ ______ serviranno una cinquantina.
7. ● Avrei bisogno di alcuni CD per la festa.
   ○ Va bene, ______ ______ porto io.
8. ● Dovrei uscire per spedire queste lettere, ma non mi sento bene.
   ○ Se vuoi sto andando in posta, ______ ______ posso spedire io.

14

Trasforma questo testo al passato scegliendo tra imperfetto, passato prossimo e trapassato prossimo e facendo attenzione all'accordo con i pronomi.

Esco → Sono uscita da scuola. Vedo passare il mio tram dal lato opposto. Per non perderlo faccio una corsa. Correndo inciampo, i libri si sciolgono dalla cinghia e rotolano sull'asfalto. Mi faccio male, ma vedo la sua mano tesa. Mi afferra un braccio e mi solleva da terra. Appena sono in piedi mi chiede: "Tutto bene?" Lo guardo di sfuggita, è giovane, indossa la divisa delle truppe alleate. Dico: "Non è niente, grazie!". Mi chino per raccogliere i libri, ma lui più svelto me li prende e insiste per accompagnarmi. Lungo la strada racconta un po' di sé. È un ufficiale medico, si trova in Italia da più di un anno, ma gli sembra di essere lì da sempre. I suoi nonni sono italiani, di Lecco. Forse per questo si sente quasi a casa e ha imparato la lingua velocemente. Di me non gli dico niente. A un paio di isolati da casa gli dico che sono arrivata. "Dove abiti?" mi chiede lui. Faccio un gesto vago, dico "Da quella parte".

(Adattato da *Per voce sola*, Susanna Tamaro, pp. 121-122)

15

Leggi queste citazioni da film e completale scegliendo tra che o chi.

1. La parola è tutto. È l'unica cosa ______ distingue l'uomo dalla bestia. (da *Accadde una notte*).
2. Il mondo è di ______ ha i denti. (da *Accattone*).
3. Io mica divento amico del primo ______ incontro. Io decido di voler bene e quando scelgo, è per sempre. (da *Bianca*).
4. Un gruppo di amici ______ è in vacanza è come un manipolo di soldati in guerra. Se torneranno a casa saranno pieni di medaglie e di cicatrici. (da *Che ne sarà di noi*).
5. ______ è povero vede l'arcobaleno in bianco. (da *Fuochi d'artificio*).
6. Bisogna fare molta attenzione con la gente ______ è felice. (da *Jack Frusciante è uscito dal gruppo*).
7. Lei si preoccupa solo di ______ perde. Tipico degli intellettuali: egoisti, ma pieni di pietà. (da *La notte*).
8. "Secondo te ______ è più infelice: uno sceneggiatore o un critico cinematografico?" "Le loro mogli!" (da *La terrazza*).

16

a Riordina i verbi sotto nel box giusto in base alla preposizione che reggono.

potere	amare	vedere	avere bisogno	fermarsi
essere giusto	sembrare	invitare	dire/chiedere	imparare
cercare	andare	aiutare	temere	

-	a	di
Voglio fare la spesa tutti i giorni	Riesco a fare la spesa tutti i giorni	Cerco di fare la spesa tutti i giorni
Volere	Riuscire	Cercare

b Forma delle frasi usando la preposizione corretta (se necessaria).

1. Non / essere giusto / trattare male le persone. ____________________
2. Luigi / avere bisogno / fare una vacanza. ____________________
3. Marco / aiutare / Licia / fare i compiti. ____________________
4. Ieri dalla finestra/ vedere Silvio / arrivare. ____________________
5. Dario / temere / perdere il posto di lavoro. ____________________
6. Ti invitare / prendere un caffè. ____________________
7. Martina / chiedere / preparare la tavola. ____________________
8. Giulia / amare / passeggiare in giardino. ____________________
9. Elisabetta ieri / imparare / camminare. ____________________

17

Rifletti sull'uso di questi connettivi e trasforma le frasi.

Mi piace leggere e mi piace ascoltare musica. → Mi piace **sia** leggere **che/sia** ascoltare musica.

Non mi piace leggere e non mi piace ascoltare musica. → Non mi piace **né** leggere **né** ascoltare musica.

1. Non mi piace leggere e non mi piace studiare.
2. Mangio di tutto, la carne e anche il pesce.
3. Laura non è generosa e non è simpatica.
4. Marco deve studiare e deve lavorare.
5. "Natale in India" è un film non interessante e neanche divertente.
6. A scuola non vado bene, ma non vado male.
7. Se ho un problema chiedo aiuto ai miei gentitori e ai miei amici.
8. Silvia è bella e brava.

pronuncia

18 Le consonanti doppie

CD t. 19

Ascolta queste parole senza senso e indica una X quelle che hanno una consonante doppia.

1. ☐
2. ☐
3. ☐
4. ☐
5. ☐
6. ☐
7. ☐
8. ☐
9. ☐
10. ☐
11. ☐
12. ☐
13. ☐
14. ☐

19

CD t. 20

Ascolta queste parole e scegli se completarle con una consonante singola o doppia in base a quello che senti.

1. in e____e____i
2. e____i____ante
3. in____onsueto
4. si____ure____a
5. co____abora____ione
6. preo____upa____o
7. su____e____iore
8. a____a____amento
9. a____ron____arlo
10. pe____iora____o

20

CD t. 21

Correggi in questo testo gli errori di ortografia che riguardano l'uso delle consonanti doppie. Poi ascolta la lettura del brano per un controllo.

GIOVENTÙ CRESCIUTA

Sono morrti il compleso di Edipo e il corisponddente feminile, quelo di Eletra, che preveddevano un inevitabbile inamoramentto del genittore di seso oposto. Di queste mortti innatese dà anuncio un'anticippazione del prosimo raporto bienale sula condizzione giovannile. "Da tempo" racconta Riccardo Grassi uno dei ricercattori che ci ha lavoratto, "oserviamo una mutazione dei raporti familiari. Sta venendo meno quel contrasto neto con il genitore che ha conttradistinto le

generazzioni di adolescenti degli ani Sesanta e Setanta. E si generalliza la cosiddetta famiglia afetiva, dove non ci sono contrasti, ma piutosto acordo e continuittà tra generazioni".

(Adattato da "Il Venerdì", 25-11-2005)

5 unità

Come ha saputo di questo lavoro?

comprensione orale

1 CD t. 22

a **Ascolta questo programma radiofonico in cui si parla della "pausa caffè" e completa.**

1. Questa ricerca è stata condotta su ____________ dipendenti in Europa e su ____________ dipendenti in Italia.
2. Il ____________ % del tempo lavorativo non viene utilizzato per lavorare.
3. Fonti di distrazione sul lavoro:
   a. per il 53%: ____________
   b. per il 29%: ____________
   c. per il 20%: ____________
4. La maggioranza degli italiani pensa che sia meglio lavorare a casa perché ____________

b **Quali sono le opinioni dell'esperto?**

- ☐ **1.** Se si lavora a casa si è più concentrati e si produce di più.
- ☐ **2.** A casa ci sono più occasioni di distrazione.
- ☐ **3.** A casa si può organizzare meglio il lavoro.
- ☐ **4.** Sul posto di lavoro la pausa serve a riposarsi dalla fatica del lavoro.
- ☐ **5.** La pausa serve per essere meno annoiati e quindi più produttivi.
- ☐ **6.** Bisognerebbe ridurre e regolamentare la pausa caffè.
- ☐ **7.** Alla macchina del caffè la gente parla soprattutto di lavoro.
- ☐ **8.** Alla macchina del caffè si raccontano fatti personali.

2 CD t. 23

Dettato puzzle. Ascolta più volte la registrazione e completa.

...Beh si è più concentrati... Forse (1) ____ _____ le occasioni di distrazione (2) ____ _____ _____ perché... è chiaro che (3) ____ ____ _______, la persona si auto-governa i tempi, i (4) ____ ____ _____, e così via, ecco, però e (5) _____ _____ _____ la sua produttività. (6) ____ _____ di lavoro la pausa caffè avviene nel (7) _____ _____ _____ comincia a calare l'attenzione e subentra la noia. Se è un antidoto alla noia, forse serve, spezza (8) ____ _____ aumentare la produttività.
Quindi a me (9) ____ ____ ______ specie (10) ____ _____ che dicono che la pausa caffè (11) _______ addirittura, come dire, (12) _____ _____ _____ in modo assolutamente rigido. È un elemento (13) _____ _____ _____ dentro le aziende, (14) ____ _____ ______ la macchina del caffè è il nuovo confessionale. La gente si parla... Io credo che la macchina del caffè (15) ____ _________ anche di grandi verità.

comprensione scritta

3

a **Leggi l'articolo e scegli, tra le coppie di frasi in fondo al testo, quale riassume meglio l'informazione centrale di ogni paragrafo.**

La vacanza, che lavoro!

Dj, hostess, bagnini o animatori. Così le ferie diventano impiego.

Sempre più studenti cercano un impiego stagionale.
Per guadagnare qualche soldo, ma anche per arricchire il *curriculum*.

Camerieri ai piani o animatori, aiuto-chef o addetti ai call-center, guide turistiche, bagnini, musicisti sulle navi da crociera. Sono le professioni più richieste per l'estate. Quelle che consentono, per quindici giorni o per quattro mesi, di guadagnare qualcosa riuscendo magari anche a ritagliarsi il tempo per fare nuove amicizie o godersi qualche ora di relax. La prima cosa da tenere a mente, però, è di ricordare appunto che di lavoro si tratta e che quindi va affrontato con impegno e serietà. La seconda è che il lavoro temporaneo ha lo stesso inquadramento di quello determinato e dà diritto quindi a ferie, contributi e malattia.

Perché queste precisazioni? Perché la maggior parte degli stagionali estivi sono giovani sotto i 25 anni, magari alla prima esperienza di lavoro. "Ormai è difficile che uno studente universitario si dedichi esclusivamente agli esami", spiega Fabio Ausenda autore della guida *Lavori estivi in Italia*. "Dalla nostra indagine risulta che sono sempre di più i ragazzi che investono parte del loro tempo per fare esperienza, per mettere da parte i soldi per un corso, conoscere realtà diverse. Oggi una buona votazione agli esami può non bastare a rendere interessante un *curriculum*, mentre una o più esperienze di lavoro, di qualsiasi tipo, contribuiscono a dare del candidato un'immagine più dinamica e versatile." L'offerta spazia dalle colonie estive agli ingaggi su navi e aerei, dai villaggi turistici alla comunicazione, dal campo alberghiero alla ristorazione.

Un'esperienza interessante può essere quella di lavorare in alcune istituzioni culturali, come musei e strutture archeologiche, con l'obiettivo di crearsi nuovi sbocchi di lavoro per il domani. Chi si occupa di selezione del personale però è sicuro: il desiderio più frequente non riguarda la cultura classica, ma è piuttosto quello di diventare animatori di villaggi turistici. "È importante però" sottolineano i responsabili del Club Med "che i ragazzi sappiano che da noi non si diventa solo animatori, dj, comici o attori, ma si può fare esperienza anche come informatici o assistenti di direzione".

Naturalmente il lavoro estivo non è prerogativa assoluta degli *under* 25. "Dagli alberghi di Taormina a quelli di Rimini, si trovano anche parecchi cinquantenni addetti alla cucina, mentre negli ipermercati delle grandi metropoli è più facile che ci siano giovani che vogliono cominciare a mettersi alla prova in un lavoro" dice Pietro Giordano, responsabile nazionale del commercio Fisacat-Cisl. "L'offerta di occupazione a tempo determinato che in Italia, sia nel settore del commercio che in quello del turismo, ha una grande componente stagionale, oggi si indirizza a tutte le fasce d'età". E senza differenza di sesso. Nel commercio, nei villaggi turistici e nelle colonie uomini e donne sono impiegati in ugual misura. Negli alberghi invece ci sono più donne (come cameriere ai piani), mentre agli uomini si riservano posti in cucina e nelle *hall*.

(Adattato da "Il Venerdì", 16-5-2003)

Paragrafo 1

a. Il lavoro estivo permette di guadagnare qualche soldo e magari anche di rilassarsi un po', ma deve essere considerato come un lavoro a tutti gli effetti.

b. Il lavoro estivo è un lavoro poco faticoso e divertente che permette di guadagnare soldi, ma soprattutto di riposarsi e conoscere nuove persone.

Paragrafo 2

a. La maggior parte dei lavoratori estivi sono studenti universitari che vogliono arricchire il loro *curriculum* con nuove esperienze.

b. La maggior parte degli studenti sotto i 25 anni lavora d'estate per pagarsi i corsi universitari.

Paragrafo 3

a. Molti giovani vogliono lavorare nei musei o nei siti archeologici per avere nuove prospettive di lavoro.

b. La maggior parte dei giovani preferisce lavorare come animatori nei villaggi turistici.

Paragrafo 4

a. Per le persone con meno di 25 anni il lavoro estivo è un'occasione per sperimentare un'esperienza di lavoro.

b. Nei lavori stagionali sono occupati anche uomini e donne di diverse fasce di età.

comprensione scritta

b **Abbina le parole sottolineate nel testo alle espressioni corrispondenti.**

1. ferie
2. contributi
3. mettere da parte
4. versatile
5. ingaggio
6. prerogativa
7. occupazione a tempo determinato
8. indirizzarsi

a. adattabile
b. riguardare
c. tasse pagate dal datore di lavoro
d. periodo di vacanza retribuito
e. lavoro temporaneo
f. risparmiare
g. impiego
h. caratteristica

lessico

4

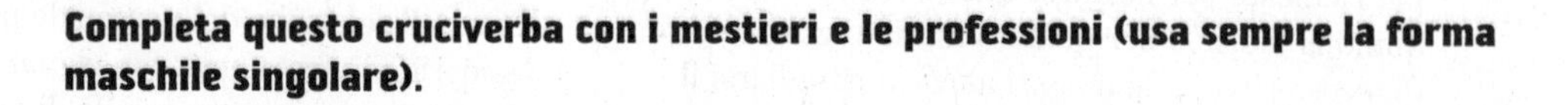

Completa questo cruciverba con i mestieri e le professioni (usa sempre la forma maschile singolare).

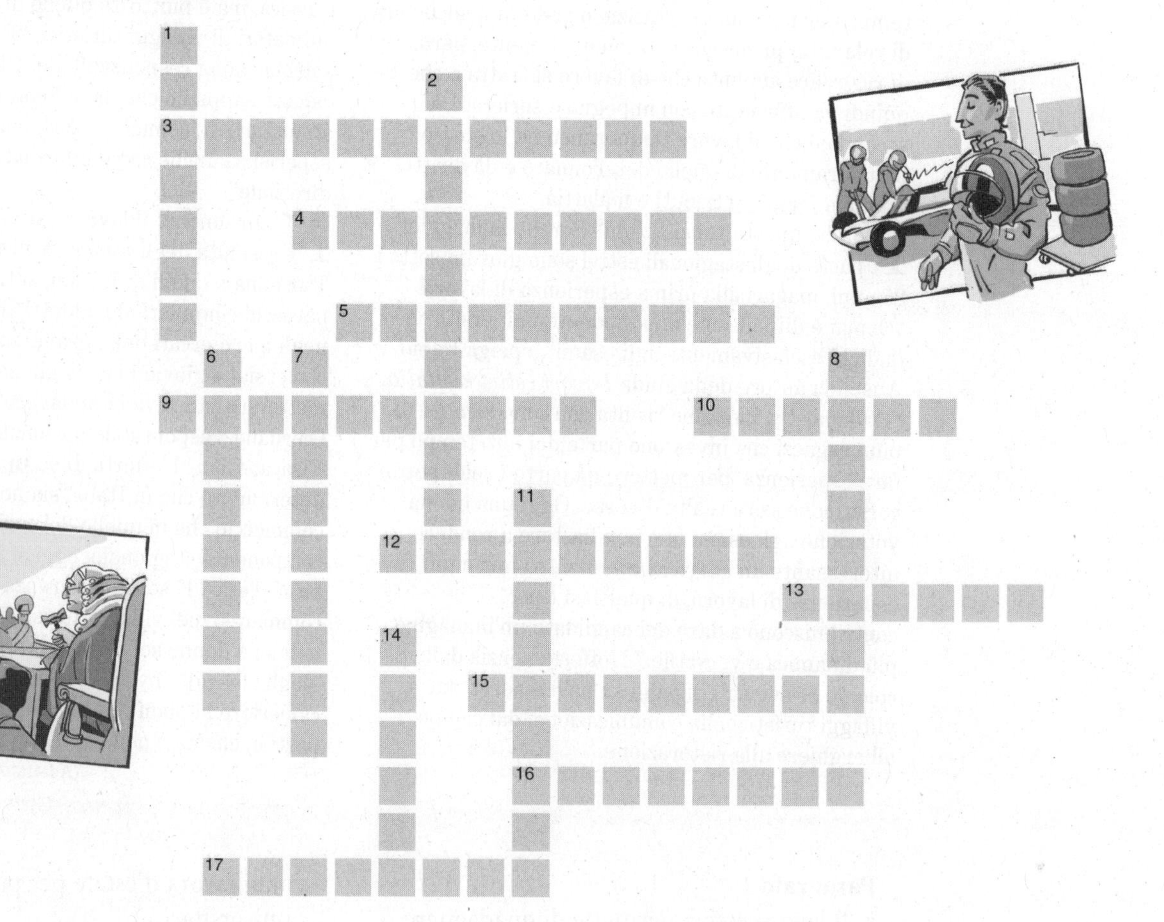

ORIZZONTALI

3. Chi ripara impianti elettrici e apparecchiature.
4. Chi vende giornali.
5. Chi traduce testi da una lingua all'altra.
9. Chi vende farmaci.
10. Chi guida un aereo o una macchina da corsa.
12. Chi serve ai tavoli al ristorante o al bar.
13. Chi cura le persone malate.
15. Chi dirige una scuola o un'azienda.
16. Chi difende qualcuno in un processo.
17. Chi vende prodotti in un negozio.

VERTICALI

1. Chi lavora in fabbrica.
2. Chi scrive sui giornali.
6. Chi guida un taxi.
7. Chi lavora in un ufficio.
8. Chi spegne gli incendi.
11. Chi vende la benzina.
14. Chi recita in un film.

lessico

5

Scrivi il femminile di questi nomi di professione.

1. l'attore ____________
2. il cameriere ____________
3. il dentista ____________
4. il gelataio ____________
5. l'infermiere ____________
6. il professore ____________
7. il musicista ____________
8. l'operaio ____________
9. lo scrittore ____________
10. il tabaccaio ____________
11. il traduttore ____________
12. il dottore ____________

6 Formazione di parola

I suffissi -ità, -ezza, -anza/-enza si aggiungono agli aggettivi qualificativi per formare dei nomi che indicano delle qualità. Completa le frasi con un nome derivato dall'aggettivo tra parentesi.

Giulia dice sempre quello che pensa con (*franco*) franchezza e (*sincero*) sincerità, ma senza (*arrogante*) arroganza.

1. Per fare assistenza ai malati sono necessari (*paziente*) (1) ____________ e (*generoso*) (2) ____________.
2. La (*timido*) (3) ____________ è un grande ostacolo per chi deve cominciare un nuovo lavoro.
3. Gli accessori di moda Gucci sono apprezzati per l'(*originale*) (4) ____________ e l'(*elegante*) (5) ____________.
4. Sono stanco di fare lavoretti temporanei: voglio un impiego che mi dia (*sicuro*) (6) ____________ e (*tranquillo*) (7) ____________.
5. Fare l'insegnante è faticoso: è un lavoro che richiede (*creativo*) (8) ____________ e (*vivace*) (9) ____________.
6. Quando c'è un problema sul lavoro, è meglio parlarne subito con (*chiaro*) (10) ____________ e (*sincero*) (11) ____________.

7

Completa gli annunci di lavoro sostituendo le parti sottolineate con le espressioni contenute nel box e gli aggettivi con un nome.

ambosessi	automuniti	pluriennale	venticinquenni
neolaureato	specializzati	informatiche	

1. La Cogefin per ampliamento organico ricerca agenti di vendita che hanno venticinque anni e che hanno la macchina.
Il candidato ideale è dinamico e flessibile.

Cercasi agenti di vendita
venticinquenni e ____________.
Si richiedono
dinamismo e ____________.

2. La Meccanor assume operai metalmeccanici con preparazione specifica, che possono essere di entrambi i sessi e con esperienza di più anni.
I candidati ideali sono capaci e professionali.

Cercasi operai
____________, ____________
e con esperienza ____________.
Si richiedono
____________ e ____________.

3. La Bindi-Contabilità ricerca impiegato per assistenza post-vendita che sia appena laureato e con buone conoscenze di computer e software.
Il candidato ideale è adattabile e sensibile alle esigenze dei clienti.

Cercasi impiegato per assistenza post-vendita
____________ e con buone conoscenze
____________.
Si richiedono
____________ e ____________.

8

Completa la lettera di presentazione con le espressioni nel box.

conosco bene l'inglese	laureanda	*curriculum vitae*
porgo distinti saluti	presentare la mia candidatura	allegato
Oggetto	di Vostro interesse	con riferimento al
tesi di marketing	esperienza nel settore	

Spett. Filati Sportex
c.a. dott. Giulio Santini
via Bettoni, 6
20100 Milano

Milano, 22 gennaio 2007

(1) ______________: candidatura per assistente di Direzione ufficio vendite.

Egregio dott. Santini,
(2) ______________ Vostro annuncio pubblicato sul "Corriere della Sera" del 13 dicembre, mi permetto di (3) ______________ per la posizione di assistente di Direzione ufficio vendite.
Come vedrete dal (4) ______________, ho 24 anni e sono (5) ______________ in Economia e Commercio, con una (6) ______________ internazionale.
Da quattro anni collaboro, durante la stagione estiva, con una piccola azienda che produce tessuti e fibre per abbigliamento sportivo. Ho quindi maturato una certa (7) ______________, avendo ampliato le mie conoscenze anche durante il mio corso di studi.
Essendo bilingue (mia madre è londinese), (8) ______________ e discretamente il francese, che ho studiato al liceo.
Mi auguro quindi che la mia candidatura possa essere (9) ______________.
Nell'attesa di un Vostro cortese riscontro, ringrazio e (10) ______________.

Caterina Grassi

9

Silvia è entrata oggi nel suo nuovo ufficio alla ACESP. Scrivi il nome degli oggetti.

computer
schermo
tastiera
stampante
telefono/fax
portapenne
faldone
cassettiera
pinzatrice
presa
cavo

a. ______________
b. ______________
c. ______________
d. ______________
e. ______________
f. ______________
g. ______________
h. ______________
i. ______________
l. ______________
m. ______________

grammatica

10

a) Completa queste frasi con le preposizioni a, in, da, di (semplici o articolate).

1. Mi piace discutere ____________ politica.
2. Ho assistito ____________ un bellissimo spettacolo di cabaret.
3. Ho voglia ____________ un gelato al cioccolato.
4. Mi fido ____________ mio capoufficio.
5. È importante ricordarsi ____________ spegnere il computer ogni sera.
6. Non voglio dipendere ____________ miei genitori.
7. Marco sta uscendo ____________ una situazione difficile.

b) Trasforma le frasi dell'esercizio 10a utilizzando il pronome relativo cui insieme alla preposizione corretta.

1. La politica è un argomento *di cui mi piace* discutere.
2. Lo spettacolo di cabaret ____________________ era bellissimo.
3. Ciò ____________________ è un gelato al cioccolato.
4. Il mio capoufficio è una persona ____________________.
5. Spegnere il computer è una cosa ____________________ ogni sera.
6. I miei genitori sono persone ____________________.
7. La situazione ____________________ è molto difficile.

11

Completa il testo scegliendo tra chi, che, cui (con preposizione).

Agli italiani piace bello. Anzi, bellissimo. Se si vuole diffondere il personal computer nella case degli italiani bisogna puntare al design, come dimostra una ricerca della Packard Bell svolta in Italia e in Europa.

Tra le famiglie (1) __________ già hanno il computer, c'è (2) __________ lo mette nello studio o nella camera da letto, propria o dei bambini (29%), ma c'è anche (3) __________ (il 25%) terrebbe volentieri il PC in soggiorno, se fosse esteticamente più bello.

Infatti, in Italia, il 75% delle persone (4) __________ è stata posta la domanda ha detto che vorrebbe un PC più bello. Nei Paesi del Nord invece, (5) __________ si guarda meno all'aspetto esteriore, meno persone lo cambierebbero, ma sono molte di più le famiglie hanno già un PC (in Olanda il 56%, in Svezia il 54%, in Germania il 47%), a differenza delle case italiane (6) __________ si arriva solo al 24%.

Un' attenzione al design, quindi, (7) __________ ci differenzia dagli inglesi, (8) __________ il PC serve per lavoro, dai tedeschi, (9) __________ lo vedono come un mezzo di comunicazione, dai belgi, (10) __________ non vogliono dormire con un PC, e dai francesi (11) __________ vorrebbero un computer che si adatta a (12) __________ ci lavora.

(Adattato da www.repubblica.it)

12

Sostituisci nella lettera i pronomi relativi che e cui con la forma adeguata del pronome relativo variabile quale. Attenzione: modificate anche le preposizioni che potrebbero diventare articolate (es.: a cui -> al / alla / ai / alle quale/i).

Pronomi relativi

invariabili	variabili	
che	il quale	i quali
cui	la quale	le quali
	(si accorda in genere e numero con il nome a cui si riferisce)	

Il quale è più formale di che / cui ed è usato preferibilmente nei testi scritti, in particolare quando cui / che sono ambigui.

Egregi signori,
ho letto con interesse l'articolo apparso sul *Corriere della Sera* (*in cui*) (1) ____________ si parla di un ampliamento dell'organico della Vostra azienda.
Sono laureato in Economia e Commercio e attualmente sto svolgendo il servizio civile, (*che*) (2) ____________ si concluderà tra poche settimane.
Sono quindi interessato a proporre la mia candidatura per un'eventuale assunzione nella vostra azienda, (*di cui*) (3) ____________ conosco bene l'ufficio *marketing*, avendovi svolto uno *stage* di tre mesi nel corso della preparazione della mia tesi di laurea. A questo proposito potete contattare per referenze il dott. Gattuccio e la dott.ssa Tozzi (*con cui*) (4) ____________ ho collaborato a un progetto di promozione della Vostra nuova collezione di biancheria per la casa "Arcobaleno".
Accludo alla lettera il mio CV, (*in cui*) (5) ____________ troverete ulteriori dettagli sul mio percorso di formazione.
Augurandomi che vorrete accordarmi l'onore di un colloquio, ringrazio e porgo distinti saluti.

Paolo Leoni

13

Silvia è al primo giorno di lavoro e ha molte cose da fare. Completa queste risposte con i pronomi combinati alla terza persona singolare.

1. Ha spedito il telegramma alla dott.ssa Zuccari? - No, ma ____________ spedisco subito.
2. Ha portato al dott. Arcangeli la fattura? - No, ma ____________ porto subito.
3. Ha già inviato al ragionier Carminati i conti del bilancio? - No, ma ____________ invio subito.
4. Ha stampato all'ing. Rossi e al rag. Silvestri il nuovo dépliant? - No, ma ____________ stampo subito.
5. Mi ha prenotato l'aereo per il viaggio a Roma? - No, ma ____________ prenoto subito.
6. Mi ha portato una tazza di caffè? - No, ma ____________ porto subito una.
7. Ha preparato le fotocopie per il direttore? - No, ma ____________ preparo subito.

 **14**

Completa il racconto inserendo i pronomi mancanti (riflessivi, diretti, indiretti e combinati) e mettendo l'accordo al participio passato quando necessario.

La giornata del disoccupato D.O.C

Enzo (1) _________ sveglia alle nove e mezza. Va in bagno e poi in cucina.
"(2) _________ ho preparato il caffelatte. Ho preso anche dei cornetti. (3) _____ _____ ho lasciat___ sul tavolo" dice la mamma. Enzo comincia a bere il caffelatte, poi bagna il cornetto e (4) _________ _____ mette in bocca. Non è molto buono.
"Ma dove (5) _________ hai pres___ questi cornetti?"
"(6) _________ ho pres_____ al bar di Peppe, vicino al giornalaio"
"Quante volte (7) _________ _________ devo dire di non prender(8)_________ da Peppe? (9) _______ sai anche tu che non (10)_________ cuoce bene".
La mamma non risponde. Enzo (11) _______ arrabbia, (12) _______ alza e non vuole più mangiare.
Enzo ha ventinove anni ed è un disoccupato d.o.c (cioè 'autentico').
Tutti (13)_______ chiamano "professore" anche se la laurea non (14) _______ ha mai pres___. Esce di casa alle undici e va in piazza dove Pasquale, diploma di perito industriale, (15) _________ ha certamente tenuto il posto.
"Che bella giornata! (16) _________ _________ voglio proprio godere".
Ma Pasquale è agitato "Bisogna fare qualcosa, inventarsi un lavoro perché qui nessuno (17) _________ _________ dà".
Il professore non (18) _________ risponde, non ha voglia di parlare.
Ma l'altro insiste: "Allora! Che hai pensato?"
"E ti pare che con una giornata come questa si debba pensare al lavoro?"

(Adattato da www.ilpalo.com)

15

Completa queste frasi da lettere formali con i pronomi La (diretto) o Le (indiretto).

1. Gentile Signora Rossi, _____ ringrazio per il bellissimo regalo che ci ha inviato.
2. In attesa di un cortese riscontro, _____ porgo distinti saluti.
3. Gent.mo dott. Mengozzi, come concordato telefonicamente, _____ invio il materiale da Lei richiesto.
4. Egregio dott. Silvestri, _____ informo che riceverà via posta elettronica i documenti da Lei richiesti.
5. Gent. Sig.ra Guidi, non so come esprimer___ la mia gratitudine per la gentilezza che ci ha dimostrato.
6. Restando a disposizione per ulteriori informazioni, _____ saluto cordialmente.
7. Ricordando _____ di provvedere a inviarci il Suo CV, porgiamo distinti saluti.
8. Gent. Professore, _____ inoltro la mail ricevuta ieri da Genova.

16

Trasforma le frasi dal gerundio all'indicativo utilizzando le congiunzioni opportune (siccome, anche se, perché, mentre).

Avendo consegnato il progetto, posso andare qualche giorno in vacanza ->
-> Poiché (dato che) ho consegnato il progetto, posso andare qualche giorno in vacanza.

1. Non avendo ancora 18 anni, Barbara non può guidare la macchina.
2. Pur avendo studiato il tedesco per 2 anni, Fulvio non lo sa parlare.
3. Conosco molto bene i sistemi informatici, avendo lavorato alla Hewlett Packard per tre anni.
4. Essendo all'Università, posso frequentare molti studenti stranieri.
5. Potendo lavorare da casa, riesco a occuparmi dei miei bambini.
6. Pur amando molto il francese, non sono mai stata in Francia.
7. Giocando a tennis, ho conosciuto mio marito.

17

a Gloria è al suo primo giorno di lavoro: la direttrice la presenta ai colleghi. Completa le frasi con il congiuntivo di essere o avere.

Cari colleghi, sto per presentarvi Gloria.

1. Mi sembra che __________ una persona gentile e disponibile.
2. Voglio che __________ gentili con lei e desidero che __________ tutto l'aiuto di cui ha bisogno.
3. I primi giorni dovrà imparare molte cose: mi auguro che __________ pazienza!

4. Mi fa piacere che il direttore __________ una donna.
5. Penso che __________ un lavoro interessante.
6. Mia madre ha paura che io non __________ abbastanza elegante.
7. Spero che l'ufficio __________ una scrivania grande.

b Con quale funzione è usato il congiuntivo nelle frasi dell'esercizio precedente?

opinioni	frase 1	per esprimere	volontà	__________
desideri	__________		stati d'animo	__________

18

Completa questo dialogo con il congiuntivo presente di essere o avere.

- ● Non credo che (1) __________ una buona idea accettare quel posto di lavoro.
- ○ E perché no? A me pare invece che (2) __________ una grossa opportunità per me.
- ● Non so, ma mi sembra che il proprietario della ditta non (3) __________ una persona proprio per bene e che (4) __________ in testa soltanto i soldi. Conosco alcuni dei suoi dipendenti e dicono di lui delle cose davvero spiacevoli, alcuni dicono che non possono fare neanche una pausa caffè!
- ○ Ma sai, invece, io ho sentito parlare molto bene di lui… non credo che tutti (5) __________ le stesse opinioni! Ma comunque grazie dell'avvertimento. Terrò gli occhi aperti.

19 L'imperativo formale

a Leggi la barzelletta e sottolinea i verbi all'imperativo. Poi completa la tabella.

Un impiegato non riesce ad arrivare puntuale al lavoro. Il suo capo un giorno lo minaccia: "Guardi, Rossi, non giochi col fuoco! Se arriva ancora tardi La licenzio in tronco!".
Rossi decide di farsi aiutare da un medico. "Senta, Le do queste pillole, ne prenda una prima di andare a letto e vedrà che arriverà puntuale".
In effetti la mattina si sveglia alle sei. Ha ancora un paio d'ore prima di andare in ufficio, si fa una doccia, fa colazione, legge il giornale e poi con calma va al lavoro.
Entra puntuale in ufficio e il capo gli va incontro molto arrabbiato: "Basta! Vada fuori di qui! Sparisca! Lei è licenziato! Esca e non si faccia più vedere!"
"Ma... ma perché? Non sono stato puntuale?"
"Sì, oggi sì! Ma IERI, dove è stato?"

(Lei) guard-are	prend-ere	sent-ire	spar-ire
guard-	prend-	sent-	spar-

Quali imperativi sono irregolari?

____

____

____

b Completa le barzellette con gli imperativi regolari e irregolari.

senta dia scusi venga guardi faccia pulisca dica

a. Un ingegnere si presenta sul posto di lavoro. È il suo primo giorno... Il capo gli mette uno straccio in mano e gli dice:
"Ecco, questo è uno straccio, come prima cosa (1) ______________ l'ufficio.
Gli (2) ____________ una spolverata..."
Il giovane ingegnere replica: "Uno straccio?!? Ma mi (3) ______________ ! Io sono un ingegnere!"
E il capo: "Ha ragione, scusi! (4) ______________ di là che Le faccio vedere come funziona lo straccio."

b. Un uomo su una mongolfiera finisce su un albero in mezzo alla campagna.
Passa una persona e l'uomo sul pallone gli chiede: "Mi (5) ____________ un favore, mi (6) ____________ dove ci troviamo!"
"Guardi, Lei si trova su un albero, a dieci metri di altezza, siamo a 40 km dal centro abitato più vicino e io non ho una scala per farLa scendere."
"(7) ______________, Lei nella vita si occupa di sistemi informatici?"
"Perbacco, come fa a saperlo?"
"Vede, Lei mi ha fatto una perfetta analisi della situazione, ma non mi ha dato la minima soluzione per risolvere i miei problemi."
"(8) ______________" gli risponde l'altro "Lei nella vita è un dirigente in qualche azienda?"
"Caspita, come lo sa?"
"Perché vede, Lei è nei guai, non sa cosa fare, ma ha trovato il modo di dare la colpa a un altro".

20

Trasforma le frasi in ordini. Usa l'imperativo formale (Lei) e informale (tu), alla forma affermativa e negativa. Attenzione alla posizione dei pronomi!

Scrivere la lettera — *La scriva! / Non la scriva*
Scrivila! / Non scriverla!

1. Preparare le fotocopie.
2. Spegnere il computer.
3. Riordinare i faldoni.
4. Comperare la carta.
5. Telefonare al commercialista.
6. Spedire gli inviti ai clienti.
7. Dettare la relazione alla segretaria.
8. Mandare il bilancio al direttore.

21

Completa le frasi con le preposizioni a o di.

1. Voglio provare ______ fare questo concorso per pilota d'aereo: è molto difficile, ma spero ______ riuscire ______ superarlo perché ho studiato molto.
2. Lavoro in ospedale da due mesi, ma non mi sono ancora abituato ______ alzarmi presto. Ieri mi hanno chiesto ______ sostituire una collega del turno di notte, così ho lavorato dalle 10 di sera alle dodici del giorno dopo: sono distrutto!
3. Basta! Ho deciso ______ cambiare lavoro, non ce la faccio più. Anche stasera sono dovuto rimanere ______ lavorare fino alle 9 per un'emergenza e mi sono dimenticato ______ avvertire mia moglie che si è arrabbiata moltissimo.
4. Ho una grande notizia! Il mio capo mi ha proposto ______ cambiare lavoro: vuole mandarmi ______ fare l'assistente di direzione di una delle nostre filiali in Francia. Che bello, non vedo l'ora di partire!

pronuncia e ortografia

22 CD t.24

a **Ascolta e indica quali espressioni contengono il suono [ʎ], come in aglio e quali il suono [l] come in ali.**

	1.	2.	3.	4.	5.	6.	7.	8.
[ʎ]								
[l]								

CD t.25

b **Ascolta e completa con le espressioni dell'esercizio a.**

1. Per la cena di domani, sento io Marco: _______________ subito un e-mail.
2. Non si preoccupi dott. Merli: _______________ della lettera è stato fatto.
3. Marco da piccolo ha avuto _______________.
4. Giulio non riesce a guidare. Il sole _______________.
5. Sono allergica e non so come proteggermi _______________ acari.
6. _______________ pure a me i biscotti, se non li vuoi.
7. Come _______________ i capelli, Signora?
8. _______________ è una penisola a forma di stivale.

23 CD t.26

a **Ascolta e indica quali espressioni contengono il suono [ɲ], come in sogno e quali il suono [n] come in sono.**

	1.	2.	3.	4.	5.	6.	7.	8.	9.	10.
[ɲ]										
[n]										

CD t.27

b **Completa il dialogo con le parole che hai sentito. Poi ascolta il dialogo per verificare.**

● Cos'hai preparato di buono?

○ (1) _______________ e torta di (2) _______________, viene a cena il mio amico (3) _______________, te l'ho detto stamattina...

● Ah, sì, quel tuo amico (4) _______________ che ho cososciuto al tuo (5) _______________, quello che fa il (6) _______________.

○ Ma no! Fa l'(7) _______________, a Napoli...

● Non mi hai detto che vive in (8) _______________?

○ Ma sei sorda come una (9) _______________! Ti ho detto che vive in (10) _______________, non in campagna!

6 unità Mamma mia!

comprensione orale

1 CD t.28

a **Ascolta questi dialoghi da una trasmissione televisiva e rispondi oralmente.**

1. Chi sono le persone che parlano?
2. Dove si trovano?
3. Qual è il problema della donna nel primo dialogo?
4. Qual è il problema dell'uomo nel secondo dialogo?

b **Riascolta il primo dialogo e completa.**

1. La donna si lamenta perché ______ ______ ______	L'uomo risponde che ______ ______ ______
2. Secondo la donna quando si è nell'intimità della propria casa ______ ______	Secondo l'uomo essere nell'intimità significa ______ ______ ______

c **Riascolta il secondo dialogo e rispondi scegliendo l'opzione corretta.**

1. La donna *è ancora* / *non è più* arrabbiata con l'uomo perché si è comprata un *vestito* / *cappotto*.
2. La donna ha ricevuto una *visita* / *telefonata* da *un suo vecchio compagno di scuola* / *un suo vecchio fidanzato* e lo ha invitato *a casa* / *fuori a cena* perché vuole *tradire* / *fare ingelosire* il marito.
3. L'invitato fa *il fotografo* / *l'attore*. Il marito *è* / *non è* contento di questa cosa e *si arrabbia* / *si ingelosisce*.

2 CD t.29

***Italiani mammoni*? Ascolta l'intervista e scegli la risposta giusta.** V F

1. Secondo Mannheimer lo stereotipo degli italiani "mammoni" non è più vero. ☐ ☐
2. Quasi tutti gli italiani vanno d'accordo con la mamma. ☐ ☐
3. Sono soprattutto gli italiani tra i 30 e 40 anni ad avere difficoltà nei rapporti con i familiari. ☐ ☐
4. Gli aspetti più problematici sono
   a. festeggiare i compleanni e le ricorrenze con i parenti. ☐ ☐
   b. dover essere sempre disponibili per la mamma o il/la fidanzato/a. ☐ ☐
   c. dover andare a cena quando non si ha voglia. ☐ ☐
   d. passare la domenica in famiglia. ☐ ☐
   e. dover telefonare spesso alla mamma. ☐ ☐
   f. dover ricordare le ricorrenze. ☐ ☐
5. Secondo il sociologo Mannheimer le relazioni familiari non sono comunque cambiate. ☐ ☐

3 CD t.30

Dettato puzzle. Ascolta più volte questo brano dell'intervista al sociologo Marzano e completa con le parti mancanti.

Bene, allora, sicuramente (1) ___ ___ ___ ___ lunga, cioè della permanenza di una persona/di un (2) ___ ___ ___ della famiglia oltre, (3) ___, l'età della (4) ___ ___, perché questo è il fenomeno della famiglia lunga, è sicuramente un fenomeno (5) ___ ___, ___ ___, un fenomeno che riguarda soprattutto (6) ___ ___ ___, i paesi del Sud dell'Europa.
Dalle statistiche/consultando le statistiche (7) ___ ___ ___ la permanenza dei giovani in famiglia, (8) ___ ___ ___ ___ familiari, apprendiamo che i Paesi (9) ___ ___ ___ ___ stanno (10) ___ ___ ___ casa sono l'Italia (11) ___ ___ ___ ___ la Spagna e il Portogallo, quindi Paesi diciamo del Sud dell'Europa, (12) ___ ___ ___ del Nord dell'Europa i giovani (13) ___ ___ ___ prima.

comprensione scritta

4

Leggi il testo e fai le attività.

Spirito laico, solidarietà e fantasia: la ricetta di Pino Tuscano per il Capodanno degli ultimi alla Stazione Centrale

Un ferroviere "punk" dietro il cenone dei *clochard*

VARESE - L'uomo che a Capodanno ha organizzato il cenone per mille *clochard* milanesi è un ferroviere cinquantatreenne di Varese. Ama la musica punk e ovviamente non è un prete; anzi, ci tiene a sottolineare la sua matrice laica. "Ma io vado d'accordo con tutti, ho un senso molto pratico della solidarietà, senza troppe teorie".
Ritratto di Pino Tuscano, anima dell'iniziativa "L'ultimo con gli ultimi" che dal 2000 ogni notte di San Silvestro trasforma la mensa dei ferrovieri della Stazione Centrale di Milano in un ristorante esclusivo per i senzatetto e gli sbandati, mandato avanti dall'opera di circa 300 volontari. Una serata per lavarsi un po' la cattiva coscienza e sentirsi più buoni e altruisti? "Errore: tutti abbiamo una sensibilità verso gli altri; si tratta di creare delle azioni e coinvolgere le persone – racconta Tuscano – io personalmente mi affido ad un concetto: dare alla creatività delle finalità sociali".
Dipendente delle FS dal '75, oggi responsabile del dopolavoro ferroviario di Milano, Tuscano già in passato aveva attinto a piene mani alla fantasia. Anni fa s'era inventato l'iniziativa "Adottiamo una stazione" che intendeva strappare al degrado gli impianti in disuso dei paesini; poi era stata la volta del "Passalibro": "In uno stanzone delle FS avevo trovato una gran quantità di libri che prendevano polvere: li abbiamo distribuiti sulle carrozze invitando i passeggeri a leggerli e a scrivere una recensione per passarli poi a qualcun altro. Anche i programmi culturali di Radiorai avevano parlato dell'iniziativa".
L'ultimo parto della creatività di Pino è stato il cenone con gli "ultimi". Come è nata l'idea?
"Da una motivazione personale e da un dato più generale: innanzitutto mi ero stufato di fare il trenino a Capodanno e fingere di divertirmi ballando brutta musica. In più, arrivando ogni mattina da Varese a Milano vedevo quell'umanità abbandonata dentro e fuori della stazione. È chiaro che a Natale il contrasto è più stridente. E così è nata l'idea: volevo garantire almeno per un giorno un posto in prima fila a quelli che passano la vita nell'ultima. Non è stato facile all'inizio: i miei colleghi storcevano il naso all'idea di ospitare dei *clochard* nella loro mensa; ma grazie anche al sostegno dell'azienda e al primo nucleo di volontari, un gruppo di pensionati, l'iniziativa è andata in porto. Quest'anno abbiamo purtroppo dovuto lasciar fuori qualcuno, mentre qualche Vip avrebbe voluto venire a passare il Capodanno con noi: gli ho detto no, temevo volessero farsi solo pubblicità".
Resta da spiegare perché tanta gente ha bussato alle porte della mensa ferrovieri, non solo per avere un pasto, ma anche per dare una mano...

(Adattato dal "Corriere della Sera", 03-01-2007)

comprensione scritta

a Scegli la risposta giusta.

1. L'articolo parla di una persona che
   a. ha organizzato una festa di Capodanno originale.
   b. ha festeggiato il Capodanno alla stazione.
   c. ha organizzato il cenone di Capodanno per i senzatetto alla stazione.

2. Pino Tuscano è
   a. un prete di Milano impegnato con i più bisognosi.
   b. un dipendente delle ferrovie di Varese che organizza iniziative solidali concrete e creative.
   c. un pensionato che fa volontariato nella mensa dei senzatetto.

3. Secondo Pino Tuscano
   a. le persone si sentono in colpa verso i poveri.
   b. le persone sono buone e altruiste.
   c. le persone sono solidali, ma bisogna saperle coinvolgere.

4. "Adottiamo una stazione" era un'iniziativa per
   a. far nascere nuove piccole stazioni.
   b. recuperare grandi stazioni.
   c. riutilizzare stazioni che non si usano più.

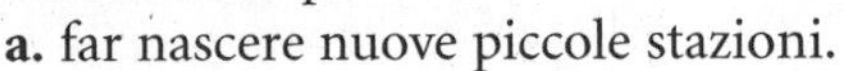

5. "Passalibro" era un'iniziativa per
   a. stimolare i viaggiatori a leggere libri.
   b. favorire l'acquisto di libri.
   c. stimolare i viaggiatori a scrivere le loro avventure di viaggio.

6. Con l'iniziativa "L'ultimo con gli ultimi" Pino Tuscano voleva
   a. far sentire importanti i poveri per un giorno.
   b. far star bene i poveri per un giorno.
   c. far divertire i poveri per un giorno.

b Abbina queste parole in grassetto nel testo al loro sinonimo.

☐ 1. laico	a. promotore
☐ 2. ritratto	b. giudizio / breve saggio
☐ 3. anima	c. gruppo
☐ 4. senzatetto	d. non religioso
☐ 5. recensione	e. descrizione
☐ 6. fingere	f. fare finta / simulare
☐ 7. nucleo	g. senza casa

c Abbina queste espressioni metaforiche evidenziate nel testo al significato corrispondente.

☐ 1. lavarsi la coscienza	a. la creazione / l'idea
☐ 2. strappare a	b. una posizione privilegiata
☐ 3. il parto	c. chiedere di partecipare
☐ 4. un posto in prima fila	d. togliere da
☐ 5. storcere il naso	e. non essere convinti
☐ 6. andare in porto	f. realizzare
☐ 7. bussare alla porta	g. mettersi in pace con se stessi
☐ 8. dare una mano	h. aiutare

5

Trasforma i verbi in corsivo in nomi scegliendo tra i suffissi -mento, -zione, -enza e suffisso zero (es. calare → il calo).

Donare soldi alla ricerca medica → **La donazione di** soldi alla ricerca medica.

1. *condurre* un programma televisivo → ______________________
2. *cambiare* abitudini → ______________________
3. *abbandonare* animali per strada → ______________________
4. *convivere* con gli altri → ______________________
5. *impegnarsi* a livello sociale → ______________________
6. *licenziare* i lavoratori → ______________________
7. *rassicurare* un amico → ______________________
8. *sostenere* le persone più povere → ______________________
9. *cambiare* i propri programmi → ______________________

6 Formazione di parola

a Deriva dai verbi gli aggettivi scegliendo tra i suffissi -ante/-ente, -abile/-ibile, -ivo.

Verbo	→	Aggettivo
mangi-are	→	mangi-**abile**
incoraggi-are	→	incoraggi-**ante**
educ-are	→	educat-**ivo**

1. vivere ______________
2. accettare ______________
3. appassionare ______________
4. dipendere ______________
5. comprendere ______________
6. istruire ______________
7. preferire ______________

b Completa questa lettera a un giornale scegliendo tra gli aggettivi derivati dell'esercizio a.

Scrivo per dire la mia sul tema (1) ______________ "Madri asfissianti". Mi sembra che il nocciolo della questione sia il confronto tra il modello di famiglia nordica in generale e quello italiano. Ecco un paio di punti che mi sembrano degni di riflessione.

1) Per andarsene di casa occorre non essere (2) ______________ da mamma e papà, e cioè avere un lavoro con uno stipendio (3) ______________ e un posto (4) ______________ dove abitare. Per quel che ne so in Italia è molto difficile trovare sia l'uno che l'altro. Quindi è (5) ______________ che ci siano poi queste convivenze prolungate tra genitori e figli trentenni.

2) Siamo poi così sicuri che questo modello di famiglia nordico, in cui i figli se ne vanno di casa poco più che adolescenti per andare a studiare il più delle volte a 1500 miglia di distanza, rivedendo famiglia e vecchi amici due o tre volte all'anno, sia così giusto e (6) ______________?

È vero che "per fare bene il nostro mestiere di madri è (7) ______________ insegnare ai nostri figli a lasciarci", ma si può poi ancora chiamare famiglia quella in cui i genitori invecchiano e spesso muoiono da soli, in cui i fratelli e le sorelle s'incontrano una volta ogni tanto e i loro figli si conoscono a stento? Credo che ci vorrebbe, come sempre, il giusto mezzo, per cui trent'anni sono troppi per stare ancora a casa con la mamma, ma probabilmente sedici sono pochi per andarsene.

Un saluto a tutti,

Mirca Sghedoni

(Adattato dal "Corriere della Sera")

lessico

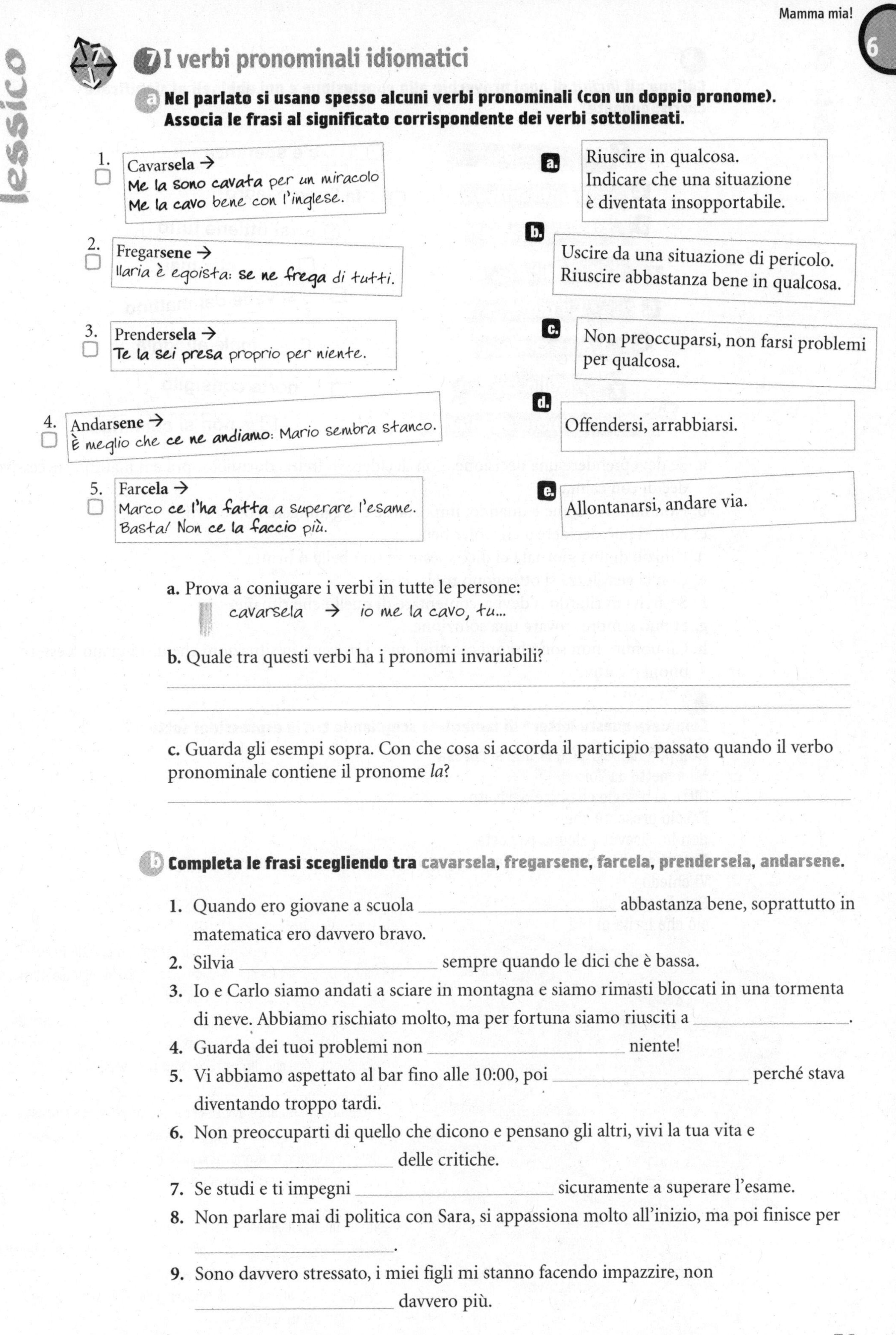

7 I verbi pronominali idiomatici

a Nel parlato si usano spesso alcuni verbi pronominali (con un doppio pronome). Associa le frasi al significato corrispondente dei verbi sottolineati.

1. ☐ Cavarsela →
Me la sono cavata per un miracolo
Me la cavo bene con l'inglese.

2. ☐ Fregarsene →
Ilaria è egoista: se ne frega di tutti.

3. ☐ Prendersela →
Te la sei presa proprio per niente.

4. ☐ Andarsene →
È meglio che ce ne andiamo: Mario sembra stanco.

5. ☐ Farcela →
Marco ce l'ha fatta a superare l'esame.
Basta! Non ce la faccio più.

a. Riuscire in qualcosa.
Indicare che una situazione è diventata insopportabile.

b. Uscire da una situazione di pericolo.
Riuscire abbastanza bene in qualcosa.

c. Non preoccuparsi, non farsi problemi per qualcosa.

d. Offendersi, arrabbiarsi.

e. Allontanarsi, andare via.

a. Prova a coniugare i verbi in tutte le persone:
cavarsela → io me la cavo, tu...

b. Quale tra questi verbi ha i pronomi invariabili?

____

____

c. Guarda gli esempi sopra. Con che cosa si accorda il participio passato quando il verbo pronominale contiene il pronome *la*?

____

b Completa le frasi scegliendo tra cavarsela, fregarsene, farcela, prendersela, andarsene.

1. Quando ero giovane a scuola _______________ abbastanza bene, soprattutto in matematica ero davvero bravo.
2. Silvia _______________ sempre quando le dici che è bassa.
3. Io e Carlo siamo andati a sciare in montagna e siamo rimasti bloccati in una tormenta di neve. Abbiamo rischiato molto, ma per fortuna siamo riusciti a _______________.
4. Guarda dei tuoi problemi non _______________ niente!
5. Vi abbiamo aspettato al bar fino alle 10:00, poi _______________ perché stava diventando troppo tardi.
6. Non preoccuparti di quello che dicono e pensano gli altri, vivi la tua vita e _______________ delle critiche.
7. Se studi e ti impegni _______________ sicuramente a superare l'esame.
8. Non parlare mai di politica con Sara, si appassiona molto all'inizio, ma poi finisce per _______________.
9. Sono davvero stressato, i miei figli mi stanno facendo impazzire, non _______________ davvero più.

8

Collega gli *incipit* di ogni proverbio alla conclusione e poi abbinali al significato corrispondente.

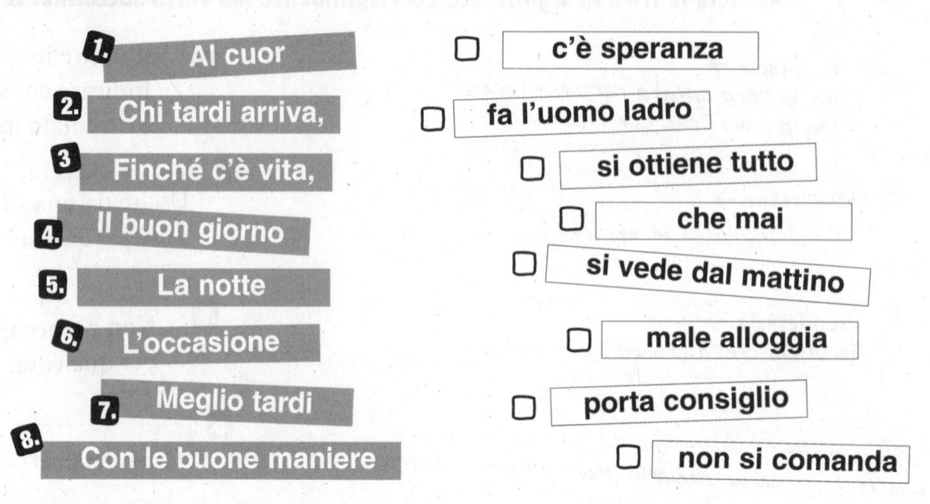

a. Se devi prendere una decisione, non decidere in fretta, dormici sopra e il mattino successivo decidi con calma.
b. Non importa come e quando, importante è raggiungere l'obiettivo.
c. Non si può decidere a chi voler bene.
d. L'inizio di una giornata ci dice spesso se sarà bella o brutta.
e. Con la gentilezza si ottengono molte cose.
f. Se arrivi in ritardo ti devi accontentare di quello che rimane.
g. Si può sempre trovare una soluzione.
h. Gli uomini non sono buoni o cattivi, ma si trovano in situazioni che li spingono a essere buoni o cattivi.

9

Completa queste lettere di lamentela scegliendo tra le espressioni sotto.

Non può immaginare la mia sorpresa
Mi aspetto da Voi
Oltre al disagio che ne è derivato
Faccio presente che
non ho ricevuto alcuna risposta
Non vi sembra che questo sia un comportamento poco rispettoso e arrogante?
Vi chiedo
Non Le pare che
ciò che irrita di più

Spett.le Enel,
abito a Cortina d'Ampezzo e dal giorno di Natale a oggi si sono verificate a più riprese, e per molte ore, sospensioni dell'erogazione dell'energia elettrica in alcune zone.
(1) ______________ l'unica motivazione che ci è stata fornita dai Vostri tecnici è stata di continui guasti.
(2) ______________ per le famiglie soprattutto con anziani e bambini, (3) ______________ è l'assoluta mancanza di spiegazioni a noi utenti che, invece, paghiamo regolarmente la bolletta.
(4) ______________ Certo mi domando se non sia forse figlio dell'assoluta assenza di concorrenza.
Distinti saluti
Giancarla Tota

Egr. Dott. Rossini,
nel 2005 ho ricevuto da uno dei Vostri uffici della Regione Lombardia un avviso di accertamento perché avrei dimenticato, nel 2002, di pagare il bollo della mia automobile.
(5) ______________, dato che avevo venduto l'automobile in questione l'anno prima! Ho inviato allora tutta la documentazione che dimostrava l'avvenuta vendita, ma
(6) ______________.
Oggi ricevo un altro avviso per lo stesso presunto mancato versamento per l'anno 2003, per lo stesso veicolo. Quante volte dovrò dimostrare di averlo venduto? (7) ______________ sia necessario da parte vostra un controllo maggiore dei dati?
(8) ______________ una sollecita rettifica e l'annullamento degli accertamenti a mio carico e
(9) ______________, per il futuro, una maggior attenzione nell'analisi dei dati a Vostra disposizione.
Restando in attesa di una conferma da parte Vostra, porgo
Distinti saluti.
Luca Alfonsi

10

Riordina questa lettera di lamentela in maniera coerente.

a.
Ti ricordo che i nostri genitori ci hanno comprato questo appartamento per avere un posto comodo vicino all'Università; fortunatamente ho vinto la borsa di studio e sono andato a Bruxelles. Anche se in questo momento sono lontano per i miei studi a Bruxelles, mi piacerebbe avere un minimo di voce in capitolo rispetto alle decisioni che riguardano l'appartamento (in particolare se si tratta di scegliere nuovi coinquilini). Se io decidessi di tornare a Roma ora, cosa succederebbe? Non avrei più un posto dove andare?

b.
Caro Marco,

c.
Venerdì scorso ti ho cercato per raccontarti un po' come vanno le cose qui a Bruxelles e sono rimasto molto stupito sentendomi rispondere in un italiano stentato da una voce maschile che non conoscevo. Quando gli ho chiesto chi fosse, mi ha risposto in maniera molto sgarbata dicendo che era il nuovo inquilino e che si chiamava Mitch.

d.
ti scrivo per chiederti una conferma rispetto a un sospetto che ho avuto durante la nostra ultima telefonata.

e.
Ti chiedo, per cortesia, di trovare una soluzione appena possibile e, la prossima volta, di tenermi informato rispetto a qualsisi novità.

f.
Un saluto Giulio

g.
Non sto a descriverti quanto io mi sia sorpreso e, devo dire, anche un poco arrabbiato, perché non mi hai comunicato di aver subaffittato la casa. Permettimi di dire che il tuo comportamento in questa occasione non è stato molto trasparente.

11

Completa queste frasi con le espressioni sotto. Poi indica per ciascuna frase la funzione corrispondente del congiuntivo.

Mi dispiace che — Si dice che — Immagino che — Credo che — Preferisco che
È meglio che — Voglio che — Sono contento che — Spero che — Mi sembra che

a. esprimere opinioni o incertezza	b. esprimere desideri o stati d'animo	c. esprimere una volontà

☐ **1.** ____________ Giulio e Silvia si siano separati, sembravano una coppia così affiatata!
☐ **2.** ____________ tu non sia qui, quando ritorna papà: è così arrabbiato con te che potrebbe farti una scenata.
☐ **3.** ____________ mia figlia sia finalmente riuscita a prendersi una vacanza. Ne aveva davvero bisogno.
☐ **4.** Non so che ora sia di preciso, ma ____________ siano più o meno le tre.
☐ **5.** ____________ tutti i ragazzi giovani debbano avere la possibilità di trovarsi un buon lavoro.
☐ **6.** ____________ riordini la tua camera prima di uscire.
☐ **7.** Hai sentito di Luca. ____________ abbia lasciato Rachele per una ragazza molto più giovane.
☐ **8.** Luca, tesoro, ____________ tu non esca stasera, se non ti senti ancora bene.
☐ **9.** ____________ Marco sia molto dimagrito ultimamente. Sta facendo una dieta?
☐ **10.** Carlo si sta impegnando molto sul lavoro per riuscire ad avere una promozione. ____________ ci riesca!

12

Scegli la forma corretta del congiuntivo presente.

- ● Sai se Paolo viene stasera alla festa che fanno i Manzelli al secondo piano?
- ○ Non so, credo che (1) deve/debba lavorare fino a tardi.
- ● Di nuovo? Mi sembra che (2) lavora/lavori un po' troppo ultimamente. Chissà come mai.
- ○ Mi pare che (3) abbi/abbia comprato una casa nuova e quindi ora ha bisogno di soldi.
- ● Che bello! Anch'io vorrei trovare una casa nuova, l'appartamento dove abito è troppo piccolo!
- ○ Ma allora anche tu stai cercando casa! Spero che la (4) trovi/trova presto.
- ● Certo mi dispiacerebbe non stare più vicino a te... è così bello avere un amico sotto casa. Se trovo una villetta bifamiliare voglio che (5) venga/venghi anche tu con la tua famiglia. Cosa ne dici?
- ○ Sarebbe bello, ma immagino che una villa bifamiliare (6) costa/costi un po' troppo per le mie finanze.

13

Che + congiuntivo o di + infinito? Costruisci le frasi utilizzando la forma appropriata.

Tanti italiani pensano (vita in città essere difficile)
-> Tanti italiani pensano **che** la vita in città **sia** difficile.
Molti italiani pensano (trasferirsi a vivere in campagna)
-> Tanti italiani pensano **di trasferirsi** a vivere in campagna.

1. Gli italiani credono		(il traffico, lo smog, i parcheggi essere i principali problemi quotidiani)
2. Molti italiani non pensano		(avere problemi con criminalità e mezzi pubblici)
3. Tanti italiani ritengono	che	(non essere soddisfatti di quanto guadagnano)
4. Al Sud gli italiani credono		(la situazione economica essere peggiore che al Nord)
5. Tanti italiani sperano		(vivere in case più grandi)
6. Solo il 20% degli italiani pensa		(dover comprare una nuova casa)
7. Il 70% degli italiani pensa	di	(il pranzo essere il pasto principale)
8. Molti italiani ritengono		(un panino veloce in un bar non essere un vero e proprio pranzo)
9. Molti uomini tra i 30 e i 50 anni sono insoddisfatti		(dover mangiare fuori casa per lavoro)

14

Completa questo messaggio inviato a un forum con i verbi all'indicativo (presente e passato prossimo) o al congiuntivo presente.

IRC Server | Stanze e Canali

Noi (*abitare*) (1) ____________ in una villetta a schiera, siamo molto affezionati ai nostri vicini e la nostra camera da letto (*confinare*) (2) ____________ con la loro (la bi-familiare è fatta a specchio).
Ma da settembre la "Signora" (*iniziare*) (3) ____________ a RUSSARE rendendo le notti dei veri e propri incubi.
Secondo me (*russare*) (4) ____________ in un modo veramente pazzesco e credo che (*avere*) (5) ____________ qualche problema "fisico", perché sembra di sentire un dinosauro. Un mese fa mio marito glielo (*dire*) (6) ____________ e lei ha risposto "Credo che il problema sia iniziato dopo un'operazione chirurgica. Mi dispiace molto che il rumore vi (*creare*) (7) ____________ problemi. Forse quando mi sentite russare (*potere*) (8) ____________ urlare!". Per 15 giorni non l'(*sentire*) (9) ____________, poi (*ricominciare*) (10) ____________.
Quando (*iniziare*) (11) ____________, a volte gridiamo "Bastaaaaaaaaaaaa!", lei (*svegliarsi*) (12) ____________, credo che (*girarsi*) (13) ____________, e quindi smette. Il fatto è che siamo stufi di strillare quasi tutte le sere.
Penso che (*essere*) (14) ____________ una buona idea insonorizzare la camera, ma vi sembra giusto che (*dovere*) (15) ____________ pagare io tutte le spese? Cosa mi consigliate???? Grazie mille

Completa le frasi con i verbi nella lista e con i pronomi combinati corretti.

tenere   far vedere   inviare   regalare   portare   prestare   potere   mandare   dire

1. Se non avete ancora trovato qualcuno, i bambini ________________ io per questa settimana.
2. Quando vuoi il mio libro di ricette, ________________ prestare.
3. Ho mandato una nuova cartolina a Marcella, anche se ________________ una la settimana scorsa.
4. Marco ha dimenticato i pastelli a casa e ora devo ________________ a scuola.
5. Se ti serve subito quel documento ________________ ________________ via e-mail.
6. ________________ con tutta sincerità: non so se questo viaggio fa per voi!
7. Se ti serve il mio vestito grigio per stasera posso ________________.
8. Ti piacciono questi guanti? ________________ Marco per Natale.
9. Silvia e Daniele hanno già visto le foto delle vacanze, ________________ quando sono venuti l'ultima volta a trovarci.

 16

Leggi queste notizie che parlano di rapporti tra moglie e marito e completale con i pronomi corretti scegliendo tra pronomi riflessivi, pronomi presonali diretti, indiretti e combinati, e il partitivo ne.

Litiga col marito e (1) ______ sfascia l'auto. Ma non è la sua

SORA (Frosinone), 28 luglio. In un impeto di rabbia ha distrutto l'auto del marito, ma poi (2) ______ è accorta di aver sbagliato vettura.
La donna ha raccontato alla polizia "La macchina? (3) ______ ho distrutta. Ho preso il martello e (4) ______ ho picchiato sul parabrezza, poi sono passata ai fari e agli specchietti retrovisori: (5) ______ ho rotti tutti".
La donna però subito dopo (6) ______ è resa conto dell'errore: "(7) ______ sono accorta dell'errore subito dopo che sono tornata in casa: ho fatto caso solo al colore e la mia rabbia (8) ______ ho sfogata sulla Opel Corsa blu del mio vicino, invece che sulla Ford Fiesta blu di mio marito, causando (9) ______ mille euro di danni".

Adattato da www.news2000.libero.it

Dramma della gelosia

SANREMO, 7 settembre. La gelosia non ha età. (10) ______ sa qualcosa un 74enne di Sanremo che ha preso a schiaffi un commesso in un supermercato e (11) ______ ha minacciato con una piccozza. "(12) ______ avevo detto tante volte di non essere così gentile con mia moglie!" ha detto l'uomo. L'aggressione è avvenuta in strada mentre il ragazzo (13) ______ stava recando al lavoro.
Fortunatamente la polizia ha visto l'uomo e (14) ______ ha fermato in tempo; i clienti nel frattempo (15) ______ erano accorti di quanto stava succedendo e (16) ______ erano avvicinati per prestare aiuto al povero ragazzo. E ora cosa succederà al pensionato? La gelosia (17) ______ costerà una denuncia per percosse.

Adattato da www.news2000.libero.it

17

Completa le frasi scegliendo la forma giusta dell'aggettivo indefinito alcuno.

<u>*alcuni/alcune* + nome plurale</u> significa "qualche, un po' di": Ho visto alcuni amici.
<u>*alcun/o/a* + nome singolare</u> significa "nessuno", si usa in frasi negative e si comporta come l'articolo indeterminativo *un/uno/una*: Non ho alcun dubbio.

1. Durante la conferenza non ho osato fare ______________ domanda.
2. ______________ persone non ammettono mai di avere sbagliato.
3. Ho visto Marco al mercato ______________ giorni fa.
4. Esco stasera. Vado al cinema con ______________ amici.
5. Non ho ______________ voglia di uscire a cena stasera.
6. Ho visitato ______________ esposizioni di mobili, ma non ho ancora deciso che cucina comprare.
7. Silvio è una persona molto sola. Non ha ______________ amico con cui passare il suo tempo libero.
8. All'esame di geografia oggi non si è presentato ______________ studente.
9. Ho ______________ vecchie videocassette usate che vorrei vendere. Conosci qualche videonoleggio che le comprerebbe?

18

Riordina gli elementi in modo da formare frasi coerenti.

1. alla festa / nessuno / è andato / non / di mia sorella.
____
2. per / fatto vivo / nessuno / darmi / si / una mano / è.
____
3. a casa / non / nessuno / ho incontrato / dal lavoro / tornando.
____
4. dei problemi / si preoccupa / nessuno / ambientali.
____
5. in quella / nessuno / da anni / casa / abita / non.
____
6. ho visto / nessuno / da quell'appartamento / ieri sera / non / uscire.
____
7. riesce / ad / con Marta / nessuno / andare d'accordo.
____

19

Completa il testo scegliendo tra gli indefiniti sotto e accordandoli in maniera adeguata.

poco tutto (2 volte) tanto niente molto uno qualcosa qualcuno alcun (2 volte)

Sono (1) ______________ gli italiani a guardare la TV per più di tre ore al giorno, (2) ______________ infatti hanno almeno una TV in casa, se non due o più. (3) ______________ (solo il 10%) pensano che la TV sia superficiale e stupida, che non ci sia mai (4) ______________ di interessante da guardare e (5) ______________ arriva addirittura a sostenere che (6) ______________ notizie non siano vere. Secondo gli italiani (7) ______________ di quello che va in onda nei programmi serali e pre-serali contiene parolacce ((8) ______________ ogni venti minuti) e banalità. Il quadro sembra abbastanza desolante, ma c'è (9) ______________ che possa dirsi positivo nella televisione italiana? Sembrerebbe di sì, (10) ______________ tra i programmi in onda vengono infatti giudicati molto positivamente dal 70% degli italiani, fino a giungere alla richiesta di aumentare il numero di (11) ______________ i programmi ritenuti educativamente utili.

20 I verbi impersonali

a Leggi le frasi e completa le regole.

a. Bisogna avere pazienza.
b. Occorre che tu esca un'ora prima.
c. Ci vuole un'ora per arrivare.
d. Ho bisogno di più tempo per finire questo lavoro.
e. Bisogna che tu venga un po' in anticipo.
f. Occorre un po' di pazienza.
g. Per questa ricetta ci vogliono due uova.
h. Mi occorrono un fax e una stampante nuovi.

1. **bisogna / occorre** + verbo all' ____________

2. **bisogna che / occorre che** + verbo al ____________

3. **occorre / occorrono** + ____________

4. **ho bisogno di** + ____________

5. **ci vuole / ci vogliono** + ____________

b Completa le frasi con il verbo impersonale appropriato.

1. Non c'è tempo da perdere, ____________ agire al più presto.
2. ____________ pensare positivamente nella vita.
3. ____________ molti soldi per fare questo viaggio.
4. ____________ rischiare se si vuole raggiungere l'obiettivo.
5. ____________ un'ora per arrivare a Bergamo.
6. ____________ 10 minuti a piedi.
7. ____________ avere pazienza.
8. ____________ che tu esca un'ora prima da casa.
9. (Io) ____________ di più tempo per finire questo lavoro.
10. (Tu) ____________ di qualcosa? Sto andando al supermercato.

21

Completa le frasi scegliendo tra le preposizioni di, a e in (semplici o articolate).

1. Sono molto soddisfatto ______ essere riuscito a finire quel lavoro.
2. Ada è molto contenta ______ come ha passato le vacanze.
3. Stasera non posso uscire sono impegnato ______ curare i bambini di mio fratello.
4. Giulio si fida ciecamente ______ suoi amici.
5. Faccio parte ______ Croce Rossa e presto servizio di volontariato.
6. Aldo è una persona altruista: è molto impegnato ______ sociale e fa molte donazioni.
7. Ho speso molto questo mese e sono costretto ______ rinunciare al cinema stasera.
8. Voglio provare ______ fare questo test di italiano.
9. Non smettere mai ______ credere nei tuoi sogni.
10. Non preoccuparti ______ bambini, li vado a prendere io a scuola.

22

Completa le frasi scegliendo tra le preposizioni di e da e il pronome indefinito adeguato.

pronome indefinito + **da** + infinito	pronome indefinito + **di** + aggettivo
*qualcosa / niente **da** spendere*	*qualcosa / niente **di** interessante*

1. Se stasera non hai ______________ ______ fare, puoi uscire con me. Andiamo al cinema!
2. Sono affamato. Mi prepari ______________ ____ mangiare?
3. Mi presteresti ______________ ____ carino ___ mettere stasera?
4. Non ho ______________ ______ interessante _____ raccontarti. Oggi è stata una giornata noiosa.
5. Mi hai proprio deluso! Non ho più ______________ _____ dire.
6. Ti posso aiutare a fare i bagagli? C'è ______________ _____ preparare per domani?
7. Vorrei andare al cinema, ma non c'è ______________ ____ bello ____ vedere.
8. Avrei voglia di leggere un libro: hai ______________ _____ divertente ___ consigliarmi?

23

Trasforma queste affermazioni sulla generosità degli italiani usando un connettivo concessivo (sebbene, nonostante, benché, pur) al posto di anche se.

anche se + indicativo
sebbene / **nonostante** / **benché** + congiuntivo
pur + gerundio

1. Anche se le donne sono più generose (38%), sono molti gli uomini italiani (20%) a fare donazioni ai più poveri.
____.
2. La maggior parte degli italiani fa attività di volontariato 'laico' (47%), anche se molti si dedicano all'attivismo religioso (45%).
____.
3. Gli italiani fanno donazioni soprattutto alla ricerca medica (66%), anche se elargiscono denaro alla lotta contro la fame (24%) e alle adozioni a distanza (15%).
____.
4. Anche se tanti italiani danno direttamente il denaro a chi serve, alcuni (8%) fanno donazioni attraverso gli SMS.
____.
5. L'Unicef è un'associazione molto conosciuta (18%) dagli italiani, anche se non ha molte donazioni.
____.
6. Molti italiani fanno donazioni in denaro, anche se pochi fanno attività di volontariato attivo.
____.
7. I giovani italiani sono meno propensi a fare donazioni (solo il 34%), anche se fanno molte attività di volontariato.
____.
8. La cifra media donata (65 euro all'anno) non è molto alta, anche se è aumentata rispetto al 2004 (52 euro).
____.

Adattato da *Doxa, Comportamenti di donazione degli italiani*, 15-12-06

24 CD t. 31 Il raddoppiamento sintattico

a Ascolta queste parole e scegli la pronuncia corretta.

1. Lì vicino	→	a. lìvicino	b. lìvvicino
2. Andrà via	→	a. andràvia	b. andràvvia
3. Come voi	→	a. comevoi	b. comevvoi

! Nell'italiano parlato le consonanti iniziali delle parole vengono raddoppiate quando sono precedute da:
- parole monosillabiche accentate (per es: *lì*, *su*, *da*...),
- parole con l'accento sull'ultima sillaba (per es: *perché*, *andrà*...),
- molte parole formate da due sillabe (per es: *come*, *dove*).

Il raddoppiamento, anche se si pronuncia nell'orale, non si trascrive mai nell'ortografia.

CD t. 32

b Ascolta queste frasi e sottolinea la consonante che viene raddoppiata.

1. Stiamo tra noi.
2. Tu e lei.
3. Tu sei molto caro.
4. Marco ha fame.
5. Giulia sta male.
6. Lo vedo qualche volta.
7. Come sempre sei in ritardo.
8. Arrivi sempre così tardi.
9. Sarà troppo grande.
10. Ciao, a presto.

CD t. 33

c Riascolta e ripeti allungando le consonanti raddoppiate.

- strategie per imparare
- sintesi grammaticale
- appendici
- soluzioni

Lessico

Memorizzare e organizzare le parole nuove

1

a In gruppi. Nelle unità del libro, nella sezione "Comprensione scritta", dopo ogni lettura c'è una tabella per la raccolta delle "Parole nuove" incontrate nel testo che hai letto. Nella tabella puoi scrivere, oltre alle parole nuove, il loro significato, un esempio d'uso ed eventuali note, come puoi vedere sotto.

Parole nuove	Significato	Esempio	Note
sospettare	pensare che qualcuno sia colpevole, che abbia fatto qualcosa di male	per il furto alle poste, la polizia sospetta di un impiegato	sospettare DI qualcuno nome: sospetto

Quali altre informazioni ritieni utili aggiungere?
E tu come raccogli e organizzi le parole nuove che vuoi memorizzare?

b Ogni persona usa tecniche diverse per imparare a memoria le parole nuove. Ecco una lista di alcune di queste tecniche. Quale ti sembra meglio? Quale usi di più? Discutine con alcuni compagni.

	☺	😐	☹
1. Scrivo la parola e la rileggo/ripeto molte volte	☐	☐	☐
2. Attacco sugli oggetti della casa dei post-it con il nome dell'oggetto che voglio ricordare	☐	☐	☐
3. Associo la parola a qualche immagine mentale (es.: *borsa di studio*)	☐	☐	☐
4. Cerco dei collegamenti con parole che già conosco in italiano	☐	☐	☐
5. Associo la parola a una parola della mia lingua o di un'altra lingua straniera	☐	☐	☐
6. Organizzo le parole in mappe concettuali (es.: *il lavoro*)	☐	☐	☐
7. Raccolgo parole e frasi organizzate per situazioni ed eventi comunicativi (es.: *organizzare una vacanza*)	☐	☐	☐
8. Gioco con le parole associando delle rime (es.: *ruscello ombrello*)	☐	☐	☐
9. Altre ______________________________	☐	☐	☐

Professione
Qualità
LAVORO
Orario
Incentivi

chiedere consigli
Che isole mi consiglia?
chiedere informazioni
Quanto costa il traghetto con una cabina di prima classe?
prenotare
Vorrei un campeggio con piscina.

c Durante la settimana prova a memorizzare alcune parole nuove. Tieni nota delle tecniche che sperimenterai. Quali sono più efficaci per te?

Indovinare il significato di parole sconosciute

2

a Leggi queste informazioni per viaggiatori (U3, es. 6b, p. 23) e sottolinea le parole che non conosci.

Mancata partenza

1 *Che cosa succede se all'ultimo momento il turista che ha prenotato una vacanza decide di non partire? E se il viaggio viene cancellato prima della partenza dal venditore o dall'organizzatore?* Il viaggiatore può recedere dal contratto solo nel caso in cui gli venga comunicata la modifica di un elemento essenziale del viaggio. In qualsiasi altro caso saranno addebitate
5 la quota di iscrizione e parte del prezzo del viaggio (10% fino a 30 gg. prima della partenza, 50% da 20 gg. a 3 gg. prima della partenza e l'intera quota dopo tali termini).

b A classe intera. Che cosa fai di solito quando incontri una parola che non conosci?

c Indovina il significato di queste parole, presenti nel testo che hai letto. Poi confrontati con alcuni compagni sulle strategie che hai usato per ogni parola.

(r. 3) recedere (r. 4) addebitate (r. 5) quota

d Ecco alcune strategie. Prova a usarle per indovinare il significato delle parole in corsivo.

1. Rileggo con attenzione la parte di testo che viene prima e dopo la parola, cioè sfrutto il contesto:
   - Ieri sera *avevo la testa tra le nuvole*: ho dimenticato la borsa sul treno!
   - Irma *ha un diavolo per capello* perché le hanno rubato la moto. (es. 8, p. 13)
2. Provo a vedere se la parola contiene una parola più corta e se è formata da pezzi (prefissi e suffissi) che conosco:
   - *instabilità* del manto *nevoso* (p. 22 del manuale)
   - il cucciolo è stato *affidato* alle cure del *canile* (p. 22 del manuale)
3. Mi aiuto con il materiale visivo che accompagna il testo:
   - gli *scogli* per i nostri tuffi; la *baia* dove andiamo a pescare (p. 42 del manuale)
4. Provo a collegare la parola con una parola della mia lingua o di un'altra lingua straniera:
   - *tenda* → ____________________

e Quando usi la strategia di provare a collegare una parola che non conosci a una parola straniera a cui assomiglia, fai attenzione ai "falsi amici", cioè alle parole simili nella forma ma diverse nel significato.

Ecco alcuni esempi:

inglese:	*delusion*	"illusione"	≠	*delusione*	"insoddisfazione"
francese:	*ville*	"città"	≠	*villa*	"casa singola con giardino"
tedesco:	*Kalt*	"freddo"	≠	*caldo*	"che ha calore, fuoco"
spagnolo:	*aceite*	"olio"	≠	*aceto*	"vino agro"

Formate dei gruppi con la stessa lingua materna e provate a trovare altri "falsi amici".

strategie

Usare il dizionario

Leggere le voci del dizionario

1

a Guarda con attenzione le voci di alcune parole prese dal dizionario DIB[1] (Dizionario di base della lingua italiana). Fai un elenco di tutte le informazioni che si possono trovare sul dizionario.

portare (por.ta.re) v.tr. 1ªcon.reg. **1** reggere qualcosa e spostarlo da un posto all'altro: *Portare un sacco sulle spalle.* **2** consegnare: *Porta questo messaggio a tuo padre.* **3** indossare: *Nelle grandi occasioni porta un cappello elegante*; avere: *Porta i baffi da anni.* **4** essere in grado di sostenere un peso: *Questo camion porta 10 tonnellate.* **5** accompagnare: *Chi ti porta a scuola?* **6** guidare, pilotare: *Non sa ancora portare l'auto.* **7** condurre: *Dove porta quel sentiero?* **8** indurre: *Tutto porta a credere alle sue parole.* **9** causare: *Ho trovato un quadrifoglio portafortuna.* **10** nutrire nell'animo: *Gli porta ancora molto rancore.*
[G] io pòrto.
[E] dal lat. portare, der. di portata "passaggio"
[S] sostenere (nel significato 1); recapitare (nel significato 2); sopportare (nel significato 4); serbare (nel significato 10).

cena (cé.na) s.f. **1.** il pasto della sera; i cibi che vi sono serviti: *I nonni mi hanno invitato a cena.* **2** l'ora approssimativa in cui questo pasto viene consumato: *Dopo cena guardo la televisione.*
[E] dal lat. cena.
[S] pasto, desinare

nuvoloso (nu.vo.ló.so) agg. denso di nuvole: *Guarda come è diventato nuvoloso il cielo, tra poco pioverà.*
[C] sereno, limpido

[E] etimologia [S] sinonimo
[G] grammatica [C] contrario

([1]) T. De Mauro / G. G. Moroni, 1996, *DIB Dizionario di base della lingua italiana*, Paravia, Torino.

b Associa le abbreviazioni al termine corretto.

1. s.f.	a. aggettivo
2. s.m.	b. verbo
3. v.	c. irregolare
4. tr.	d. sostantivo femminile
5. intr.	e. regolare
6. con.	f. qualcosa
7. reg.	g. avverbio
8. irreg.	h. sostantivo maschile
9. agg.	i. transitivo
10. avv.	l. coniugazione
11. qlc.	m. derivato
12. der.	n. intransitivo

c Quale forma-base di queste parole devi cercare sul dizionario?

Per i sostantivi come *cani, stanze* ______________________
Per i verbi come *dici, si chiama, hai scritto, sia* ______________________
Per gli aggettivi come *matta, nostri* ______________________
Per gli alterati come *fratellino* ______________________

d In coppia. Che cosa cerchi sul dizionario, quando trovi dei gruppi di parole, cioè più parole che formano un'unità lessicale come:

Vi scrivo <u>in merito</u> alla bolletta Telecom del 7-06-2006...
(U6, es. 3a, p. 101 del manuale)

Faccio 18 ore di volo ma ne <u>vale la pena</u> perché quest'anno ho un mese di vacanza.
(U1, es. 10, p. 6)

Occhio, però, a non farlo mai sentire in trappola, <u>va su tutte le furie</u> e tira fuori le unghie.
(U2, es. 2f, p. 26)

A che cosa serve il dizionario?

2 Cercare il significato di parole sconosciute

a In piccoli gruppi. Confrontatevi su:

- quando usate il dizionario?
- che dizionario usate?
- per fare che cosa?

b Leggi questo breve testo (U2, es. 2a, p. 22 del manuale) e cerca sul dizionario il significato delle parole che non conosci.

FURTO ALLE POSTE

Furto da 35.000 euro alle poste di via Sorelle Girelli. Il furto è avvenuto probabilmente nella notte tra giovedì e venerdì, ma è stato scoperto soltanto lunedì al rientro dal fine settimana dai dipendenti.
Il colpo è stato organizzato nei minimi particolari: i ladri avevano scelto la data con cura (lunedì erano previsti i pagamenti delle pensioni) e studiato nei dettagli il percorso per la fuga. Un'operazione durata probabilmente in tutto un paio d'ore, senza che nessuno potesse accorgersi di nulla.

Guarda le voci del dizionario per le parole colpo e pensione. Quanti significati hanno?

Colpo (col.po) **1** s.m. urto, percossa: *È riuscito a dare un colpo in testa e a fuggire.* **2** in senso figuarato, avvenimento doloroso, che accade per lo più all'improvviso: *Il licenziamento di papà è stato un colpo per tutta la nostra famiglia.* **3** rumore secco e inaspettato, provocato da un urto, un'esplosione o qualsiasi altra causa; **a colpo sicuro**: senza possibilità di sbaglio. **Perdere colpi**: perdere di efficienza, di slancio. **Senza colpo ferire**: senza usare armi. **4** movimento veloce di una situazione, persona, strumento, oggetto: *Ha sorpassato il camion con un colpo di accelleratore.* **5** il manifestarsi rapido di un evento o di un fenomeno atmosferico: *Un colpo di vento mi ha portato via il cappello.* **Colpo di fulmine:** l'innamorarsi di qualcuno all'improvviso. **Colpo di scena**: in uno spettacolo teatrale, in un film, avvenimento che coglie di sorpresa, cambiamento improvviso di situazione. **Colpo in banca**: rapina. **6** loc.avv. **di colpo**: all'improvviso repentinamente. **Sul colpo**, immediatamente: *Ha avuto un infarto ed è morto di colpo.*

Pensione (pensione) s.f. **1** somma di denaro che un istituto di previdenza paga a chi ha finito di lavorare: *La pensione spetta a chi ha raggiunto una determinata età.* Pensione di reversibilità: pagabile ai familiari in caso di morte del titolare. **2** condizione sociale ed economica di chi ha smesso di lavorare: *Da quando è andato in pensione ha più tempo a disposizione per coltivare i suoi hobby.* **3** esercizio alberghiero che fornisce vitto e alloggio a prezzi contenuti: *Vanno sempre in vacanza in una pensione a Rimini.*

Rileggi il testo sopra e scegli tra i diversi significati quello adatto al contesto.

La parola *colpo* qui significa ______________________

La parola *pensione* qui significa ______________________

Cercare alcune informazioni grammaticali

c Correggi gli errori sottolineati, fatti da studenti stranieri, aiutandoti con il dizionario.

1. È caduta e si è ferita i labbri.
2. Quelli pantaloni non sono mii, passami quelli a righe violi e verdi.
3. A Ferragosto eravamo in montagna e siamo andati per fungi.
4. Credo che sia stata une delle peggiore notte che abbia mai avuto.
5. Di sera in inverno mi piace stare vicino del fuoco.
6. Mi ha raccontato i suoi origini.

Quali informazioni puoi trovare nel dizionario sui NOMI e sugli AGGETTIVI?

d Ecco le informazioni che puoi trovare sui VERBI. Cerca sul dizionario:

1. il participio passato di: *risolvere, perdere, offendere, sottrarre, trascorrere, cuocere, accorgersi*
2. l'ausiliare di: *diventare, migliorare, addormentarsi, rimanere, salire*
3. le preposizioni che si usano con: *innamorarsi, proibire, sbrigarsi, lasciare, permettere, partecipare, incoraggiare, essere costretto, provare*
4. quali di queste espressioni richiedono il verbo al congiuntivo: *sebbene, ritengo che, pur, a mio parere, ti dico che, occorre che*

Scoprire come si pronuncia una parola

e Cerca sul dizionario dove cade l'accento su queste parole.

catalogo astuzia cigolio caspita prevedibile portatile vigile monotono segreteria nemico

strategie

Parlare

Semplificare forme e contenuti complessi

1

a **Che cosa fai se mentre parli ti accorgi che le parole e le strutture linguistiche che conosci non riescono a esprimere bene quello che vorresti dire? Segna tra le strategie sotto quelle che usi più di frequente e poi confrontati con due compagni.**

a. evito di pensare a quello che voglio dire nella mia lingua madre, ma lo faccio direttamente in italiano;
b. evito di usare strutture linguistiche che per me sono troppo difficili;
c. evito di parlare di un argomento troppo difficile da spiegare e cerco di cambiare argomento;
d. mi accontento di spiegare in modo generale un contenuto molto preciso;
e. uso un sinonimo (o un contrario) di una parola/espressione che non conosco;
f. uso una parafrasi per spiegare una parola che non conosco;
g. se non so come si dice una parola difficile cerco di farmi capire con parole di significato più generale.

b **Abbina gli esempi a una delle strategie elencate nell'esercizio 1a. Le frasi tra parentesi indicano quello che la persona vorrebbe dire.**

☐ 1. (*Mi hanno licenziato perché ero in esubero, mi hanno dato la liquidazione, ma i soldi sono appena sufficienti per tirare avanti. Di andare in vacanza non se ne parla.*) → Non posso andare in vacanza perché non ho abbastanza soldi.
☐ 2. ● Come funziona il sistema retributivo nel tuo Paese?
○ Non saprei proprio come spiegarlo. È difficile. E invece nel tuo Paese quando si inizia a lavorare?
☐ 3. (*salario / retribuzione / stipendio*) → Sono i soldi che ti danno per il lavoro che fai. Per esempio in Inghilterra la ditta li dà alla fine della settimana, in Italia invece li danno alla fine del mese.
☐ 4. (*Lavoro a tempo indeterminato*) → lavoro fisso
☐ 5. (*Andare in pensione*) → non lavorare più
☐ 6. (*Pur avendo visto ieri il capo che gli aveva ricordato di preparargli la relazione, Marco oggi se ne è dimenticato ed è stato ripreso.*) → Ieri il capo ha ricordato a Marco della relazione, ma Marco si è dimenticato e oggi il capo l'ha ripreso.

c **Scegli uno di questi temi e parlane a un compagno. Discutete poi dei problemi che avete avuto a parlare di questi argomenti "difficili" e delle strategie che avete usato.**

Consiglia a un collega come lavorare in maniera efficiente.

Racconta in che cosa consiste il lavoro del regista.

Spiega come funziona la tua macchina fotografica.

Mantenere viva la conversazione

2

a Leggi questi dialoghi. In quale ti sembra che Claudia abbia più voglia di parlare? Perché?

1.
- ● SILVIA: E ho anche un altro problema. Sai che voglio comprare qualcosa per Capodanno…
- ○ CLAUDIA: Sì… qualcosa di rosso, no?
- ● SILVIA: Giusto! Volevo andare in quel negozio in via Verdi, ma ho scoperto che è chiuso.
- ○ CLAUDIA: Davvero?
- ● SILVIA: Sì, guarda, ci sono rimasta male!
- ○ CLAUDIA: Certo, ci credo, ha cose così carine.
- ● SILVIA: Il problema è che adesso dove vado, a quest'ora.
- ○ CLAUDIA: Eh… hai ragione. Hai provato in quel negozio elegante di via Borghetto?
- ● SILVIA: No, non ancora.
- ○ CLAUDIA: Sbrigati! È tardi, magari chiude.
- ● SILVIA: Ma poi… è costoso.
- ○ CLAUDIA: Sì, è vero…

2.
- ● IRENE: Allora? La festa?
- ○ CLAUDIA: Oh, bellissima!
- ● IRENE: Giulia è venuta?
- ○ CLAUDIA: Sì, sì.
- ● IRENE: Sta bene adesso, vero?
- ○ CLAUDIA: Mhm... sì, sta meglio.
- ● IRENE: Io invece non sono potuta venire…
- ○ CLAUDIA: Non importa.
- ● IRENE: Ho avuto un problema di lavoro…
- ○ CLAUDIA: Capisco…
- ● IRENE: È arrivato all'improvviso un cliente.
- ○ CLAUDIA: Ah.

b Sottolinea le battute del dialogo 1 che hanno queste funzioni.

a. ripetere aggiungendo qualcosa di nuovo
b. fare dei commenti
c. fare domande
d. usare esclamazioni per indicare che stai ascoltando/che sei vicino a chi parla
e. incoraggiare a raccontare

c Associa le domande alle risposte.

☐ 1. Ti piace vivere a Milano?
☐ 2. Vai alla festa di Marco?
☐ 3. Vuoi guardare un film?
☐ 4. Sei andato in vacanza in montagna?
☐ 5. Fai qualche sport?

a. Non credo. Tu?
b. Vado spesso a nuotare. E tu?
c. Quest'anno no, dopo i problemi che ho avuto, sono andato al mare.
d. Dipende. Che film?
e. Beh, la città è bella, ma ci sono problemi.

Queste risposte aiutano a mantenere viva la conversazione. Sai dire perché?
Fai delle ipotesi su come potrebbe continuare ogni dialogo.

d In coppia. A fa a B una delle domande sotto. B risponde e allo stesso tempo aiuta A a continuare la conversazione, come nell'esercizio c.
Cercate di portare avanti la conversazione per almeno 1 minuto.

Ti piace viaggiare? — Vai d'accordo con i tuoi genitori? — Che lavoro fai?

e In coppia. Scegli il ruolo di A o B e interpreta queste due situazioni.
La conversazione può finire solo con una decisione (per es. smettere di parlare, un invito a bere qualcosa, uno scambio di numero telefonico...).

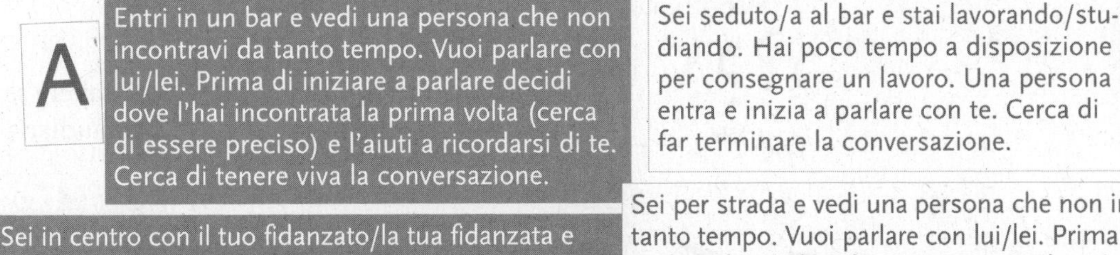

A Entri in un bar e vedi una persona che non incontravi da tanto tempo. Vuoi parlare con lui/lei. Prima di iniziare a parlare decidi dove l'hai incontrata la prima volta (cerca di essere preciso) e l'aiuti a ricordarsi di te. Cerca di tenere viva la conversazione.

B Sei seduto/a al bar e stai lavorando/studiando. Hai poco tempo a disposizione per consegnare un lavoro. Una persona entra e inizia a parlare con te. Cerca di far terminare la conversazione.

A Sei in centro con il tuo fidanzato/la tua fidanzata e state litigando. Sei molto arrabbiato/a. Incontri una persona che non vedi da tempo e che inizia a parlare con te. Cerca di far terminare la conversazione.

B Sei per strada e vedi una persona che non incontravi da tanto tempo. Vuoi parlare con lui/lei. Prima di iniziare a parlare decidi dove l'avevi incontrata la prima volta (cerca di essere preciso/a) per aiutarla a ricordarsi di te. Cerca di tenere viva la conversazione.

strategie

Leggere

Diverse letture per diversi testi e scopi

1

a **Stai leggendo il giornale e trovi un breve articolo sulle vacanze in montagna (U3, es. 2a, p. 41 del manuale). Immagina di essere in queste diverse situazioni e rispondi alle domande collegando le situazioni con il tipo di lettura.**

	Perché leggo il testo?	Come leggo il testo?
1 Vorresti andare in vacanza in Val d'Aosta e vuoi sapere dove ci sono corsi di arrampicata...	a. per capire di cosa parla in generale	**lettura orientativa** (veloce, fermandomi solo su alcune parti per capire le idee generali)
2 Stai facendo una ricerca sulle risorse turistiche delle montagne italiane...	b. per cercare delle informazioni	**lettura selettiva** (ricerca nel testo di alcune informazioni specifiche)
3 Stai sfogliando il giornale e vuoi sapere di cosa parla l'articolo...	c. per il piacere di leggere	**lettura estensiva** (lettura globale di tutto il testo, senza un obiettivo specifico)
4 Tutto quello che riguarda la montagna ti interessa...	d. per capire bene il testo e annotare le informazioni più importanti	**lettura intensiva** (segue la lettura globale e serve a comprendere bene le diverse parti del testo, per esempio per studiarlo)

b **Ora prova a dire come leggeresti questi tipi di testo per diversi scopi.**

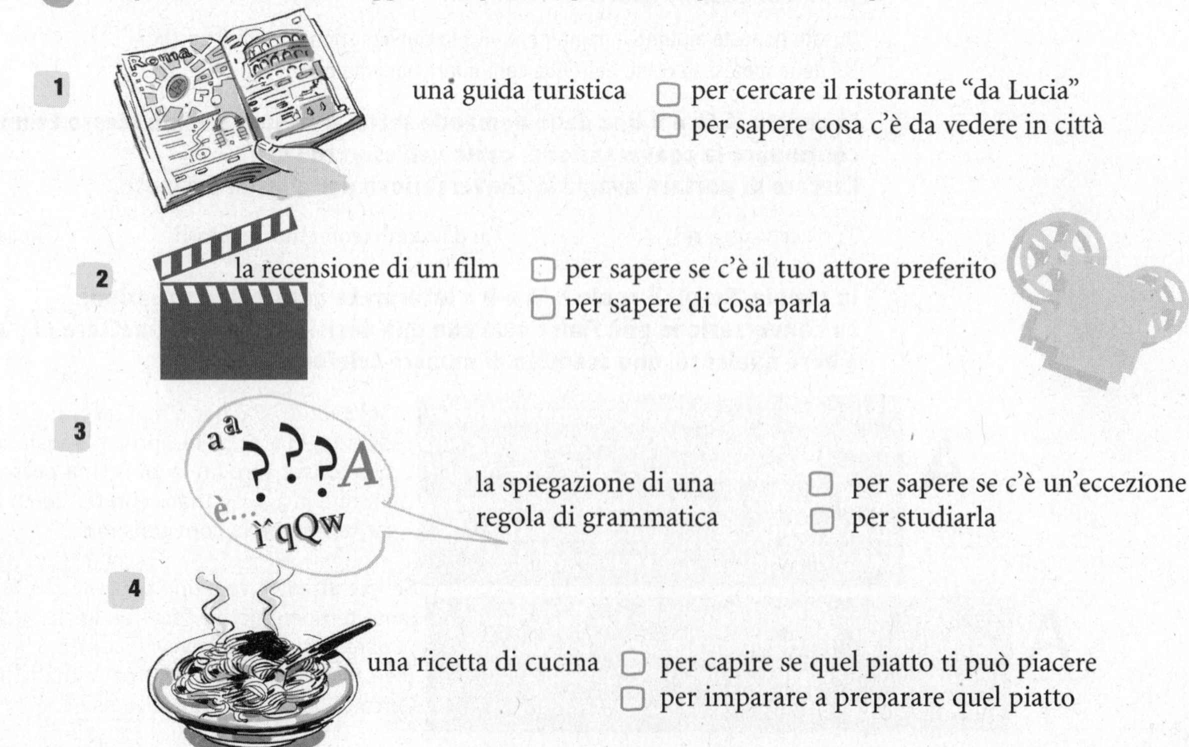

1 una guida turistica
- ☐ per cercare il ristorante "da Lucia"
- ☐ per sapere cosa c'è da vedere in città

2 la recensione di un film
- ☐ per sapere se c'è il tuo attore preferito
- ☐ per sapere di cosa parla

3 la spiegazione di una regola di grammatica
- ☐ per sapere se c'è un'eccezione
- ☐ per studiarla

4 una ricetta di cucina
- ☐ per capire se quel piatto ti può piacere
- ☐ per imparare a preparare quel piatto

Tipi di lettura e compiti

2

a Rifletti sulla lettura insieme ad alcuni compagni.

- Perché leggere aiuta a imparare una lingua straniera?
- Per capire un testo, è necessario conoscere e capire tutte le parole?
- In base a quali indicazioni scegli il tipo di lettura da usare per i testi presentati nelle unità?

Quando leggi per fare un esercizio o un test di comprensione, il tipo di domande o il compito che devi svolgere ti guidano nella scelta del modo di leggere. Quindi, per rispondere correttamente, non è necessario capire tutto, ma solo trovare le risposte che ti servono utilizzando le strategie più efficaci.

b In coppia. Osservate le attività proposte in queste letture tratte dalle prime tre unità:

AFS Intercultura (U1, p. 4) | *E il ladro resta in mutande* (U2, p. 11)
Fatti di cronaca (U2, p. 22 del manuale) | *Festival dell'aquilone* (U3, p. 22)

Provate a individuare lo scopo degli esercizi collegati ai diversi testi e indicate almeno una strategia che vi sembra adatta a svolgere il compito, come nell'esempio sotto.

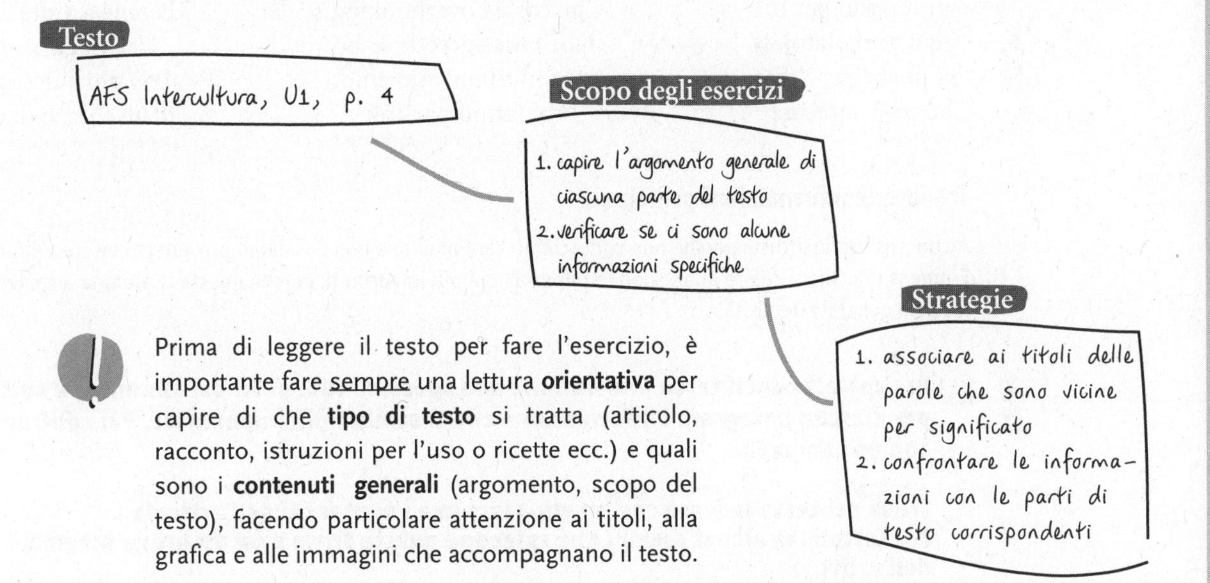

Prima di leggere il testo per fare l'esercizio, è importante fare sempre una lettura **orientativa** per capire di che **tipo di testo** si tratta (articolo, racconto, istruzioni per l'uso o ricette ecc.) e quali sono i **contenuti generali** (argomento, scopo del testo), facendo particolare attenzione ai titoli, alla grafica e alle immagini che accompagnano il testo.

Rispondere correttamente alle domande di un esercizio è importante, ma leggere è molto più di questo. Perché la lettura sia un modo efficace per imparare l'italiano, è importante stabilire degli obiettivi e riflettere su quello che si è imparato leggendo, che può essere diverso per ciascuno di noi.

Ecco qualche esempio di riflessione che puoi fare alla fine di ogni lettura.
Prova ad aggiungerne altre.

- Ho indovinato il significato di parole nuove? Come?
- Ho rivisto delle regole di grammatica che non ricordavo?
- Ho scoperto qualcosa di nuovo sull'Italia e gli italiani?
- Altro: ______________________

Per migliorare la capacità di leggere è importante anche aumentare la **velocità di lettura**. Chiedi all'insegnante di stabilire un tempo per leggere i testi e sforzati di rispettarlo.

Leggere testi "difficili"

Pensa ai testi che hai letto durante il corso.
Perché alcuni testi ti sono sembrati più difficili di altri?

Perché non conoscevo l'argomento ____________ ____________

____________ ____________

Prevedere i contenuti

Anche gli italiani trovano difficili alcuni testi, in particolare quelli che sono scritti in un linguaggio molto formale o burocratico, come per esempio il testo *E se il viaggio va male?* (U3, es. 6, p. 23).
Per capire questo tipo di documenti è importante imparare a fare delle domande, a interrogare il testo partendo dalle conoscenze che già abbiamo.

3

a In coppia. Leggete la consegna e i titoli dei paragrafi e provate a immaginare l'argomento di ogni paragrafo aiutandovi con le domande suggerite.

Mancata partenza	**Overbooking risarcito**	**Bagaglio smarrito**
Se non parto per un viaggio prenotato, da cosa può dipendere? Che cosa succede?	Che cos'è l'overbooking? Che cose succede se ho prenotato un volo e non mi fanno partire?	Perché a volte le valigie dei viaggiatori non arrivano a destinazione? Che cosa si deve fare?

Trovare le informazioni principali

Alcuni testi sono difficili perché non conosciamo l'argomento e non possiamo prevedere che cosa diranno.
È importante allora capire quali sono le informazioni più importanti, perché queste ci aiutano a comprendere il senso generale del testo.

b In coppia. Leggi il testo *Una nazione allo specchio* (U6, p. 96 del manuale) e sottolinea per ciascun paragrafo l'informazione che ti sembra più importante. Poi confrontati con un compagno.

**Trova nel testo la frase che meglio riassume i contenuti dell'articolo.
Poi sottolinea alcuni esempi che spiegano questa frase e fai un breve schema dell'articolo.**

Riflettere dopo la lettura

Ecco alcune domande che possono aiutarti a riflettere sulle tue difficoltà nella lettura per migliorare il tuo modo di leggere.

- Ho capito il testo che ho letto
  - ☐ bene
  - ☐ abbastanza bene
  - ☐ poco

- Come ho letto il testo?
  - ☐ ho letto il testo velocemente e poi ho cercato le informazioni richieste
  - ☐ ho letto lentamente riga per riga sottolineando le informazioni più importanti
  - ☐ ho letto il testo cercando di capire bene tutte le parole
  - ☐ altro ____________

- Cosa ho trovato più difficile?
  - ☐ capire l'argomento in generale
  - ☐ capire il significato di alcune parole
  - ☐ trovare le informazioni richieste dall'esercizio
  - ☐ altro ____________

- Come ho affrontato queste difficoltà?
  - ☐ ho confrontato diverse parti del testo
  - ☐ ho sottolineato
  - ☐ ho usato il dizionario
  - ☐ altro ____________

strategie

Scrivere

La scrittura è un compito complesso che occorre pianificare e affrontare con metodo.

1

a **Leggi queste affermazioni su cosa si fa quando si scrive e scegli quelle che per te sono valide. Poi confrontati con la classe.**

1. Comincio subito a scrivere.
2. Prima di scrivere analizzo che tipo di testo devo scrivere.
3. Prima di scrivere metto a fuoco a chi devo scrivere e per quale scopo.
4. Raccolgo le idee con una scaletta.
5. Decido in quante parti o paragrafi strutturare il mio testo.
6. Scrivo una prima bozza e rivedo se c'è tutto e se è tutto chiaro.
7. Quando ho finito non rileggo perché ho già riletto dopo la scrittura di ogni paragrafo.
8. Alla fine rileggo il testo almeno due volte per controllare la grammatica, l'ortografia e la punteggiatura.
9. Alla fine rileggo il testo usando una lista di controlli che trovo utile fare.

Prima di scrivere

2

a **Prima di scrivere è importante farsi sempre queste tre domande.**

1. A CHI scrivo? 2. PERCHÉ scrivo? 3. CHE COSA voglio comunicare?

b **In gruppo. Confrontatevi sui metodi che si possono usare per** raccogliere le idee o le informazioni necessarie **prima di cominciare a scrivere.**
Poi scegliete uno dei compiti di scrittura che trovate nel box e stendete uno schema o una scaletta delle cose che volete dire.

Es.: Lettera di richiesta di informazione a una scuola di lingue (U1)

COMPITI DI SCRITTURA

1. e-mail in cui racconto del nuovo corso di italiano che sto frequentando (U1);
2. articolo di cronaca (U2);
3. e-mail per dare suggerimenti su come trascorrere un fine settimana nella mia città (U3);
4. racconto della notte in cui mi sono divertito di più (U4);
5. lettera di presentazione per un lavoro che ho trovato su un annuncio (U5).

c **Facendo riferimento al compito di scrittura che avete scelto, riflettete sul tipo di testo che state per scrivere. Fate una lista delle caratteristiche di quel genere testuale e degli aspetti che dovete tenere sotto controllo mentre scrivete.**

Es.: Lettera di richiesta di informazioni a una scuola di lingue (U1)

Lettera formale	# formule di apertura e chiusura formali pronomi alla 2ª persona di cortesia (Lei)
chiedere informazioni	# in modo gentile, con il condizionale
lessico	# durare, costare, al giorno, alla settimana, corso intensivo, scadenza per l'iscrizione, modalità di pagamento, alloggio ecc.

Per certi tipi di testo è necessario anche organizzare come e in quante parti strutturare il testo.

Es.: Lettera di richiesta d'informazioni:
- formula di apertura
- presentazione di sé
- richiesta di informazioni
- formula di chiusura
- proprio indirizzo

d **In gruppo. Riprendete il compito di scrittura su cui avete già lavorato e provate a organizzarlo in paragrafi.**

Dopo aver scritto

3

a **In gruppo. Riprendete il compito di scrittura su cui avete già lavorato ai punti b, c, d e fate una lista di controlli per rivedere e correggere il vostro testo.**
Poi scrivete una lista di controlli grammaticali che possono essere usati per qualsiasi testo.

Es.: Lettera di richiesta di informazioni a una scuola di lingue

1. Ho usato il *Lei* in tutta la lettera?
2. Ho scritto con lo scopo che avevo fissato (chiedere informazioni)?
3. Ho scritto tutte le idee che avevo raccolto?
4. Ho cominciato la lettera con *Gentile Signor, Spett. Scuola...*?
5. Ho finito la lettera con i saluti?

La correzione degli errori

Analizzare gli errori che si fanno più spesso è utile per poterli tenere presenti quando si scrive e quando si rileggono i compiti di scrittura prima di consegnarli.

b **In coppia. Siete in grado di stendere una lista degli errori più tipici e ricorrenti che fate quando scrivete?**

c **In piccoli gruppi. Discutete su queste opinioni di alcuni studenti relative alla modalità di correzione degli errori.**

1. La correzione più utile è l'auto-correzione perché trovo gli errori che sono in grado di correggere.
2. Io preferisco che gli errori me li corregga l'insegnante, così sono sicuro della correzione.
3. È utile scambiarsi i compiti con un compagno perché è più facile trovare errori nel lavoro di altri.
4. Ho sperimentato e trovato molto utile questa modalità: l'insegnante sottolinea l'errore e lo sigla; io con l'aiuto della sua indicazione provo a correggerlo e lei fa poi il controllo finale.

c **A classe intera. Osservate questa classificazione degli errori e correggeteli.**

esempio di errore	classificazione dell'errore	sigla
Il albergo è grande (____ albergo è grande.) È una città interessanta. (È una città ____________ .) Carla anda dal dentista. (Carla ____________ dal dentista.)	Morfologia (accordi, desinenze)	M
Anche viene Daniela. (________________) Vuoi mi visitare a Bergamo? (____________ a Bergamo?)	Sintassi (ordine delle parole)	S
Il trafico e caotico. (Il ______________ caotico.)	Ortografia	O
Domani io guido al lago di Garda. (Domani ____________________ al lago di Garda.)	Lessico (scelta delle parole)	L
Oggi ✓ nostro corso è finito e io sono triste. (Oggi ____ nostro corso è finito e io sono triste.)	Omissione (manca un elemento)	✓
Ieri ho andato in Questura. (Ieri _____ andato in Questura.)	Ausiliare *essere* o *avere* per formare i tempi composti	AUX
Studiavo l'italiano per due anni. (________ l'italiano per due anni.)	Scelta dei tempi verbali (es.: passato prossimo vs. imperfetto)	T
Penso che è interessante fare una vacanza all'estero. (Penso che __ interessante fare una vacanza all'estero.)	Scelta dei modi (es.: indicativo, congiuntivo)	MOD
Sono andata di trovare i nostri amici. (Sono andata ___ trovare i nostri amici.)	Scelta delle preposizioni	PREP
Hai scritto a Mario? Sì, l'ho scritto ieri. (Sì, ____ ho scritto ieri.)	Uso dei pronomi personali	PRO
Esco perché piove. (Esco ____________ piove.)	Uso dei connettivi (congiunzioni) (es.: *perché*, *quindi*, *ma*)	CONN
Il mio cane che si chiama Lillo, è scappato. (Il mio cane che si chiama Lillo è scappato.)	Uso della punteggiatura (. , : ;)	P

d **Leggi questa lettera di lamentela a un'agenzia di viaggi scritta da uno studente straniero. Correggi gli errori sottolineati aiutandoti con la sigla.**

Spettabile Agenzia di viaggi [P]

Mi permetta di dirle che il veggie [O] che era stato organizzato per il giorno 12 luglio 2006 non è andato a buon fine per i viaggiatore [M].

Prima di tutto spero di non delungarmi [O] e di entrare subito nel discorso, sperando che lei capisca ciò che era accaduto [T]. La puntamento [O] per il veggie [O] era previsto alle ore 8:45 in via Metaponto n 6 ✓ partensa [O] per Napoli. è succeso che sono passati [M] 4 ore e non era venuto [T / L] nessun accompagnatore. Naturalemente [O] noi participanti [O] siamo ritornati alla genzia [O] e non abbiamo trovato nessuno per chiedere degli [M] informazione [M]. Allora noi chiediamo ✓ rimborso dei capitali [L] pagati per il viaggio e in piu [O] la [PRO] chiediamo il pagamento dei danni.

Attendo le vostre spiegazione [M].

Distinti saluti [P]
Amos Holm

(da Azimut, Università di Bergamo - CIS)

Hai trovato utile questa modalità di correzione? Hai qualche suggerimento?

sintesi

Sintesi grammaticale

IL GRUPPO NOMINALE

	articoli	MASCHILE nomi	aggettivi
singolare	il	pomodoro pane	saporito naturale
	lo	zucchino	
	l'	asparago	
plurale	i	pomodori pani	saporiti naturali
	gli	zucchini asparagi	

	articoli	FEMMINILE nomi	aggettivi
singolare	la	mela carne	saporita naturale
	l'	anguria	
plurale	le	mele angurie carni	saporite naturali

L'ARTICOLO

L'articolo determinativo

L'articolo maschile *lo* (plurale *gli*) si usa con i nomi maschili che iniziano con:
s + consonante (*lo* ***st**udente*), *z-* (*lo* ***z**io*), *ps-* (*lo* ***ps**icologo*), *gn-* (*lo* ***gn**omo*), *y-* (*lo* ***y**ogurt*).

Gli articoli singolari *lo* e *la* perdono la vocale e diventano *l'* davanti ai nomi singolari che iniziano con vocale: *l'**a**mico*, *l'**a**mica*.

L'articolo indeterminativo

maschile	femminile
un amico, un tavolo	una sedia
uno zio	un'amica

Uso L'articolo maschile *uno* si usa con i nomi maschili che iniziano con:
s + consonante (*uno* ***st**udente*), *z-* (*uno zio*), *ps-* (*uno* ***ps**icologo*), *gn-* (*uno* ***gn**omo*), *y-* (*uno yogurt*).

L'articolo indeterminativo non ha plurale; in genere per il plurale si usa il partitivo (*dei*, *degli*, *delle*):

*Ho comprato **un** giornale.* → *Ho comprato **dei** giornali.*

! L'articolo indeterminativo introduce nel discorso un elemento <u>nuovo</u>, mentre l'articolo determinativo riprende un elemento già <u>noto</u>:

*Nel cortile c'è **un** bambino. **Il** bambino sta giocando a palla.*

L'articolo determinativo può indicare anche una classe di nomi:
Il *cane è il miglior amico dell'uomo (il cane = tutti i cani).*

Con i nomi geografici in genere:

- non si usa l'articolo con i nomi di città: *Roma, Milano, Venezia*
- si usa l'articolo:
  - con i nomi di montagne (*le Alpi*), laghi (*il Garda*), fiumi (*il Po, l'Adige*)
  - con i nomi di continenti (*l'Asia, l'Europa*), Stati (*la Francia, il Portogallo*), regioni (*il Lazio, la Campania*) e grandi isole (*la Sicilia, le Filippine*).

IL NOME

Genere

I nomi in *-o* (plurale *-i*) sono generalmente maschili (*il libro, i libri*).

Alcune eccezioni: *la mano/le mani, la foto/le foto, la moto/le moto.*

I nomi in *-a* (plurale *-e*) sono generalmente femminili (*la penna, le penne*).

Alcune eccezioni: *il problema/i problemi, il panorama/i panorami, il poeta/i poeti, il papa/i papi.*

I nomi in *-e* (plurale *-i*) possono essere maschili e/o femminili: *il registratore, la televisione, il/la cantante.*

Alcuni nomi maschili in *-e* formano il femminile in *-a* (*l'infermiere/l'infermiera, il signore/la signora*).
Alcuni nomi in *-a* sono maschili e femminili (*il/la collega, il/la pianista, il/la pediatra, l'artista*).
I nomi maschili che indicano attività e professioni spesso formano il femminile con:

- il suffisso *-essa*:
  lo studente → la studentessa, il professore → la professoressa
- il suffisso *-trice* (se il maschile termina in *-tore*):
  attore → attrice, spettatore → spettatrice

Numero

I nomi maschili in *-o* formano il plurale in *-i*; i nomi femminili in *-a* formano il plurale in *-e.*

I nomi maschili e femminili in *-e* formano il plurale in *-i*: *i registratori, le televisioni, i cantanti.*

I nomi maschili in *-a* formano il plurale in *-i*: *i problemi.*

I nomi in *-co/-ca* e *-go/-ga* terminano generalmente in *-chi/-che* e *-ghi/-ghe*: *fico/fichi, banca/banche; albergo/alberghi, paga/paghe.*

Alcuni nomi in *-co* terminano in *-ci*: *amico/amici, traffico/traffici* ecc.

I nomi in *-cia/-gia*:

- mantengono la *i* anche al plurale:
  - se l'accento è sulla *i* (*farmacia/farmacie*)
  - se la *c* e la *g* sono precedute da vocale (*ciliegia/ciliegie*)
- perdono la *i*:
  - se la *c* e la *g* sono precedute da consonante (*spiaggia/spiagge*)

Alcuni nomi di parti del corpo hanno il singolare al maschile e il plurale al femminile:
il braccio/le braccia, il ginocchio/le ginocchia.

Alcuni nomi al plurale restano invariati:
la/le città, il/i caffè, il/i re, il/i cinema, la/le moto, il/i film, il/i week-end.

Alcuni nomi si usano solo al plurale:
i pantaloni, gli occhiali, le forbici.

L'AGGETTIVO QUALIFICATIVO

	maschile	femminile
singolare	bello	bella
	facile	
plurale	belli	belle
	facili	

Gli aggettivi qualificativi si accordano in genere e numero con i nomi a cui si riferiscono. La formazione di genere e numero segue le regole di flessione del nome.

Gli aggettivi in *-e* sono maschili e femminili e formano il plurale in *-i*:
la ragazza/il ragazzo cinese; i ragazzi/le ragazze cinesi.

Quando l'aggettivo si riferisce a nomi di genere diverso, normalmente si accorda al maschile:
le ragazze e i ragazzi italiani.

Alcuni aggettivi di colore restano invariati in genere e numero (*blu, rosa, viola, marrone*):
un cappotto viola, due maglie viola.

Gli aggettivi in *-co* e *-go* terminano generalmente in *-chi* e *-ghi*:
bianco/a - bianchi/bianche; largo/a - larghi/larghe.

Alcuni aggettivi in *-co* terminano in *-ci*: *simpatico/a - simpatici/simpatiche*

I gradi dell'aggettivo

Con l'aggettivo qualificativo esprimiamo non solo la qualità, ma anche il grado della qualità:
bello, più bello, bellissimo

Il comparativo

Generalmente si usa *più/meno* + aggettivo + **di** per comparare, cioè confrontare, due nomi (o pronomi) rispetto a una qualità:

la mia maglietta	è	*più* / *meno*	corta	della	tua
Marcello			ricco	di	Giulio
lui			elegante	di	te

Generalmente si usa *più/meno* + aggettivo + **che** per comparare:

- aggettivi: *Il tavolo è più largo che lungo.*
- verbi: *Sciare è più divertente che camminare.*
- avverbi o espressioni di luogo: *La musica si sente meglio qui che là. / Il vino costa più in Italia che in Belgio.*
- nomi o pronomi con preposizione: *Il teatro piace più a mia moglie che a me. / Parla più con me che con te.*
- numeri e quantità (con nomi): *In Italia ci sono più anziani che bambini.*

Per esprimere **uguaglianza** si usa generalmente *come* (o *quanto*):
La mia maglietta è corta come (quanto) la tua. / Il vino in Italia costa come in Belgio.

Il superlativo relativo

Se la comparazione è tra un elemento e un gruppo di elementi, si usa:

(articolo + nome) *più/meno* + aggettivo: *È il libro più bello di Tabucchi.*

(articolo) *più/meno* + aggettivo: *È il più bel libro di Tabucchi.*

Il superlativo assoluto

Se non c'è comparazione, ma si vuole esprimere il massimo grado di quella qualità, si usa il suffisso *-issimo/a/i/e*:
è un libro bellissimo, è una ragazza altissima.

Comparativi e superlativi con due forme

Alcuni aggettivi formano il comparativo e il superlativo da una radice diversa:

aggettivo	comparativo	superlativo relativo	assoluto
buono	più buono → migliore	il migliore	ottimo
cattivo	più cattivo → peggiore	il peggiore	pessimo
grande	più grande → maggiore	il maggiore	massimo
piccolo	più piccolo → minore	il minore	minimo
alto	più alto → superiore	il superiore	supremo
basso	più basso → inferiore	l'inferiore	infimo

Non si possono usare forme "miste"! (es. ~~più migliore/più ottimo/ottimissimo~~)

AGGETTIVI E PRONOMI POSSESSIVI

(io)	(tu)	(lui/lei/Lei)	(noi)	(voi)	(loro)	
il mio	il tuo	il suo	il nostro	il vostro	il loro	**vestito**
la mia	la tua	la sua	la nostra	la vostra	la loro	**giacca**
i miei	i tuoi	i suoi	i nostri	i vostri	i loro	**pantaloni**
le mie	le tue	le sue	le nostre	le vostre	le loro	**scarpe**

In italiano gli aggettivi e i pronomi possessivi si accordano con il numero e il genere della cosa posseduta:
È la sua casa (*di Mario/di Paola/del sig. Bianchi*).

Il pronome e aggettivo di 3ª persona plurale è invariabile:
il loro vestito, la loro giacca.

Normalmente gli aggettivi possessivi si usano con l'articolo: *la mia scuola*, *i miei amici.*

Con i nomi di parentela si usano:

- senza articolo:
  generalmente quando il nome è singolare: *mio padre, tua cugina*
- con l'articolo:
  - quando il nome singolare di parentela è qualificato da altri aggettivi o suffissi: *la mia sorella maggiore, la tua cugina preferita, il mio nonno paterno, la tua sorellina*
  - quando il nome è plurale: *i suoi fratelli, i tuoi cugini*
  - con l'aggettivo di 3ª persona plurale: *il loro fratello, i loro zii*

I pronomi possessivi hanno la stessa forma degli aggettivi possessivi e si usano sempre con l'articolo: *Questo è mio fratello, il tuo dov'è?*

AGGETTIVI E PRONOMI DIMOSTRATIVI

	maschile	femminile
questo	questo-questi	questa-queste
quello	quello-quelli *	quella-quelle

Questo indica vicinanza a chi parla, *quello* indica lontananza da chi parla:
È tuo questo libro? No, il mio è quello sulla scrivania

* Gli aggettivi e i pronomi dimostrativi hanno la stessa forma di base, ma l'aggettivo *quello* modifica la desinenza seguendo le regole dell'articolo determinativo:
*Non voglio mettere **quei** pantaloni, preferisco **quelli**.*

***il** tavolo → **quel** tavolo*
***lo** zaino → **quello** zaino*
***l'**albero → **quell'**albero*
***la** tenda → **quella** tenda*
***l'**amaca → **quell'**amaca*

***i** maglioni → **quei** maglioni*
***gli** scarponi → **quegli** scarponi*
***le** magliette → **quelle** magliette*

AGGETTIVI E PRONOMI INDEFINITI

Gli indefiniti indicano oggetti, persone o quantità non specificate. Alcuni hanno la funzione di aggettivi e pronomi, altri sono solo aggettivi o solo pronomi.

aggettivi e pronomi	aggettivi	pronomi
alcuno/a/i/e	qualche	qualcuno
altro/a/i/e	qualunque/qualsiasi	qualcosa
ciascuno/ciascuna	ogni	niente
nessuno/nessuna		ognuno/ognuna
tutto/a/i/e		chiunque
poco/a/i/e		
molto/a/i/e		
tanto/a/i/e		
troppo/a/i/e		

Aggettivi e pronomi

- **alcuno/a/i/e**: *Ci sono alcune cose da fare.*
  Hanno preso tutti i fogli per scrivere, ne restano solo alcuni.

! Se la frase è negativa l'aggettivo *alcuno*, usato al singolare, ha lo stesso significato di *nessuno*:
Non ho alcuna voglia di uscire.
In questo caso, se precede il nome segue le forme dell'articolo indeterminativo:
Ho deciso, non ho più alcun dubbio.

- **altro/a/i/e**: *Vorrei un altro biscotto. Mi spiace, sono finiti, non ce ne sono altri.*
- **ciascuno/ciascuna** (solo singolare, segue le forma dell'articolo indeterminativo):
  Distribuisci una caramella a ciascun bambino. (ciascuno = ogni)
  Ciascuno sa che cosa è meglio per sé. (ciascuno = ogni persona)
- **nessuno/nessuna** (solo singolare, quando è aggettivo segue la forma dell'articolo indeterminativo): *Non c'è nessun divieto.*

! *Nessuno* è usato con la negazione:
Non ho nessun amico in questa città. / Non mi ha telefonato nessuno.
Solo se ha la funzione di soggetto e viene messo prima del verbo si usa senza la negazione:
Nessuno mi ha telefonato. / Nessun bambino ha visto quel film.

- **tutto/a/i/e**: *Ho visto tutto il film. / Tutti devono iscriversi all'esame.*

! Quando è aggettivo è seguito dall'articolo determinativo: *Ho mangiato tutta la torta.*

- **poco/a/i/e, molto/a/i/e, tanto/a/i/e, troppo/a/i/e**:
  Parto tra pochi giorni.
  Non esco, ho troppe cose da fare.
  Basta cioccolatini: me ne hanno regalati molti per Natale e ne ho mangiati troppi.

! *Poco, molto, tanto, troppo* possono essere anche avverbi. In questo caso sono invariabili:
Sono stanco, ho lavorato troppo. / Questo posto mi piace molto/poco.

Solo aggettivi

Sono invariabili e usati solo alla forma singolare.

- **qualche**: *Vado al mare per qualche giorno.* (qualche giorno = alcuni giorni)
- **qualunque/qualsiasi**: *Mi piace qualsiasi genere di musica.* (non importa quale)
- **ogni**: *Ogni volta che esco dimentico qualcosa.* (ogni volta = tutte le volte)

Solo pronomi

Sono usati solo alla forma singolare.

- **qualcuno** (= una persona): *Qualcuno ha suonato.*
- **qualcosa** (inv.): *Prendi qualcosa da bere?*
- **niente/nulla**: *Niente potrà farmi cambiare idea.*

! Come *nessuno*, *niente* è usato con la negazione:
Preferisco non bere niente. / Non è stato ancora deciso niente.
Se ha la funzione di soggetto e si trova prima del verbo si usa senza la negazione:
Niente è stato ancora deciso. / Niente potrà farmi cambiare idea.

- **ognuno/ognuna** (= ogni persona): *Ognuno deve scrivere qui il suo indirizzo.*
- **chiunque**: *Chiunque può entrare: la porta è sempre aperta.*

I PRONOMI PERSONALI

I pronomi personali sostituiscono un nome e si usano con riferimento a persone, animali e cose.

I pronomi personali soggetto

		singolare	plurale
1ª persona		io	noi
2ª persona		tu	voi
3ª persona	maschile	lui*	loro*
	femminile	lei*	

* I pronomi di 3ª persona hanno anche le forme *egli/ella* e *esso/a/i/e* che non sono più usate nella lingua parlata, mentre possono essere usate nello stile formale o letterario.

Il pronome soggetto è quasi sempre implicito, perché la desinenza del verbo indica la persona (parl-***o*** = io parlo); viene però espresso quando si vuole mettere in rilievo il soggetto (per contrasto o quando non c'è il verbo):

Io e mio marito non usciamo mai insieme: io esco alle 7, lui esce alle 7:30.
Io vengo da Roma, loro da Bari.
Chi è stato? Lui.
Non l'ho detto io, l'hanno detto loro.

I pronomi personali complemento (forme atone)

	pronomi diretti		pronomi indiretti	
	I pronomi diretti si usano con i verbi transitivi e sostituiscono un complemento oggetto diretto (*chi? che cosa?*).		I pronomi indiretti si usano con i verbi intransitivi e transitivi e sostituiscono un complemento indiretto (*a chi?*).	
(io)	**mi**	*Paolo **mi** invita al suo matrimonio.*	**mi**	*Paolo **mi** telefona stasera.*
(tu)	**ti**	***Ti** invito al mio matrimonio.*	**ti**	***Ti** telefono stasera.*
(Lei di cortesia)	**La**	*Signor Rossi, **La** invito al mio matrimonio.*	**Le**	*Signor Rossi, **Le** telefono stasera.*
(lui)	**lo**	*Se vedo Mario, **lo** invito.*	**gli**	*Se non vedo Mario, **gli** telefono.*
(lei)	**la**	*Se vedo Maria, **la** invito.*	**le**	*Se non vedo Maria, **le** telefono.*
(noi)	**ci**	*Paolo **ci** invita al suo matrimonio.*	**ci**	*Paolo **ci** telefona stasera.*
(voi)	**vi**	*Paolo **vi** invita al suo matrimonio.*	**vi**	*Paolo **vi** telefona stasera.*
(loro)	**li**	*Se vedo Mario e Ugo, **li** invito.*	**gli**	*Se non vedo Mario e Ugo, **gli** telefono* (telefono loro*)
	le	*Se vedo Ada e Maria, **le** invito.*	**gli**	*Se non vedo Ada e Maria, **gli** telefono* (telefono loro*) *stile formale e uso scritto

accordo con participio passato	
Con i tempi composti **si deve accordare il participio passato** con i pronomi diretti.	Con i tempi composti **non si accorda il participio passato** con i pronomi indiretti.
*L'ho invitat**o** al mio matrimonio. (Mario)*	*Gli ho telefonat**o**. (a Mario)*
*L'ho invitat**a** al mio matrimonio. (Maria)*	*Le ho telefonat**o**. (a Maria)*
*Li ho invitat**i** al mio matrimonio. (Mario e Ugo)*	*Gli ho telefonat**o**. (a Mario e a Ugo)*
*Le ho invitat**e** al mio matrimonio. (Ada e Maria)*	*Gli ho telefonat**o**. (ad Ada e a Maria)*

Forme toniche

	singolare	plurale
1ª persona	me	noi
2ª persona	te	voi
3ª persona maschile	lui	loro
3ª persona femminile	lei	loro

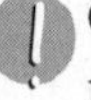
Questi pronomi sono usati per altri complementi indiretti (preceduti da preposizione) o per mettere in rilievo il pronome:

*Vieni in macchina con **me** o con **lui**?*
*È a **lui** che ho prestato il cd di Battiato.*
*Cercano **te**, non **me**.*
*Vengo anch'**io**.*

I pronomi combinati (doppi)

DIRETTI / INDIRETTI	mi	ti	gli /le/Le	ci	vi
lo	me lo	te lo	glielo	ce lo	ve lo
la	me la	te la	gliela	ce la	ve la
li	me li	te li	glieli	ce li	ve li
le	me le	te le	gliele	ce le	ve le
ne	me ne	te ne	gliene	ce ne	ve ne

I pronomi combinati di terza persona si scrivono come una sola parola: *gli-**e**-lo / gli-**e**-la / gli-**e**-ne*:
Chi porta i fiori alla mamma? Glieli porto io.

La forma *gli* è usata sia per il maschile che per il femminile e con la forma di cortesia:
*È il compleanno di Piera: **le** regalo un libro, **glielo** compro oggi.*
*Signora Bianchi, **Le** faccio una fotocopia, **gliela** faccio subito.*

Con i pronomi combinati il participio passato si accorda con il pronome diretto:
*Hai preparato tu la merenda ai bambini? Sì, **gliel'**ho preparat**a** (**la** merend**a**) io.*

Il pronome CI

Il pronome **ci** sostituisce:
- un complemento di luogo:
Vai spesso al cinema? Sì, ci vado una volta alla settimana.
- un complemento indiretto, generalmente introdotto dalla preposizione *a*:
Pensi ancora a Cecilia? Sì, ci penso sempre.
Conti su Ettore per il trasloco? Sì, ci conto, ha detto che mi aiuterà.

Ci può sostituire una proposizione:
Hai vinto 1000 euro? Non ci credo! (*ci* = a questo)
Hanno detto che mi aumenteranno lo stipendio: ci conto! (*ci* = su questo)

Il pronome NE

Il pronome **ne** si usa:

- come pronome partitivo per indicare una quantità:
Vuoi delle caramelle? Sì, ne prendo una. No, non ne mangio mai. No, ne ho già mangiate molte. (È obbligatorio indicare la quantità: ~~*Sì, ne prendo*~~.)
Con *tutto/a/i/e* si usano i pronomi diretti *lo/la/li/le: Sì, le prendo tutte.*

- per sostituire un complemento indiretto introdotto dalla preposizione **di**.
Bruno parla spesso di sport? No, non ne parla mai.
Ne può sostituire una proposizione:
Sai qualcosa della riunione che c'è stata ieri sera? No, non ne so niente. (ne = di questo)

Con il participio passato il *ne* partitivo si comporta come un pronome diretto, cioè il participio passato si accorda con il nome a cui *ne* si riferisce:
Hai letto i libri di Camilleri? Sì, ne ho letti due.

La posizione dei pronomi

I pronomi diretti, indiretti e combinati si usano in genere PRIMA del verbo:
*Hai fatto tu questa torta? No, **l'**ho comprata.*
*Se ti presto l'auto, me **la** riporti domani?*

Si usano DOPO il verbo:

- con l'imperativo affermativo alla 2ª persona singolare e plurale e alla 1ª persona plurale:

C'è un cagnolino! *Porta**lo** in casa!* *Portate**melo** in casa!* *Portiamo**lo** in casa!*

Con i verbi irregolari *andare, dare, dire, fare, stare* alla 2ª persona singolare si raddoppia la consonante iniziale del pronome, ma non c'è raddoppiamento con il pronome *gli*.

*Si scivola, **dammi** la mano. **Dammela** subito, altrimenti cadi!*
*Quando vedi Claudia, **dille** di telefonarmi. **Diglielo** gentilmente!*

Con la 3ª persona di cortesia (Lei) il pronome va sempre prima del verbo.

*C'è un cagnolino. **Lo** porti in casa / Non **lo** porti in casa.*

- con l'imperativo negativo, il pronome si può mettere prima o dopo il verbo:

*Non parlar**gli**!* *Non **gli** parlare!*
*Non dir**glielo**!* *Non **glielo** dire!*

- con il verbo all'infinito:

*È il compleanno di Marina. Vado a comprar**le** un regalo. (comprar~~e~~le)*

Quando il verbo all'infinito è preceduto da un verbo modale (*potere, dovere, volere, sapere*), il pronome può essere usato anche prima del verbo modale.

*Quel film è molto triste. Non voglio veder**lo**! Non **lo** voglio vedere!*

- con il verbo al gerundio:

*È un bel libro: leggendo**lo** scoprirai cose molto interessanti.*
*Pur avendo**lo** visto, non ricordo niente di quel film.*

I PRONOMI RELATIVI

I pronomi relativi sostituiscono un nome (o un pronome personale) mettendo in relazione due frasi.
Ho visto il professore /Il professore entrava in classe → *Ho visto il professore* ***che*** *entrava in classe.*

invariabili	variabili *	
che	il quale	i quali
cui	la quale	le quali
chi	(*si accorda in genere e numero con il nome a cui si riferisce)	

- **che** può essere usato come soggetto o come complemento oggetto:

  Ho conosciuto una ragazza ***che*** *vive in Groenlandia. / Hai letto il libro* ***che*** *ti ho prestato?*

- **cui** è preceduto da preposizione e si usa per tutti gli altri complementi:

  La città ***in cui*** *vivo è molto grande / Ho letto il libro* ***di cui*** *mi hai parlato. / È una persona* ***su cui*** *puoi contare.*

  Che e *cui* possono essere sostituiti dalle forme composte *il/la quale, i/le quali* in testi scritti e formali *(La città* ***nella quale*** *vivo...)* oppure quando i pronomi *che/cui* sono ambigui:
  Ho conosciuto il fratello della vicina di casa, ***il quale*** *ha accettato la mia proposta.*

- **chi** (= la persona/le persone che) vuole il verbo al singolare e non è mai preceduto da un nome perché è un pronome "doppio", cioè unisce le funzioni di due pronomi diversi:

  C'è ***chi*** (= qualcuno che) *pensa che sia giusto fare così.*
  Chi (= la persona che) *rompe paga.*

IL VERBO

IL PRESENTE

	lavor-are	vend-ere	part-ire	fin-ire
io	lavor-o	vend-o	part-o	fin-isc-o
tu	lavor-i	vend-i	part-i	fin-isc-i
lui/lei/Lei	lavor-a	vend-e	part-e	fin-isc-e
noi	lavor-iamo	vend-iamo	part-iamo	fin-iamo
voi	lavor-ate	vend-ete	part-ite	fin-ite
loro	lavor-ano	vend-ono	part-ono	fin-isc-ono

Forme irregolari

ANDARE →	vado	vai	va	andiamo	andate	vanno
AVERE →	ho	hai	ha	abbiamo	avete	hanno
DARE →	do	dai	dà	diamo	date	danno
DIRE →	dico	dici	dice	diciamo	dite	dicono
DOVERE →	devo	devi	deve	dobbiamo	dovete	devono
ESSERE →	sono	sei	è	siamo	siete	sono
FARE →	faccio	fai	fa	facciamo	fate	fanno
POTERE →	posso	puoi	può	possiamo	potete	possono
RIMANERE →	rimango	rimani	rimane	rimaniamo	rimanete	rimangono
SALIRE →	salgo	sali	sale	saliamo	salite	salgono
SAPERE →	so	sai	sa	sappiamo	sapete	sanno
SCEGLIERE →	scelgo	scegli	sceglie	scegliamo	scegliete	scelgono
STARE →	sto	stai	sta	stiamo	state	stanno
SPEGNERE →	spengo	spegni	spegne	spegniamo	spegnete	spengono
TENERE →	tengo	tieni	tiene	teniamo	tenete	tengono
USCIRE →	esco	esci	esce	usciamo	uscite	escono
VENIRE →	vengo	vieni	viene	veniamo	venite	vengono
VOLERE →	voglio	vuoi	vuole	vogliamo	volete	vogliono

! Con i verbi in *-care*/*-gare* alla seconda persona singolare e alla prima persona plurale si aggiunge una *h* alla radice:

cercare → (tu) *cerchi* / (noi) *cerchiamo*
pagare → (tu) *paghi* / (noi) *paghiamo*

Con i verbi in *-ciare*/*-giare* alla seconda persona singolare e alla prima persona plurale si mette solo una *i*:

cominciare → (tu) *cominc-i*, (noi) *cominc-iamo*
mangiare → (tu) *mang-i*, (noi) *mang-iamo*

! Il tempo presente indica spesso anche azioni future:

Domani vado a Milano. / A settembre mi iscrivo all'università.

IL PARTICIPIO PASSATO

Il participio passato serve a formare i tempi composti.

infinito	participio passato
cerc-are	cerc-**ato**
vend-ere	vend-**uto**
usc-ire	usc-**ito**

Alcune forme irregolari

essere → *stato** *venire* → *venuto* *vivere* → *vissuto* *nascere* → *nato*

* Il participio di *essere* è uguale al participio di *stare*

-rto	
accorgersi	→ accorto
aprire	→ aperto
coprire	→ coperto
morire	→ morto
offrire	→ offerto

-sso	
discutere	→ discusso
mettere	→ messo
muovere	→ mosso
permettere	→ permesso
succedere	→ successo

-tto	
correggere	→ corretto
cuocere	→ cotto
dire	→ detto
fare	→ fatto
leggere	→ letto
rompere	→ rotto
scrivere	→ scritto
tradurre	→ tradotto

-nto	
aggiungere	→ aggiunto
piangere	→ pianto
spegnere	→ spento
vincere	→ vinto

-so	
accendere	→ acceso
chiudere	→ chiuso
correre	→ corso
decidere	→ deciso
dividere	→ diviso
offendere	→ offeso
perdere	→ perso
ridere	→ riso
scendere	→ sceso

-sto	
chiedere	→ chiesto
proporre	→ proposto
rimanere	→ rimasto
rispondere	→ risposto
vedere	→ visto

-lto	
raccogliere	→ raccolto
risolvere	→ risolto
rivolgere	→ rivolto
scegliere	→ scelto
togliere	→ tolto

IL PASSATO PROSSIMO

Il passato prossimo esprime fatti e azioni passate, puntuali e compiute.

Paolo è arrivato stamattina. *L'anno scorso sono andato in vacanza in Sicilia.*

È composto da

ausiliare *essere* o *avere* al presente + participio passato: *ho parlato, sono andato*

verbi con ausiliare AVERE		
io	ho	parlato venduto finito
tu	hai	
lui/lei/Lei	ha	
noi	abbiamo	
voi	avete	
loro	hanno	

verbi con ausiliare ESSERE		
io	sono	andato/a
tu	sei	
lui/lei/Lei	è	
noi	siamo	andati/e
voi	siete	
loro	sono	

! Se il verbo ha l'ausiliare *essere* bisogna accordare il participio passato con il soggetto.

*Mario è tornat**o** a casa.*
*Silvi**a** è tornat**a** a casa.*
***I** miei amic**i** sono tornat**i** a casa.*
***Le** mie amich**e** sono tornat**e** a casa.*

Avere o essere?

Il passato prossimo si forma con l'ausiliare ***avere*** se il verbo è transitivo, cioè può essere seguito dal complemento oggetto (chi? che cosa?):

Ieri ho incontrato Paola. *Ho perso le chiavi.*

Il passato prossimo si forma con l'ausiliare ***essere*** con quasi tutti i verbi intransitivi, cioè i verbi che sono seguiti da un complemento indiretto (a chi? dove? quando?):

Sono nato nel 1978. *Il film non mi è piaciuto.*
Ieri siamo andati in discoteca e ci siamo divertiti molto: siamo rimasti lì fino alle 3.

In particolare si usa il verbo *essere* con:

- i verbi riflessivi: *divertirsi, vestirsi, salutarsi, annoiarsi, conoscersi;*
- i verbi che indicano un cambiamento, una trasformazione: *nascere, morire, crescere, diventare, ingrassare, dimagrire;*
- i verbi che indicano stato in luogo: *essere, stare, rimanere, restare;*
- i verbi impersonali: *piacere, succedere, capitare, sembrare, durare, bastare, mancare, servire;*
- i verbi di movimento*: *andare, venire, partire, tornare, entrare, uscire, scendere, salire.*

*Fanno eccezione i verbi che indicano attività fisiche/sportive come per es. *ballare, sciare, nuotare, passeggiare, camminare, viaggiare, guidare* che vogliono l'ausiliare *avere*.

Alcuni verbi, (come *cominciare/finire, salire/scendere, girare, cambiare, aumentare/diminuire, vivere*) possono essere usati in modo transitivo (con l'ausiliare *avere*) o intransitivo (con l'ausiliare *essere*), a seconda del contesto o del significato:

Ieri sera ho finito di lavorare alle otto. *Il film è finito alle otto.*

L'IMPERFETTO

	studiare	vivere	sentire
(io)	studi-av-o	viv-ev-o	sent-iv-o
(tu)	studi-av-i	viv-ev-i	sent-iv-i
(lui/lei/Lei)	studi-av-a	viv-ev-a	sent-iv-a
(noi)	studi-av-amo	viv-ev-amo	sent-iv-amo
(voi)	studi-av-ate	viv-ev-ate	sent-iv-ate
(loro)	studi-av-ano	viv-ev-ano	sent-iv-ano

Forme irregolari

ESSERE: **ero**, eri, era, eravamo, eravate, erano
BERE: **bevevo**, bevevi, beveva, bevevamo, bevevate, bevevano
DIRE: **dicevo**, dicevi, diceva, dicevamo, dicevate, dicevano
FARE: **facevo**, facevi, faceva, facevamo, facevate, facevano

Uso L'imperfetto è un tempo del passato usato per:

- descrivere persone (stati fisici e psicologici), luoghi e condizioni generali; si usa tipicamente con verbi stativi, che non indicano un'azione ma uno stato, come *essere, avere, sapere, sembrare*: *era triste, aveva sonno, faceva freddo.*
- descrivere azioni in corso, azioni che durano, di cui non si vede l'inizio e la fine: *C'era una bella atmosfera, molti ragazzi giovani che ballavano e ridevano.*
- raccontare fatti passati che si ripetono con abitudine: *Quand'ero piccolo andavo al mare in Calabria. / Di sera uscivo sempre con i miei amici.*
- per fare richieste cortesi: *Volevo un litro di latte.*

PASSATO PROSSIMO O IMPERFETTO ?

Il passato prossimo e l'imperfetto si usano per parlare del passato: l'imperfetto ha un valore durativo ed è come una ripresa con la videocamera, in cui si vede l'azione in corso mentre il passato prossimo è un momento puntuale come lo scatto di una fotografia.

passato prossimo	imperfetto
raccontare eventi del passato: *Stamattina mi sono alzato alle 7. / Ho comprato un'auto nuova.*	descrivere situazioni, stati fisici e psicologici: *Ieri il tempo era brutto. / Alla festa mi sentivo un po' a disagio perché non conoscevo nessuno.*
raccontare fatti che avvengono in successione: *Quando Carlo ha finito l'università, è andato a vivere in Cina.*	esprimere azioni del passato che si stanno svolgendo in modo parallelo: *Mentre facevo colazione ascoltavo la radio.*
raccontare un fatto che si inserisce in una situazione descritta all'imperfetto o in un'azione che sta per iniziare: *Mentre stiravo ho visto un bel film. / Stavo per uscire quando mi ha chiamato Silvio.*	esprimere un'azione già incominciata in cui si inserisce un'azione puntuale al passato prossimo: *Mentre passeggiavo* (situazione: quando?) *ho incontrato Sandro* (fatto: che cosa è successo?).
raccontare fatti del passato delimitati nel tempo: *Sono rimasto in Francia dal 2002 al 2004. / Ti ho aspettato per mezz'ora. / Sabato notte abbiamo ballato fino alle tre.*	raccontare fatti passati che si ripetono con abitudine: *Da giovane, il sabato ballavamo fino alle tre.*

In alcuni casi la scelta tra imperfetto e passato prossimo dipende dall'intenzione di chi parla:
Ieri pioveva. → descrivo il tempo di ieri
Ieri ha piovuto. → racconto qualcosa che è successo ieri

Con i verbi modali:
- si usa l'imperfetto per indicare un'intenzione, un'azione che si può/deve/vuole fare (ma non si sa con certezza se l'azione si è realizzata):
Volevo cambiare l'auto ma non avevo abbastanza soldi.

- si usa il passato prossimo per indicare un'azione che si è sicuramente realizzata:
Ho dovuto comprare un'auto nuova perché ho avuto un incidente.

I verbi *conoscere* e *sapere* usati all'imperfetto indicano una condizione che dura (*conoscere / sapere* da tempo), mentre al passato prossimo indicano un evento (*conoscere* = incontrare qualcuno per la prima volta; *sapere* = venire a conoscenza di qualcosa):
All'inizio dell'università non conoscevo nessuno, ma poi ho conosciuto altri studenti stranieri.
Lo sapevi che Rita si è sposata? No, l'ho saputo ieri.

IL TRAPASSATO PROSSIMO

Il trapassato prossimo indica un'azione del passato che è successa prima di un'altra azione passata:
Ho chiamato Roberto ma era già partito.
Ho perso l'orologio che mi aveva regalato Bianca.

È composto da:
ausiliare *essere* o *avere* all'imperfetto + participio passato

verbi con ausiliari AVERE		
io	avevo	
tu	avevi	parlato
lui/lei/Lei	aveva	venduto
noi	avevamo	finito
voi	avevate	
loro	avevano	

verbi con ausiliari ESSERE		
io	ero	
tu	eri	andato/a
lui/lei/Lei	era	
noi	eravamo	
voi	eravate	andati/e
loro	erano	

Se il verbo ha l'ausiliare *essere* bisogna accordare il participio passato con il soggetto.

IL FUTURO SEMPLICE

	compr-are	mett-ere	fin-ire
(io)	compr-er-ò	mett-er-ò	fin-ir-ò
(tu)	compr-er-ai	mett-er-ai	fin-ir-ai
(lui, lei, Lei)	compr-er-à	mett-er-à	fin-ir-à
(noi)	compr-er-emo	mett-er-emo	fin-ir-emo
(voi)	compr-er-ete	mett-er-ete	fin-ir-ete
(loro)	compr-er-anno	mett-er-anno	fin-ir-anno

I verbi della 1ª coniugazione cambiano la vocale tematica in *-e* (*comprare* → *comprerò*).

I verbi in *-care* e *-gare* prendono una *h* in tutte le persone (*cercherò*, *pagherai*).
I verbi in *-ciare* e *-giare* perdono la *i* in tutte le persone (*comincerò*, *mangerò*).

Forme irregolari

ESSERE: sarò, sarai, sarà, saremo, sarete, saranno
AVERE: avrò, avrai, avrà, avremo, avrete, avranno
DARE: darò, darai, darà, daremo, darete, daranno
FARE: farò, farai, farà, faremo, farete, faranno
STARE: starò, starai, starà, staremo, starete, staranno

Verbi che perdono la vocale tematica
AND~~A~~RE: andrò
POTERE: potrò
DOVERE: dovrò
SAPERE: saprò
VEDERE: vedrò
VIVERE: vivrò

Verbi che cambiano la radice
BERE: berrò
RIMANERE: rimarrò
TENERE: terrò
VENIRE: verrò
VOLERE: vorrò

Uso Per parlare di azioni future in italiano non è obbligatorio l'uso del tempo futuro, anzi, si usa più spesso il presente: *Il 26 maggio traslochiamo. / Il mese prossimo vado alle Maldive.*

Il tempo futuro si usa per parlare di azioni future soprattutto quando:

- si esprime l' intenzione di fare qualcosa (progetti, promesse):
Partiremo alle dieci. / Ti prometto che sarò sempre fedele.

- si esprime incertezza (spesso con espressioni di dubbio come *forse*, *probabilmente*, *non so*, ecc.):
Qui forse metteremo una credenza. / Se ci rimarranno soldi compreremo l'armadio nuovo.

- si fanno previsioni (oroscopo, previsioni del tempo): *Domani farete degli incontri interessanti.*

L'uso del futuro è molto frequente nel parlato per fare supposizioni che riguardano la situazione presente: *Non trovo più le chiavi. Le avrai nella borsa.* (= probabilmente le hai)

IL MODO CONDIZIONALE (PRESENTE)

	parl-are	prend-ere	part-ire
(io)	parl-er-ei	prend-er-ei	part-ir-ei
(tu)	parl-er-esti	prend-er-esti	part-ir-esti
(lui/lei/Lei)	parl-er-ebbe	prend-er-ebbe	part-ir-ebbe
noi	parl-er-emmo	prend-er-emmo	part-ir-emmo
voi	parl-er-este	prend-er-este	part-ir-este
loro	parl-er-ebbero	prend-er-ebbero	part-ir-ebbero

! La radice dei verbi al condizionale è la stessa dei verbi al futuro:
- parlare → parlerei
- gio**care** / pa**gare** → gio**ch**erei / pa**gh**erei
- cominciare / viaggiare → comincerei / viaggerei

Forme irregolari

Le forme irregolari del condizionale hanno la radice uguale a quella dell'indicativo futuro (vedi sopra).

Uso Il condizionale presente si usa per:

- fare richieste cortesi: *Mi daresti il tuo numero di telefono?*

- esprimere desideri o intenzioni: *Vorrei andare in Sardegna. / Quest'estate mi piacerebbe imparare a nuotare.*

- esprimere incertezza o ipotesi legate a una condizione: *Sonia dovrebbe arrivare con il treno delle 18. / Se vincessi il premio, mi comprerei un'auto nuova.*

- dare consigli e suggerimenti: *Al tuo posto eviterei di fare il bagno dopo pranzo. / Non dovresti mettere i cd vicino al calorifero, si rovinano.*

IL MODO IMPERATIVO

	gir-are	**prend-ere**	**sent-ire**
(tu)	gir-a	prend-i	sent-i
(Lei)	gir-i	prend-a	sent-a
(noi)	gir-**iamo**	prend-**iamo**	sent-**iamo**
(voi)	gir-**ate**	prend-**ete**	sent-**ite**

Per la forma negativa della 2ª persona singolare si usa il verbo all'infinito: *Non salire, è pericoloso!*

Le forme in grassetto si coniugano come l'indicativo presente (*Tu senti - Senti!*).
La terza persona dell'imperativo è uguale alle forme singolari del congiuntivo presente.

Per la posizione dei pronomi usati con l'imperativo (vedi p. S22)

Forme irregolari

	TU	LEI	VOI
ANDARE	vai/va'	vada	andate
AVERE	abbi	abbia	abbiate
DARE	dai/da'	dia	date
DIRE	dici	dica	dite
ESSERE	sii	sia	siate
FARE	fai/fa'	faccia	fate
SALIRE	sali	salga	salite
SAPERE	sappi	sappia	sappiate
STARE	stai/sta'	stia	state
TENERE	tieni	tenga	tenete
VENIRE	vieni	venga	venite

Uso L'imperativo si usa per:

- dare istruzioni, consigli e ordini: *Giri a destra. / Se ha la febbre prenda un'aspirina. /Stia zitto!*
- dare il permesso / invitare a fare qualcosa: *Posso chiudere la porta? Sì chiudila. / C'è della torta: prendine un po'!*
- richiamare l'attenzione: *Senta, scusi, sa dirmi l'ora?*

IL MODO CONGIUNTIVO (IL PRESENTE)

Il congiuntivo è il modo che esprime incertezza, dubbio, desiderio, soggettività.

		parl-are	**perd-ere**	**apr-ire**	**cap-ire**
(che)	io/tu/lui/lei/Lei	parl-i	perd-a	apr-a	cap-isc-a
	noi	parl-iamo	perd-iamo	apr-iamo	cap-iamo
	voi	parl-iate	perd-iate	apr-iate	cap-iate
	loro	parl-ino	perd-ano	apr-ano	cap-isc-ano

Il congiuntivo si costituisce dalla radice dell'indicativo presente, anche nel caso di molti verbi irregolari (quelli indicati sotto con *).

Forme irregolari

ESSERE (sono): sia
AVERE (ho): abbia
ANDARE* (vado): vada
DARE (do): dia
DIRE* (dico): dica
DOVERE (devo): debba
FARE* (faccio): faccia

POTERE* (posso): possa
RIMANERE* (rimango): rimanga
SALIRE* (salgo): salga
SAPERE (so): sappia
SCEGLIERE* (scelgo): scelga
STARE (sto): stia

TENERE* (tengo): tenga
TOGLIERE* (tolgo): tolga
TRADURRE* (traduco): traduca
USCIRE* (esco): esca
VENIRE* (vengo): venga
VOLERE* (voglio): voglia

Uso In genere il congiuntivo è usato in frasi subordinate: *Penso* (principale) *che Karl sia tedesco* (subordinata)

Il congiuntivo si usa solo se il soggetto della principale e della subordinata sono diversi. Se sono uguali si usa la costruzione verbo + *di* + infinito.

Credo che Paolo arrivi oggi. / *Credo (io) di arrivare oggi.*

Alcuni usi del congiuntivo

Il congiuntivo si usa con verbi ed espressioni che indicano:

- opinioni (es.: *pensare, credere, immaginare, sembrare che*): *Credo che sia ora di andare a letto;* *è* + aggettivo + *che*: *È importante che tu finisca il lavoro per domani.*
- dubbio e incertezza (es.: *sembrare, dubitare, temere che*): *Mi sembra che ci sia il sole.*
- sentimenti e stati d'animo (es.: *avere paura, dispiacersi, essere contento/triste/soddisfatto*): *Mi dispiace che tu non venga stasera.*
- desiderio, volontà (es.: *sperare, desiderare, augurarsi che*): *Spero che Paola mi chiami.*

Alcuni connettivi richiedono il congiuntivo:

- *benché/nonostante/sebbene/malgrado*: *Benché Xavier sia spagnolo, parla benissimo l'italiano.*
- *affinché, perché* (con valore finale): *Ti ho portato qui perché tu possa conoscere la mia famiglia.*
- *a patto che, purché, a condizione che*: *Mi dia un formaggio qualsiasi, purché sia fresco.*

IL GERUNDIO

Infinito	Gerundio semplice	Gerundio composto
cerc-**are**	cerc-**ando**	(gerundio di *essere/avere* + participio passato)
legg-**ere**	legg-**endo**	**avendo** cercato / letto
usc-**ire**	usc- **endo**	**essendo** uscito

Uso Il gerundio semplice indica un'azione che si svolge contemporaneamente alla principale: *Leggendo ho imparato molte cose.*

Il gerundio composto (passato) indica un'azione che si è svolta prima della principale: *Avendo studiato in Francia, conosco bene il francese.*

Il gerundio può avere valore:

- temporale (quando?): *Andando al cinema ho incontrato un amico.*
- modale (come?): *Leggendo si impara molto.*
- causale (siccome): *Essendo una persona molto precisa, Laura detesta il disordine.*
- concessivo (anche se): *Pur venendo da un piccolo paese, amo molto la città.*
- ipotetico (se): *Sapendo quando arrivi, potrei venirti a prendere.*
- consecutivo (e quindi): *Ha camminato per ore stancandosi molto.*

! I pronomi vanno sempre dopo il gerundio con cui formano un'unica parola: *È un bel libro: leggendolo, ho imparato molto.*

I VERBI PRONOMINALI

Forme riflessive

Nelle forme riflessive il soggetto è anche l'oggetto dell'azione: l'azione espressa "si riflette" sul soggetto.

	lavar-si
io	**mi** lavo
tu	**ti** lavi
lui/lei/Lei	**si** lava
noi	**ci** laviamo
voi	**vi** lavate
loro	**si** lavano

*Io **mi** lavo* = *Io lavo* (chi?) *me.*
*Io **mi** lavo le mani* = *Io lavo le mani* (a chi?) *a me.*
*Mario e Paola **si** amano* = *Mario ama Paola e Paola ama Mario.*

! Alcuni verbi intransitivi, come per es. *accorgersi, pentirsi, vergognarsi* sono sempre preceduti da una particella pronominale: *Mi vergogno di quello che ho fatto. / Non si è accorto dell'incidente.*

Verbi idiomatici

Nella lingua parlata si usano spesso alcuni verbi costruiti con un doppio pronome che hanno un significato idiomatico, diverso dal significato del verbo usato senza il pronome.

Alcuni esempi:

cavarsela = riuscire in qualcosa, uscire da una situazione difficile
prendersela = arrabbiarsi, offendersi
andarsene = andar via
farcela = riuscire
fregarsene = essere indifferenti a qualcosa.

Nella coniugazione di questi verbi il secondo pronome è invariabile, mentre il primo si accorda con la persona soggetto, tranne con il verbo *farcela*:
***Me la** cavo bene in matematica, mentre Paolo **se la** cava meglio in italiano.*
***Ce la** fai ad arrivare per le tre? Se non **ce la** faccio ti chiamo.*

! Nei verbi costruiti con il pronome *la*, il participio passato si accorda con il femminile singolare: *Se l'è presa con Sandro perché non ce l'ha fatta a finire il lavoro.*

LA FORMA PASSIVA

Nella forma attiva il soggetto compie l'azione: *Mio padre ha costruito questa casa nel 1960.*
Nella forma passiva l'oggetto diventa il soggetto dell'azione: *Questa casa è stata costruita da mio padre nel 1960.*

La forma passiva mette in maggiore evidenza l'azione o l'oggetto rispetto a chi compie l'azione. Il nome di chi fa l'azione (se c'è) è introdotto dalla preposizione *da*:
*Il ladro è stato arrestato (**dai** carabinieri).*

La forma passiva si costruisce con il verbo *essere* + participio passato.
Il verbo *essere* è allo stesso tempo che avrebbe nella forma attiva:
Mirko organizza (presente) *la festa.* → *La festa è organizzata da Mirko.*
Mirko ha organizzato (pass. prossimo) *la festa.* → *La festa è stata organizzata da Mirko.*

Con i verbi coniugati ai tempi non composti (presente, imperfetto, futuro ecc.), la forma passiva si può costruire anche con il verbo *venire* + participio passato.
Il pranzo viene servito alle 12.
Le iscrizioni verranno accettate fino al 12 dicembre.

LA COSTRUZIONE IMPERSONALE

Tutti i verbi possono essere usati alla forma impersonale per indicare azioni generali, comuni a molte persone. La forma impersonale si costruisce con

- *si* + verbo alla 3ª persona singolare + nome singolare:
D'estate si conosce gente nuova.
- *si* + verbo alla 3ª persona plurale + nome plurale:
In vacanza si conoscono nuovi amici.

Il pronome *si* ha il significato di "la gente, tutti":
In Brasile si parla portoghese. / A Capodanno si fanno i fuochi d'artificio.

In alcuni casi *si* sostituisce *noi*: *Andiamo, è tardi, domattina si parte alle 6.*
L'uso del *si* con il valore di *noi* è molto usato nell'italiano regionale toscano.

I verbi impersonali

I verbi impersonali non hanno un soggetto determinato e si coniugano solo alla 3ª persona singolare: *Per guidare la macchina bisogna avere 18 anni.*
Sono impersonali:

- i verbi che indicano condizioni meteorologiche (*piovere, nevicare, grandinare, fare caldo/freddo*): *Oggi piove e fa freddo.*

- *bisogna* (+ infinito): *È tardi, bisogna andare.*

- *è* + avverbio/aggettivo + infinito: *È necessario restituire le chiavi entro le 10.* / *È bello alzarsi la mattina presto.*

Sono in genere usati alla forma impersonale i verbi *bastare, capitare, convenire, occorrere, sembrare, servire, succedere, volerci*: *Per lo spettacolo, conviene prenotare una settimana prima.*

! Alcuni di questi verbi alla forma personale hanno il soggetto dopo il verbo e quindi bisogna fare attenzione a coniugare al singolare o al plurale a seconda del nome:
Per fare questo lavoro ***mi bastano*** *dieci minuti.* / ***Basta*** *un po' di pazienza.*
Per fare le lasagne ***occorrono*** (***ci vogliono***) *4 uova.* / ***Occorre*** (***ci vuole***) *la besciamella.*
Mi servono *dei vestiti nuovi.* / ***Mi serve*** *un cappotto.*

LE PREPOSIZIONI SEMPLICI E ARTICOLATE

Le preposizioni semplici sono: *di, a, da, in, con, su, per, tra* (*fra*).
Le preposizioni hanno la funzione di collegare tra loro diverse parti del discorso per formare dei complementi: *Vado a casa.* / *È il libro di Davide.* / *Esco con Gianna.*
Le preposizioni *di, a, da, in, su* quando sono seguite da un articolo si uniscono in una sola parola e formano una preposizione articolata: *I documenti sono nel cassetto, vicino al passaporto.*

	il	**lo**	**la**	**i**	**gli**	**le**
di	del	dello	della	dei	degli	delle
a	al	allo	alla	ai	agli	alle
da	dal	dallo	dalla	dai	dagli	dalle
in	nel	nello	nella	nei	negli	nelle
su	sul	sullo	sulla	sui	sugli	sulle

preposizioni di luogo	
a	con nomi di città e isole piccole: *Vivo a Termoli / a Capri.*
in*	con nomi di continenti, nazioni regioni e isole grandi: *Vivo in Europa, in Inghilterra, in Galles. / Vado in Corsica.*
di	con nomi di città e paesi per indicare il luogo di provenienza: *Sono di Barcellona* (= vengo da Barcellona).
da*	- con nomi o pronomi di persona: *Vieni a cena da me/da Antonio* (= a casa mia/ a casa di Antonio) - con le espressioni *venire da, tornare da, lontano da*, la preposizione **da** è semplice con i nomi di città; è invece articolata con i nomi di continenti, nazioni e regioni: *Vengo dalla Germania, da Monaco.*
per	con il verbo *partire* indica la destinazione: *Domani parto per Roma.*

* Con i nomi di nazioni al plurale le preposizioni *in* e *da* devono essere articolate:
Vengo dagli Stati Uniti e vado nelle Filippine.

	preposizioni di tempo
da da ... a...	- esprime un tempo continuato e indica un'azione (del passato) che dura ancora nel presente: *Vivo in Italia* **da** *due anni. / Lavoro qui* **dal** *2002.* - indica un periodo di tempo determinato: *Lavoro da giugno a settembre,* **dalle** *8* **alle** *12.*
per	esprime un tempo determinato e indica la durata di un'azione finita: *Ho vissuto in Italia* **per** *due anni* (e non ci vivo più).
fa	indica un momento preciso del passato: *Sono arrivato in Italia due anni* **fa**.
tra (fra)	indica un momento preciso nel futuro: *Parto* **tra** *due ore.*

Altri usi delle preposizioni

DI

del pane e dei biscotti (partitivo), *la città di Milano* (denominazione), *parlare di filosofia* (argomento), *un maglione di lana* (materiale), *di notte* (tempo), *un ragazzo di 20 anni* (età), *la casa di mio padre* (possesso), *qualcosa di carino* (pron. indefinito + aggettivo).

Verbi + *di* + infinito: *finire di, smettere di, decidere di, sperare di, augurare di, pensare di, accorgersi di, ricordarsi di, temere di.*

A

dare a qualcuno (termine), *tessuto a quadretti* (qualità), *a mezzogiorno / al tramonto* (tempo), *al mese / all'anno* (frequenza), *a cento metri da qui* (distanza).

Verbi + *a* + infinito: *cominciare a, mettersi a, continuare a, andare a, abituarsi a, provare a, aiutare a, riuscire a, imparare a, restare a, far bene/male a.*

DA

occhiali da sole / spazzolino da denti (scopo), *parlare da amico /vivere da solo* (modo), *conosciuto da tutti* (agente), *la casa da pulire / un libro da leggere* (nome + infinito), *qualcosa da bere / niente da fare* (pron. indefinito + infinito).

LE CONGIUNZIONI

Le congiunzioni collegano due o più parole oppure due o più frasi. Possono indicare:

- un semplice collegamento (*e, anche*): *Vado e torno. / Ho comprato tutto, anche il giornale.*
- un'opposizione (es. *ma, però, tuttavia, eppure, invece, anzi*): *Vorrei uscire, ma / però devo studiare. / Dovevo partire alle 6, invece ho preso il treno delle 7.*
- tempo (es. *mentre, quando, poi*): *Sono rientrato quando si è fatto buio. / È arrivato mentre cenavo.*
- una causa (es. *perché, siccome*): *Devo comprare un telefono nuovo perché il mio si è rotto. / Siccome il mio telefono si è rotto, devo comprarne uno nuovo.*
- conseguenza (es. *quindi, così, perciò*): *Devo studiare, perciò non esco.*
- una spiegazione (es. *infatti, cioè*): *Tino è mio cognato, cioè ha sposato mia sorella.*
- una condizione (es. *se*): *Chiamami se hai bisogno.*
- una causa non determinante (es. *anche se, benché, sebbene, nonostante, pur*): *Ho deciso di uscire* anche *se dovrei studiare. / Nonostante debba studiare, ho deciso di uscire. / Pur dovendo studiare ho deciso di uscire.*
- una relazione tra due elementi (es. *sia... sia, né... né*): *Mi piace sia il mare sia la montagna.*

appendici

Appendici

 **Unità 2, Grammatica, es. 1b, p. 30 del manuale.**

Passato prossimo o imperfetto?

Ecco alcune regole che vi possono guidare nella scelta tra passato prossimo e imperfetto: confrontatele con le vostre riflessioni e inserite in ciascuna un esempio dalle frasi dell'esercizio 1a. Se volete, aggiungete altri esempi.

il passato prossimo si usa per
a. raccontare un fatto del passato Es:__________
b. raccontare fatti che avvengono in successione Es:__________
c. raccontare un fatto compiuto che si inserisce in una situazione descritta all'imperfetto Es:__________
d. raccontare azioni compiute che durano per un tempo delimitato e preciso Es:__________

l'imperfetto si usa per
e. descrivere situazioni, stati fisici e psicologici Es:__________
f. descrivere azioni che si svolgono in modo parallelo Es:__________
g. parlare di azioni abituali del passato Es:__________
h. esprimere l'intenzione di fare qualcosa Es:__________
i. indicare un'azione in corso o che stava per cominciare interrotta da un'altra (al P.P.) Es:__________
l. esprimere una richiesta cortese Es:__________

Unità 2, Produzione libera, es. 2, p. 35 del manuale.

Perché Miss Kelly pensa che la signora Crosby non abbia detto la verità?

Unità 3, Lessico, es. 3c, p. 43 del manuale.

campeggio	costa sassosa	piscina	bocce
villaggio	costa rocciosa	equitazione	bar
pineta	animazione	vela	divieto cani
tennis	ristorante	sci	**b.s.** prezzi bassa stagione
ping pong	spaccio alimentari	parco giochi bambini	**a.s.** prezzi alta stagione
costa sabbiosa	windsurf	spiaggia riservata	

Unità 4, Produzione libera, es. 3, p. 71 del manuale.

Attori: Giovanna Mezzogiorno, Stefania Sandrelli, Stefano Accorsi, Giorgio Pasotti; **regista**: Gabriele Muccino; **genere**: sentimentale; **anno**: 2000; **durata**: 102'.
Trama: Otto personaggi di età diversa ma con la stessa voglia di fuggire dalla propria esistenza e dai propri problemi: una coppia alle prese con la routine del matrimonio, una donna che ha paura d'invecchiare e un giovane che ha paura di crescere.

Attori : Sarah Maestri, Chiara Mastalli, Nicolas Vaporidis, Andrea De Rosa, Giorgio Faletti, Cristiana Capotondi; **regista**: Fausto Brizzi; **genere**: commedia; **anno**: 2005; **durata**: 100'.
Trama: in una estate degli anni '80 Luca e i suoi amici si preparano ad affrontare i temuti esami di maturità. Ma invece di studiare riescono a collezionare un'incredibile serie di buffe disavventure. A cominciare proprio da Luca che si innamora della figlia dell'odiato professor Martinelli, suo acerrimo nemico e nuovo membro interno agli esami.

Attori: Fausto Paravidino, Iris Fusetti, Valeria Golino, Valerio Rinasco, Carlo Orlando, Riccardo Scamarcio; **regista**: Fausto Paravidino; **genere**: drammatico; **anno**: 2005; **durata**: 100'.
Trama: un gruppo di amici si ritrova ogni sabato sera nella villetta di Elisa. Bevono qualche bicchiere, scherzano, demoliscono la casa, fanno tutto quello che devono fare per non accorgersi che stanno diventando grandi. Tutti quanti vivono nella grande periferia, una periferia così lontana dalla città da non potersi quasi chiamare periferia. Nell'arco di pochi mesi si consuma per il gruppo il brusco passaggio dall'adolescenza all'età adulta tra rancori, paure e insicurezze.

Attori: Nicola Cipolla, Marco Casu, Francesco Salvi, Natalia Piatti, Federico Battilocchio, Pino Quartullo, Laura Chiani, Marco Velluti; **regista**: Giacomo Campiotti; **genere**: commedia; **anno**: 2005; **durata**: 106'.
Trama: Lorenzo, Giulia, Enrico, Martina, Fava e Max dopo la maturità quasi per caso partono insieme per una vacanza. Vorrebbero andare al mare, ma finiscono in montagna. Partono per un trekking che ben presto si trasforma in una sfida, tra di loro, ma anche con se stessi. Quando la situazione diventa drammatica i ragazzi trovano una nuova forza nell'unità e nell'amicizia che, al ritorno in città, li spingerà a prendere decisioni coraggiose per il proprio futuro.

Unità 5, Lessico, es. 1b, p. 78 del manuale.

Unità 5, Produzione libera, es. 1, p. 91 del manuale.

OFFRIRE UN LAVORO

Stai per fare un colloquio a una persona che cerca lavoro. Dovrai fargli delle domande per capire se è un buon candidato, quindi pensa in anticipo alle informazioni che vuoi avere.
Se vuoi puoi aiutarti con questa lista di idee:

- Che cosa deve saper fare il candidato
- Condizioni lavorative
- Retribuzione
- Orario di lavoro

Informazioni sulla persona
- Studi
- Esperienze di lavoro
- Perché vuol cambiare lavoro

Unità 5, Produzione libera, es. 3, p. 91 del manuale.

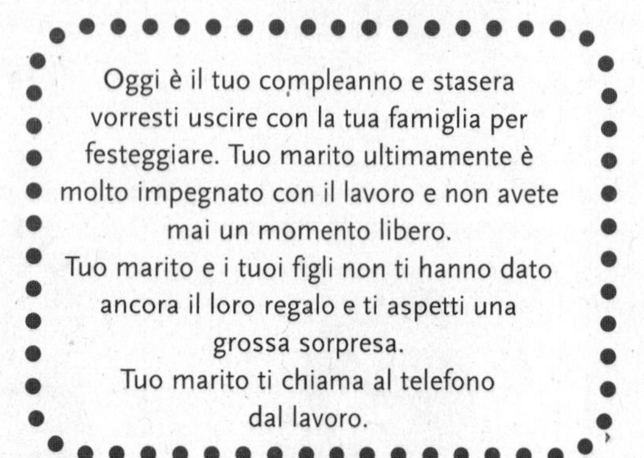

Oggi è il tuo compleanno e stasera vorresti uscire con la tua famiglia per festeggiare. Tuo marito ultimamente è molto impegnato con il lavoro e non avete mai un momento libero.
Tuo marito e i tuoi figli non ti hanno dato ancora il loro regalo e ti aspetti una grossa sorpresa.
Tuo marito ti chiama al telefono dal lavoro.

Unità 6, Produzione libera, es. 1, p. 111 del manuale.

Tuo figlio Marco ha 27 anni. Lavora in una ditta da circa 3 anni. Ultimamente sembra che consideri la casa come un albergo, ci rientra solo per mangiare, per lavarsi, lasciare i panni sporchi da lavare e poi esce con gli amici, non si sa a fare cosa, e torna a ore impensabili (ieri sera è tornato alle 3:00).
Hai anche saputo dalla tua vicina, che lo ha visto tornare con una ragazza, che forse ha una nuova fidanzata. Questo rapporto così freddo non ti piace, vorresti avere più voce in capitolo e non essere trattato come un estraneo da tuo figlio.

Hai 27 anni e lavori in una ditta da circa 3 anni. Ti consideri una persona indipendente anche se, per ora, non hai ancora pensato a trovarti una casa da solo. Ultimamente però la vita in famiglia sta diventando un poco pressante, soprattutto i rapporti con tuo padre sono diventati difficili: a ogni occasione ti fa molte domande per sapere dove vai e con chi, addirittura hai scoperto che si è messo d'accordo con la vicina per farti spiare. Ti dispiace molto che non abbia fiducia in te e sei un poco arrabbiato. Ti piacerebbe che si fidasse di più e ti lasciasse un po' di libertà. Ultimamente ti stai vedendo con una ragazza che ti piace molto, ma esiti a farla conoscere ai tuoi perché temi che tuo padre le faccia mille domande.

Unità 1

1 1. a; 2. b; 3. b; 4. b; 5. a; 6. a.

2 a. 3; b. 1; c. 6; d. 7; e. 2; f. 5; g. 4.

3 (a) 1. c; 2. a; 3. b. **(b)** 1. e; 2. f; 3. d; 4. c; 5. a; 6. b. **(c)** 1. d; 2. c; 3. e; 4. b; 5. a

4 (a) Età per partecipare / Iscrizione e selezione / Condizioni di pagamento / Borse di studio / Servizi offerti / Viaggi; **(b)** 2; 3; 5; 6; 8.

5 1. congiunzione, es.: e, ma, quindi; 2. desinenza, es.: ragazz-***a***, interessant-***e***; 3. aggettivo, es.: bello, grande; 4. ausiliari essere/avere; 5. pronome, es.: lui, gli; 6. preposizione, es.: ***a*** Milano, ***con*** Marco.

6 Esempio: verbo *andare*, prima **coniugazione**, **tempo**: passato prossimo, terza **persona** plurale, **ausiliare**: essere, **accordo** del participio passato con il soggetto (**desinenza**: andat-***e***)

7 Esempio: **articolo** indeterminativo: *una*; **desinenza**: ragazz-***a*** argentin-***a***; *ragazza*: nome **femminile singolare**; *coreani*: aggettivo **maschile plurale**.

8 1. Come ti chiami / si chiama?; 2. Come si scrive? / Può dirmi il suo nome lettera per lettera?; 3. Da dove vieni / viene?; 4. Quanti anni hai / ha?; 5. Da quanto tempo sei / è in Italia?; 6. Che lavoro fai / fa?; 7. Tua / Sua moglie è italiana?; 8. Che cosa / lavoro fa?; 9. Hai / Ha figli?.

9 (1) sono rimasto; (2) ho fatto; (3) ho messo; (4) mi sono accorto; (5) ho tolto; (6) ho preso; (7) ho scelto; (8) ho aggiunto; (9) ha visto; (10) ha chiesto.

10 Abbiamo scelto questa destinazione perché è / era vicina a Genova e ci siamo andati in macchina per essere più liberi. Abbiamo visitato i paesini della costa e dell'entroterra; ci siamo fermati anche qualche giorno al festival del cinema, perché mio marito è un appassionato. A me invece la cosa che è piaciuta di più di questa zona è la campagna e soprattutto i fiori e i profumi. (Costa Azzurra, Cannes)

Ho fatto 18 ore di volo, ma ne valeva la pena perché quest'anno avevo un mese di vacanza. I primi dieci giorni li ho passati nel sud, al mare, anche se avevo paura a fare il bagno perché c'erano gli squali (dicevano che non erano pericolosi, ma io non mi fidavo / sono fidato). Poi ho preso un volo nazionale e mi sono spostato verso est per andare da degli amici che vivono lì. Insieme abbiamo fatto un trekking a piedi nelle "montagne blu". È stato fantastico! (Australia)

Sono partite in aereo, anche se Anna era un po' preoccupata perché non le piace volare. Avevano bisogno di imparare la lingua, quindi hanno frequentato un corso tutte le mattine, dalle 9 alle 13. Nel pomeriggio però erano libere, così hanno potuto visitare la città e soprattutto i musei d'arte che ad Anna piacciono molto. Silvia invece preferisce la vita all'aria aperta e così ha fatto delle lunghe passeggiate nei parchi e lungo il fiume. La sera sono uscite spesso per vedere dei concerti o bere una birra nei pub. (Londra)

11 *Takashi è un ragazzo giapponese che vive da due anni a Bologna, Ha 26 anni ed è un cuoco, lavora in un'osteria del centro. L'ho intervistato nella sua casa, **un** piccolo appartamento che condivide con un collega bolognese.*

Perché sei venuto in Italia?
"Per imparare tutti **i** segreti della cucina italiana, perché **il** mio sogno è aprire un ristorante italiano in Giappone."

È stato difficile trovare casa e lavoro in Italia?
"Sì, soprattutto trovare casa non è facile per **gli** stranieri, perché **gli** appartamenti sono molto cari. Con **il** lavoro invece non ho avuto problemi: ho frequentato per qualche mese la scuola alberghiera e poi **lo** zio di **un** mio compagno di scuola mi ha proposto questo lavoro. Sono stato molto fortunato."

Frequenti altri giapponesi a Bologna?
"Sì, certo. Ci sono molti ragazzi giapponesi a Bologna perché c'è una buona scuola per imparare **l'**italiano. Pochi però vengono per lavorare, sono quasi tutti studenti"

12 1. le porto; 2. li ho trovati; 3. le piaceranno; 4. mi ospiteranno; 5. Li ho conosciuti; 6. trovarla; 7. gli ho comperato; 8. romperle; 9. le ho preso; 10. lo conosco; 11. portargli; 12. gli piacciono; 13. li mangeremo noi.

13 Esempi: 1. Quando l'hai conosciuto? (Carlo); 2. Perché non li chiami? (i tuoi amici); 3. L'hai da molto tempo (il motorino)?; 4. Dove li hai comprati? (i jeans); 5. Dove l'hai messo (il libro)?; 6. L'hai visto? (il film *Amarcord*).

14 1. dall', da, in, in, a; 2. in, in, al; 3. a, in / all', a, in; 4. dagli, in, in, al, a.

15 1. di, a, di, a; 2. di, a, a.

16 (1) perché; (2) mentre; (3) se; (4) Però; (5) così; (6) Siccome; (7) ma.

17 2, 3, 6, 7, 9, 11, 12, 13, 15.

18 città, caffè, già, perché, però, pioverà, giù, Perù, più.

19 1. però, già; 2. caffè, té; 3. Sì; 4. città, più; 5. Perché, può; 6. andrò; 7. lunedì.

20 (1) meta; (2) metà; (3) pere; (4) però; (5) cucù; (6) più.

Unità 2

1 (a) tentata rapina: 2; maltempo: 6; crollo di una casa: 3; terremoto: 4; grave incidente: 1; lotteria "Gratta e vinci": 5. **(b)** 1. b; 2. a; 3. b; 4. c; 5. a; 6. a.

2 • Ho uno zainetto che tengo di solito sulle spalle. L'avevo sulle spalle anche mentre stavo mangiando, solo che a un certo punto è suonato il cellulare, mi sono tolta lo zainetto, ho risposto e poi non me lo sono più rimesso. È rimasto lì sulla panca, vicino a me, e quando ci siamo alzati per andare via... non c'era più.
- Cavoli! Chissà che rabbia! • Ero furente, mi sono rovinata la serata.

- Avevi molti soldi? • No, non molti, però il portafogli era nuovo e comunque avevo tutti i documenti, la carta d'identità, la patente, il bancomat...

3 (a) 2. L'arrestato è...; 3. Lui, invece, aveva...; 4. Il ladro ha capito...; 5. Ad attenderlo nel cortile...; 6. Resta da aggiungere che...; **(b)** 1. F; 2. V; 3. V; 4. V; 5. F; 6. V; 7. F; 8. F. **(c)** 1. d; 2. f; 3. a; 4. b; 5 .c; 6. g; 7. e.

4 1. pentola; 2. denuncia; 3. festeggiato; 4.partita; 5. foglio; 6. incontrare; 7. succedere; 8. dottore.

5 1. b; 2. e; 3. a; 4 .d; 5. f; 6. g; 7. c.

6 La donna era alta, magra, con i capelli lunghi e lisci, gli occhi scuri. Aveva una gonna a pois, una camicetta a maniche corte con un foulard e una cintura nera. Indossava degli stivali, aveva dei braccialetti e una collana.

L'uomo era basso grasso, con i capelli corti e la barba: portava gli occhiali. Aveva un cappello e indossava dei pantaloni scuri lunghi e larghi, una giacca a quadretti e sopra un giaccone.

7 1. mulo; 2. elefante; 3. coniglio; 4. cane e gatto; 5. asino; 6. ghiro; 7. vipera; 8. pesce; 9. maiale.

8 1. distratto; 2. commosso; 3. arrabbiato; 4. depresso; 5. buono; 6. felice.

9 (a) un'azione in corso; Formazione: *-are* > *-ando*; *-ere* / *-ire* > *-endo*; **(b)** Il giornalista stava scrivendo un articolo; I musicisti stavano registrando una nuova canzone; Il nonno si stava riposando; I ragazzi stavano guardando la partita; Il professore stava finendo di preparare la lezione; La mia vicina di casa stava cucinando; Noi stavamo bevendo il caffè.

10 1. a. sta per partire; b. sta partendo; 2. a. sto facendo; b. sto per fare; 3. a. sta per finire; b. sto finendo; 4. a. sto per andare; b. sto andando.

11 (a) a. **(b)** 1. a. perché avevo dimenticato il cellulare, b. sono venuto a casa tua.; 2. a. perché non l'avevamo mai vista; b. ma non abbiamo avuto tempo; 3. a. e così non non hanno fatto vacanze; b. ma non ne avevano alcuna voglia.

12 avevo appena cambiato, ho avuto; 2. ho aperto, mi sono accorto, mi avevano rubato; 3. aveva perso, ha potuto; 4. sono andato, avevi consigliato; 5. siamo finalmente andati, eravamo mai andati; 6. avete comprato, avevate detto.

13 1. ho incontrato, era, aveva appena visto; 2. ero, avevo dormito; 3. mi sono molto arrabbiata, era ancora rientrato, sono andata; 4. era, aveva avuto, sapeva; 5. ho telefonato, eri partito; 6. Ho visto, erano, erano tornati.

14 Furto alla posta centrale: 1. ha rapinato; 2. avevano depositato; 3. dovevano; 4. ha portato; 5. ha riconosciuto; 6. portava; 7. copriva. Incidente nella notte: 1. è costata; 2. è successo; 3. aveva passato; 4. stava rientrando; 5. imboccava; 6. ha perso; 7. è finito.

16 ci sono andato, non volevo andarci, ci penso sempre, devo crederci?, ci verrà, ci tengo molto, ci sono molto affezionato, posso provarci.

17 1. d; 2. e; 3. c; 4. a; 5. c; 6. b; 7. e; 8. a; 9. d; 10. b.

18 1. Sono stati catturati; 2. Un bambino è stato investito; 3. Dei computer sono stati rubati; 4. Un antiquario di Treviso è stato imbrogliato; 5. Un alpinista è stato colpito da un fulmine.

19 (a) Sono formati da un aggettivo femminile + suffisso *-mente* (es. *progressivamente, improvvisamente*). Con gli aggettivi in *-le, -re* cade la vocale finale (es. *probabilmente*). **(b)** 1. allegramente; 2. chiaramente; 3. generalmente; 4. inutilmente; 5. particolarmente; 6. improvvisamente.

20 (a) 1. tra; 2. per; 3. fa; 4. da. **(b)** 1. Tra; 2. per, da; 3. fa, tra; 4. da; 5. fa, da; 6. fa, per; 7. alle, per, dalle, alle.

21 (1) non appena; (2) intanto; (3) anche; (4) quando; (5) poi; (6) tuttavia; (7) infatti.

22 (a) 2. Lo compro io o lo compri tu?; 3. Ho pagato io, anche per Lisa e Paolo; 4. Se non ti sbrighi, perdi il treno; 5. Adesso vado, ma torno subito; 6. Compriamolo, se ti pare importante; 7. Lui parla poco e tu non ascolti.
(b) 1. Telefonami appena ti è possibile / Telefonami appena ti è possibile; 2. Mangialo se ti piace / Mangialo se ti piace; 3. Posso rimanere in casa finché non torni / Posso rimanere in casa finché non torni; 4. Non è lontano se ci vai in aereo / Non è lontano se ci vai in aereo (L'enfasi sottolinea l'informazione più importante, quella che si vuole mettere in rilievo).

23 a. 1, 4, 2, 3; b. 3, 1, 2, 4; c. 2, 4, 1, 3.

Unità 3

1 (1) brutto; (2) nuvoloso; (3) temporali; (4) bel tempo; (5) miglioramento; (6) piovere; (7) al nord; (8) sulle isole; (9) temperature; (10) aumento; (11) centro-sud.

2 (a) 1. a, c; 2. b, d; 3. a, d.

3 (a) 1. Sardegna; 2. bicicletta; 3. d; 4. b; 5. a. **(b)** 1, 2, 6, 7.

4 - Forse dovreste pensare a un posto dove fare delle gite brevi, sempre in bicicletta ma magari di una giornata, affittando le biciclette sul posto... Mia sorella per esempio è appena tornata dall'Elba e mi diceva che hanno fatto un sacco di cose: bicicletta, cavallo, persino una camminata in montagna! • L'Elba? Non ci avevo pensato, ci sono andata diverse volte da piccola. È vero che il paesaggio è molto vario, e poi è vicino, mentre per la Sardegna il viaggio in traghetto è veramente lungo... Ma dove stava tua sorella? In albergo? - No, guarda, mi sembra che abbiano affittato una roulotte in un campeggio. Mi ha detto che era un po' caro, però si sono trovati molto bene.

5 (a) Iniziative; Per raggiungere Cervia; Ospitalità; Gastronomia; Cattedrale; Palazzo Comunale; Teatro comunale; I magazzini del sale; Museo dei burattini.

6 (a) 1. f; 2. g; 3. b; 4. h; 5. i; 6. c; 7. d; 8. a; 9. e. **(b)** 1, 4, 7, 8, 11, 12. **(c)** 1. b; 2. e; 3. d; 4. g; 5. a; 6. f; 7. l; 8. h; 9. c; 10. i.

7 1. cima; 2. cascate; 3. piste; 4. pinete; 5. ghiacciaio; 6. torrenti; 7. baia.

8 Orizzontali: aereo, automobile, nave; **Verticali**: traghetto, pullman, moto, bicicletta, treno.

9 attive / oziose; estive / invernali; marine / montane; stressanti / rilassanti; economiche / costose; tranquille / avventurose; riposanti / faticose; noiose / divertenti; brevi / lunghe.

10 (1) omone; (2) angolino; (3) ombrellino; (4) figuraccia; (5) alberghetto; (6) postaccio; (7) giornataccia.

11 Aggettivi: inutile, illogico, spiacevole, disubbidiente, irregolare, incapace, impreciso, sgonfio. **Nomi:** infelicità, disonestà, incertezza, disattenzione, indecisione, irrazionalità, imprudenza, dispiacere.

12 1. raggiungibile; 2. irrespirabile; 3. irriconoscibile; 4. regolabile; 5. criticabile; 6. incomprensibile; 7. immangiabile; 8. utilizzabile.

13 (1) (1) dovreste; (2) sembrerebbe; (3) andreste; (4) fareste; (5) godreste; (6) verrei. **(2)** (1) sarebbe; (2) scoprirebbero; (3) imparerebbero; (4) sarebbero; **(3)** (1) potremmo; (2) mi piacerebbe; (3) impareresti; (4) dovrei; (5) potremmo.
Le destinazioni: 1. Val di Non; 2. Appennino; 3. Toscana.

14 1. cercherei; 2. mangeremmo; 3. dovrebbe; 4. rimarrei; 5. faresti; 6. vedrei; vivrei; 7. verrebbero; 8. terrebbe.

15 1. te, staresti; 2. loro, vorrebbero; 3. lui, mangerebbe; 4. noi, partiremmo; 5. lei, lavorerei.

16 1. Li prenderei, ma...; 2. Ci verremmo, ma...; 3. Andremmo volentieri, ma...; 4. Vorrebbero venire, ma...; 5. Ci andrei, ma...

17 (1) partiremo; (2) saremo; (3) prenderemo; (4) comincerà; (5) avremo; (6) faremo; (7) noleggeremo; (8) divertiremo; (9) sentiremo.

18 (1) farete; (2) finirà; (3) partiremo; (4) vorrei; (5) preferirei; (6) potreste; (7) ci sarebbe; (8) piacerebbe; (9) parlerò; (10) farò.

19 1. lo sapevi, ne ho già preparate, li ho già assaggiati, ne porto. 2. gli, ne ho letto uno, le ho comprato, le ho trovate.

20 1. Ci, ne; 2. andarci, ne; 3. ne, pensarci; 4. ne, prendine, metterci.

21 (1) quello; (2) quel; (3) bel; (4) bei; (5) quei; (6) bello; (7) quello; (8) bel; (9) Begli; (10) quell'; (11) quegli.

22 (1) al; (2) in; (3) a; (4) in; (5) di; (6) in; (7) a; (8) per; (9) in; (10) a; (11) Al; (12) al; (13) di; (14) sul; (15) alla.

23 (a) 1. c; 2. a; 3. b. **(b)** 1. anzi; 2. piuttosto che; 3. Invece di; 4. piuttosto che / invece di; 5. anzi; 6. invece di.

24 Il mondo è fatto a scale chi le scende e chi le sale, / chi le scende troppo in fretta gli si sciupa la scarpetta / se la scarpa ha il laccio sciolto, / collo scialle scalda molto / lo scialle non è sciarpa / la sciarpa non è scarpa / il furbo non è sciocco, / tira il laccio: è sciolto il fiocco.

25 (a) l'ortografia. **(b)** 1. i laghi; 2. le paghe; 3. i banchi; 4. le panche; 5. gli incarichi; 6. i colleghi; 7. i dialoghi; 8. i cataloghi. **(c)** simpatica / simpatici / simpatiche; stanca / stanchi / stanche; lunga / lunghi / lunghe; larga / larghi / larghe.

26 1. cuoco, squisito; 2. acqua, inquinata; 3. scuola, aquilone, aquila; 4. venticinque, quadri; 5. Quando, cuore; 6. Qual, acquario; 7. Quei, quaderni, quadretti, questi.

Unità 4

1 (a) 1; 2; 4; 6. **(b)** 1. F; 2. V; 3. V; 4. V; 5. F; 6. V; 7. F.

2 1. un cantante; 2. viaggiando; 3. il rapporto con i suoi fan; 4. "Nessuno è solo"; 5. gli racconta cose molto personali; 6. sì, molto: lo onora; 7. perché i suoi fan gli scrivono molto, ma poi non hanno la possibilità di incontrarsi.

3 (1) Ma che cosa dici; (2) Senti un po'; (3) questa cosa ti va; (4) l'hanno attrezzata anche; (5) che proietta la; (6) Lo sai già; (7) mi hanno detto che; (8) Allora possiamo fare; (9) Ci troviamo; (10) prima del previsto; (11) anche a loro; (12) non avevano pensato alla partita; (13) Chi vuole vedere; (14) si vede; (15) invece non ne.

4 (a) 1. c; 2. b; 3. a; 4. b; 5. a; 6. a. **(b)** 1. c; 2. b; 3. d; 4. e; 5. g; 6. a; 7. f. **(c)** 1. significativa; 2. istante; 3. saltare; 4. impoverimento; 5. ludico.

5 (a) 1. XX; 2. ke; 3. mex; 4. nn; 5. x; 6. xke; 7. qca; 8. risp; 9. 6; 10. sl; 11. sn; 12. TVTB. **(b)** 1. d; 2. a; 3. e; 4. b; 5. c. **(c)** 1. Mi piaci un casino! Forse ti chiedi chi sono. Ti dico solo che sono una ragazza che hai visto in discoteca. Forse non ti interesso. Rispondi.; 2. Dai, esci Franci! Facciamo qualcosa!; 3. Dovrei studiare per domani, ma non ci riesco perché penso a te. Ma perché non chiami? Che ti costa? Almeno fammi uno squillo! Ti odio!; 4. Ciao. Non voglio romperti, ma perché non rispondi ai miei messaggi? Ho scoperto dove abiti. Sono molto felice. Baci.; 5. OK, te lo dico. Sono Giulia. Sono persa per te. Ti voglio tanto bene.; 6. Non ce la faccio più, non voglio assillarti, ma rispondi! Sto guardando la TV, ma non capisco niente perché nei miei pensieri ci sei tu.

6 1. le hostess; 2. i teenager; 3. fan; 4. dell'e-mail; 5. poster; 6. un flirt; 7. al relax; 8. una boutique; 9. un meeting; 10. week-end.

7 1. naturale; 2. primaverile; 3. studioso; 4. mortale; 5. orgoglioso; 6. pericolosa; 7. femminile; 8. stagionali; 9. geniale; 10. noioso; 11. paurosa; 12. avventuroso.

8 1. birreria; 2. pizzeria; 3. biblioteca; 4. enoteca; 5. spaghetteria; 6. ludoteca; 7. videoteca.

9 (a) Generi cinematografici: commedia, film d'avventura, film d'azione, film di fantascienza, film drammatico, film letterario.

Aggettivi per valutare film: avvincente, divertente, noioso, romantico, spettacolare, commovente, violento. **Nomi:** attore / attrice, colonna sonora, durata, protagonista, personaggio, scena, regista. **(b)** (1) commedie; (2) divertenti; (3) regista; (4) attori; (5) commovente; (6) avvincente; (7) durata; (8) drammatici; (9) protagonista; (10) colonna sonora.

10 (a) Un certo Pinturicchio (Alessandro del Piero): (1) più; (2) che; (3) più (4) che; (5) più; (6) delle; (7) più; (8) che. **(b) Grinta, simpatia e... che spettacolo! (Valentino Rossi):** (1) migliore; (2) peggiore; (3) superiori; (4) migliore; (5) inferiore; (6) maggior.

11 1. la più amata dai; 2. più amata dagli; 3. più bella della; 4. il più conosciuto; 5. il più poetico dei; 6. divertentissimi / i più divertenti; 7. più apprezzate dai; 8. più caro; 9. più visti dai; 10. i più importanti / importantissimi.

12 (1) ne, trovato; (2) li, chiamati; (3) mi, raccontato; (4) le, raccontato; (5) ci, guardati; (6) si, spostate; (7) si, mossa; (8) l', guardata; (9) le, fatto; (10) si, girata; (11) l', fatta; (12) l', schiacciata; (13) si, intrufolata; (14) mi, detto.

13 1. me li; 2. melo; 3. te ne; 4. te lo; 5. te la; 6. Me ne; 7. te li; 8. te le.

14 Sono uscita da scuola. Ho visto passare il mio tram dal lato opposto. Per non perderlo ho fatto una corsa. Correndo sono inciampata, i libri si sono sciolti dalla cinghia e sono rotolati sull'asfalto. Mi sono fatta male, ma ho visto la sua mano tesa. Mi ha afferrato un braccio e mi ha sollevata da terra. Appena sono stata in piedi mi ha chiesto: "Tutto bene?". L'ho guardato di sfuggita, era giovane, indossava la divisa delle truppe alleate. Ho detto: "Non è niente, grazie!" Mi sono chinata per raccogliere i libri, ma lui più svelto di me li ha presi e ha insistito per accompagnarmi. Lungo la strada ha raccontato un po' di sé. Era un ufficiale medico, si trovava in Italia da più di un anno, ma gli sembrava di essere lì da sempre. I suoi nonni erano italiani, di Lecco. Forse per questo si sentiva quasi a casa e aveva imparato la lingua velocemente. Di me non gli ho detto niente. A un paio di isolati da casa gli ho detto che ero arrivata. "Dove abiti?" mi ha chiesto lui. Ho fatto un gesto vago, ho detto "Da quella parte".

15 1. che; 2. chi; 3. che; 4. che; 5. chi; 6. che; 7. chi; 8. chi.

16 (a) – : potere, essere giusto, amare, vedere. **a:** andare, invitare, aiutare, fermarsi, imparare. **di:** cercare, sembrare, avere bisogno, dire, temere. **(b)** 1. Non è giusto trattare male le persone; 2. Luigi ha bisogno di fare una vacanza; 3. Marco aiuta Lucia a fare i compiti; 4. Ieri ho visto Silvio arrivare dalla finestra; 5. Dario teme di perdere il posto di lavoro; 6. Ti invito a prendere un caffè; 7. Martina chiede di preparare la tavola; 8. Giulia ama passeggiare in giardino; 9. Elisabetta ieri ha imparato a camminare.

17 1. Non mi piace né leggere né studiare; 2. Mangio di tutto, sia la carne che il pesce; 3. Laura non è né generosa né simpatica; 4. Marco deve sia studiare che lavorare; 5. "Natale in India è un film né interessante né divertente; 6. A scuola non vado né bene né male; 7. Se ho un problema chiedo aiuto sia ai miei amici che ai miei genitori; 8. Silvia è sia bella che brava.

18 1. strittone; 2. frappone; 3. dartone; 4. roccone; 5. reliccio; 6. cralido; 7. gracio; 8. garro; 9. dalo; 10. sagio; 11. fobbone; 12. iommane; 13. fraligio; 14. trizzone.

19 1. in effetti; 2. eccitante; 3. inconsueto; 4. sicurezza; 5. collaborazione; 6. preoccupato; 7. superiore; 8 allagamento; 9. approntarlo; 10. peggiorato.

20 Gioventù cresciuta – Sono morti il complesso di Edipo e il corrispondente femminile, quello di Elettra, che prevedevano un inevitabile innamoramento del genitore di sesso opposto. Di queste morti inattese dà annuncio un'anticipazione del prossimo rapporto biennale sulla condizione giovanile. "Da tempo" racconta Riccardo Grassi uno dei ricercatori che ci hanno lavorato "osserviamo una mutazione dei rapporti familiari. Sta venendo meno quel contrasto netto con il genitore che ha contraddistinto le generazioni di adolescenti degli anni Sessanta e Settanta. E si generalizza la così detta famiglia affettiva, dove non ci sono contrasti, ma piuttosto accordo e continuità tra generazioni".

Unità 5

1 (a) 1. 4.600, 500; 2. 13%; 3. a. navigazione in Internet e chiacchierate con i colleghi, b. la pausa caffè, c. la pausa per la sigaretta; 4. perché è meno facile distrarsi. **(b)** 2, 3, 5, 8.

2 (1) in casa; (2) sono addirittura maggiori; (3) c'è l'autogoverno; (4) ritmi, le modalità; (5) quindi diciamo governa; (6) Nei luoghi; (7) momento in cui; (8) per; (9) fanno un po'; (10) quegli imprenditori; (11) andrebbe; (12) ridotta o regolamentata; (13) di vita quotidiana; (14) tra l'altro; (15) sia un luogo.

3 (a) a; a; b; b. **(b)** 1. d; 2. c; 3. f; 4. a; 5. g; 6. h; 7. e; 8. b.

4 Orizzontale: 3. elettricista; 4. giornalaio; 5. traduttore; 9. farmacista; 10. pilota; 12. cameriere; 13. medico; 15. direttore; 16. avvocato; 17. commesso. **Verticale:** 1. operaio; 2. giornalista; 6. tassista; 7. impiegato; 8. pompiere; 11. benzinaio; 14. attore.

5 1. l'attrice; 2. la cameriera; 3. la dentista; 4. la gelataia; 5. l'infermiera; 6. la professoressa; 7. la musicista; 8. l'operaia; 9. la scrittrice; 10. la tabaccaia; 11. la traduttrice; 12. la dottoressa.

6 (1) pazienza; (2) generosità; (3) timidezza; (4) originalità; (5) eleganza; (6) sicurezza; (7) tranquillità; (8) creatività; (9) vivacità; (10) chiarezza; (11) sincerità.

7 1. venticinquenni, automuniti, dinamismo, flessibilità; 2. specializzati, ambosessi, pluriennale, capacità, professionalità; 3. neolaureato, informatiche, adattabilità, sensibilità.

8 (1) Oggetto; (2) con riferimento al; (3) presentare la mia candidatura; (4) curriculum vitae allegato; (5) laureanda; (6) tesi di marketing; (7) esperienza nel settore; (8) conosco bene l'inglese; (9) di Vostro interesse; (10) porgo distinti saluti.

9 a. computer; b. schermo; c. faldone; d. tastiera; e. cavo; f. presa; g. pinzatrice; h. cassettiera; i. telefono / fax; l. portapenne;

m. stampante.

10 (a) 1. di; 2. ad; 3. di; 4. del; 5. di; 6. dai; 7. da. **(b)** 1. di cui mi piace; 2. a cui ho assistito; 3. di cui ho voglia; 4. di cui mi fido; 5. di cui ricordarsi; 6. da cui non voglio dipendere; 7. da cui Marco sta uscendo.

11 (1) che; (2) chi; (3) chi; (4) a cui; (5) in cui; (6) in cui; (7) che; (8) a cui; (9) che; (10) che; (11) che; (12) chi.

12 1. nel quale; 2. il quale; 3. della quale; 4. con i quali; 5. nel quale.

13 1. glielo; 2. gliela; 3. glieli; 4. glielo; 5. glielo; 6. gliene; 7. gliele.

14 (1) si; (2) ti; (3) Te li, lasciati; (4) lo / se lo; (5) li, presi; (6) li, presi; (7) te lo; (8) li; (9) lo; (10) li; (11) si; (12) si; (13) lo; (14) l', presa (15) gli; (16) me la; (17) te lo; (18) gli.

15 1. La; 2. Le; 3. Le; 4. La; 5. Le; 6. La; 7. Le; 8. Le.

16 1. Siccome non ha ancora 18 anni, Barbara non può guidare la macchina; 2. Anche se ha studiato il tedesco per due anni, Fulvio non lo sa parlare; 3. Conosco bene i sistemi informatici perché ho lavorato alla Hewlett Packard per tre anni; 4. Mentre sono all'università, posso frequentare molti studenti stranieri; 5. Siccome posso lavorare da casa, riesco a occuparmi dei miei bambini; 6. Anche se amo molto il francese, non sono mai stata in Francia; 7. Mentre giocavo a tennis, ho conosciuto mio marito.

17 (a) 1. sia; 2. siate, abbia; 3. abbiate; 4. sia; 5. sia; 6. sia; 7. abbia. **(b)** opinioni: 1, 5; desideri: 3, 7; volontà: 2; stati d'animo: 4, 6.

18 (1) sia; (2) sia; (3) sia; (4) abbia; (5) abbiano.

19 (a) guardi, prenda, senta, sparisca. **Sono irregolari:** vada, esca, si faccia. **(b)** (1) pulisca; (2) dia; (3) guardi; (4) venga; (5) faccia; (6) dica; (7) scusi; (8) senta.

20 1. Lei: Le prepari! / Non le prepari!, tu: preparale! / Non prepararle / Non le preparare!; 2. Lo spenga! / Non lo spenga!, tu: spegnilo! / Non spegnerlo / Non lo spegnere!; 3. Li riordini! / Non li riordini!, tu: riordinali! / Non riordinarli / Non li riordinare!; 4. La comperi! / Non la comperi!, tu: comprala! / Non comprarla / Non la comprare!; 5. Gli telefoni! / Non gli telefoni!, tu: telefonagli! / Non telefonargli / Non gli telefonare!; 6. Glieli spedisca! / Non glieli spedisca!, tu: spedisciglieli! / Non spedirglieli / Non glieli spedire!; 7. Gliela detti! / Non gliela detti!, tu: dettagliela! / Non dettargliela / Non gliela dettare!; 8. Glielo mandi! / Non glielo mandi!, tu: mandaglielo! / Non mandarglielo / Non glielo mandare!

21 1. a, di, a; 2. ad, di; 3. di, a, di; 4. di, a.

22 (a) 1. [ʎ]; 2. [l]; 3. [l]; 4. [ʎ]; 5. [ʎ]; 6. [l]; 7. [l], [ʎ]; 8. [l]. **(b)** 1. gli invio; 2. l'invio; 3. la balia; 4. l'abbaglia; 5. dagli; 6. Dalli; 7. li taglia; 8. L'Italia.

23 (a) 1. [ɲ]; 2. [ɲ]; 3. [n]; 4. [ɲ]; 5. [n]; 6. [n]; 7. [n]; [ɲ]; 8. [ɲ]; 9. [n]; 10. [n]. **(b)** (1) lasagne; (2) castagne; (3) Antonio; (4) spagnolo; (5) matrimonio; (6) giardiniere; (7) ingegnere; (8) campagna; (9) campana; (10) Campania.

Unità 6

1 (a) 1. moglie e marito; 2. a casa; 3. il marito è troppo sedentario; 4. È geloso. **(b)** 1. La donna si lamenta perché il marito non cura il proprio aspetto fisico, l'uomo risponde che è a casa sua e che deve potersi rilassare come vuole; 2. Secondo la donna quando si è nell'intimità della propria casa nei pochi momenti in cui si può stare insieme è giusto essere carini e curare il proprio aspetto fisico, secondo l'uomo essere in intimità significa poter decidere di non curare il proprio aspetto fisico. **(c)** 1. non è più, un vestito; 2. una telefonata, un suo vecchio compagno di scuola, a casa, fare ingelosire; 3. il fotografo, non è, si ingelosisce.

2 1. V; 2. F; 3. V; 4. (a) F, (b) V, (c) V, (d) F, (e) V, (f) V; 5. F.

3 (1) il fenomeno della famiglia; (2) giovane all'interno; (3) diciamo; (4) indipendenza economica; (5) soprattutto italiano, o meglio, (6) i Paesi mediterranei; (7) che riguardano appunto; (8) la composizione dei nuclei; (9) nei quali i giovani; (10) di più a; (11) e ancor di più; (12) mentre nei Paesi; (13) escono di casa.

4 (a) 1. c; 2. b; 3. c; 4. c; 5. a; 6. a. **(b)** 1. d; 2. e; 3. a; 4. g; 5. b; 6. f; 7. c. **(c)** 1. g; 2. d; 3. a; 4. b; 5. e; 6. f; 7. c; 8. h.

5 1. la conduzione di un programma televisivo; 2. il cambiamento di abitudini; 3. l'abbandono di animali per strada; 4. la convivenza con gli altri; 5. l'impegno a livello sociale; 6. il licenziamento dei lavoratori; 7. la rassicurazione di un amico; 8. il sostegno alle persone più povere; 9. il cambiamento dei propri programmi.

6 (a) 1. vivibile; 2. accettabile; 3. appassionante; 4. dipendente; 5. comprensibile; 6. istruttivo; 7. preferibile. **(b)** (1) appassionante; (2) dipendenti; (3) accettabile; (4) vivibile; (5) comprensibile; (6) istruttivo; (7) preferibile.

7 (a) 1. b; 2. c; 3. d; 4. e; 5. a. **a.** io me la cavo, tu te la cavi, lui / lei se la cava, noi ce la caviamo, voi ve la cavate, loro se la cavano; io me ne frego, tu te ne freghi, lui / lei se ne frega, noi ce ne freghiamo, voi ve ne fregate, loro se ne fregano; io me la prendo, tu te la prendi, lui / lei se la prende, noi ce la prendiamo, voi ve la prendete, loro se la prendono; io me ne vado, tu te ne vai, lui / lei se ne va, noi ce ne andiamo, voi ve ne andate, loro se ne vanno; io ce la faccio, tu ce la fai, lui / lei ce la fa, noi ce la facciamo, voi ce la fate, loro ce la fanno; **b.** farcela; **c.** con il pronome *la*, quindi si accorda al femminile singolare. **(b)** 1. me la cavavo; 2. se la prende; 3. cavarcela; 4. me ne frega; 5. ce ne siamo andati; 6. fregatene; 7. ce la fai; 8. prendersela; 9. ce la faccio.

8 1. Al cuor non si comanda (c); 2. Chi tardi arriva, male alloggia (f); 3. Finché c'è vita, c'è speranza (g); 4. Il buon giorno si vede dal mattino (d); 5. La notte porta consiglio (a); 6. L'occasione fa l'uomo ladro (h); 7. Meglio tardi che mai (b); 8. Con le buone maniere si ottiene tutto (e).

9 (1) Faccio presente che; (2) Oltre al disagio che ne è derivato; (3) ciò che irrita di più; (4) Non vi sembra che questo sia un comportamento poco rispettoso e arrogante?; (5) Non può immaginare la mia sorpresa; (6) non ho ricevuto alcuna risposta; (7) Non Le pare che; (8) Mi aspetto da Voi; (9) Vi chiedo.

10 b, d, c, g, a, e, f.

11 1. Mi dispiace che (b); 2. È meglio che (a); 3. Sono contenta che (b) 4. immagino che (a); 5. Credo che (a) 6. Voglio che (c); 7. Si dice che (a) 8. preferisco che (c) 9. Mi sembra che (a); 10. Spero che (b).

12 (1) debba; (2) lavori; (3) abbia; (4) trovi; (5) venga; (6) costi.

13 1. Gli italiani credono che il traffico, lo smog, i parcheggi siano i principali problemi quotidiani; 2. Molti italiani non pensano di avere problemi con criminalità e mezzi pubblici; 3. Tanti italiani ritengono di non essere soddisfatti di quanto guadagnano; 4. Al sud gli italiani credono che la situazione economica sia peggiore che al nord; 5. Tanti italiani sperano di vivere in case più grandi; 6. Solo il 20% degli italiani pensa di dover comprare una nuova casa; 7. Il 70% degli italiani pensa che il pranzo sia il pasto principale; 8. Molti italiani ritengono che un panino veloce in un bar non sia un vero e proprio pranzo; 9. Molti uomini tra i 30 e i 50 anni sono insoddisfatti di dover mangiare fuori casa per lavoro.

14 (1) abitiamo; (2) confina; (3) ha iniziato; (4) russa; (5) abbia; (6) ha detto; (7) crei; (8) potete; (9) abbiamo sentita; (10) ha ricominciato; (11) inizia; (12) si sveglia; (13) si giri; (14) sia; (15) debba.

15 1. ve li tengo; 2. te lo posso; 3. gliene avevo inviata / ho inviata, gliene avevo mandata / ho mandata; 4. portarglieli; 5. te lo mando / te lo invio; 6. Ve lo dico; 7. prestartelo; 8. me li ha regalati; 9. Gliele abbiamo fatte vedere.

16 (1) gli; (2) si; (3) Gliel'; (4) l'; (5) li; (6) si; (7) Mi; (8) l'; (9) gli; (10) Ne; (11) l'; (12) Gliel' / Gli; (13) si; (14) l'; (15) si; (16) si; (17) gli.

17 1. alcuna; 2. alcune; 3. alcuni; 4. alcuni; 5. alcuna; 6. alcune; 7. alcun; 8. alcuno; 9. alcune.

18 1. Non è andato nessuno alla festa di mia sorella, Alla festa di mia sorella non è andato nessuno; 2. Nessuno si è fatto vivo per darmi una mano; 3. Tornando a casa dal lavoro non ho incontrato nessuno, Non ho incontrato nessuno tornando a casa dal lavoro; 4. Nessuno si preoccupa dei problemi ambientali; 5. In quella casa non abita nessuno da anni, Non abita nessuno da anni in quella casa; 6. Ieri sera non ho visto uscire nessuno da quell'appartamento, Da quell'appartamento non ho visto uscire nessuno ieri sera, Ieri sera da quell'appartamento non ho visto uscire nessuno, Da quell'appartamento ieri sera non ho visto uscire nessuno; 7. Nessuno riesce ad andare d'accordo con Marta.

19 (1) molti; (2) tutti; (3) Pochi; (4) niente; (5) qualcuno; (6) alcune; (7) tanto; (8) una; (9) qualcosa; (10) alcuni; (11) tutti.

20 (a) 1. bisogna / occorre + verbo all'infinito; 2. bisogna che / occorre che + verbo al congiuntivo; 3. occorre / occorrono + nome; 4. ho bisogno di + nome; 5. ci vuole / ci vogliono + nome. **(b)** 1. bisogna; 2. bisogna; 3. occorrono / ci vogliono; 4. bisogna / occorre; 5. ci vuole; 6. ci vogliono; 7. bisogna / occorre; 8. bisogna / occorre; 9. ho bisogno; 10. hai bisogno.

21 1. di; 2. di; 3. a; 4. dei; 5. della; 6. nel; 7. a; 8. a; 9. di; 10. dei.

22 1. niente da; 2. qualcosa da; 3. qualcosa di, da; 4. niente di, da; 5. niente da; 6. qualcosa da; 7. niente di, da; 8. qualcosa di, da.

23 1. Benché / sebbene / nonostante le donne siano più generose / Pur essendo le donne più generose (38%), sono molti gli uomini italiani (20%) a fare donazioni ai più poveri; 2. La maggior parte degli italiani fa attività di volontariato 'laico' (47%), benché / sebbene / nonostante molti si dedichino all'attivismo religioso / pur dedicandosi in molti all'attivismo religioso (45%); 3. Gli italiani fanno donazioni soprattutto alla ricerca medica (66%), benché / sebbene / nonostante elargiscano denaro anche alla lotta contro la fame (24%) e alle adozioni a distanza (15%) / pur elargendo denaro alla lotta contro la fame (24%) e alle adozioni a distanza (15%); 4. Benché / sebbene / nonostante tanti italiani diano direttamente il denaro a chi serve, alcuni (8%) fanno donazioni attraverso gli SMS; 5. L'Unicef è un'associazione molto conosciuta (18%) dagli italiani, benché / sebbene / nonostante non abbia molte donazioni / pur non avendo molte donazioni; 6. Molti italiani fanno donazioni in denaro, benché / sebbene / nonostante pochi facciano attività di volontariato 'attivo' / pur facendo in pochi attività di volontariato 'attivo'; 7. I giovani italiani sono meno propensi a fare donazioni (solo il 34%), benché / sebbene / nonostante facciano molte attività di volontariato / pur facendo molte attività di volontariato; 8. La cifra media donata (65 euro all'anno) non è molto alta, benché / nonostante / sebbene sia aumentata rispetto al 2004 (52 euro) / pur essendo aumentata rispetto al 2004 (52 euro).

24 (a) 1. b; 2. b; 3. b. **(b)** 1. Stiamo tra noi; 2. Tu e lei; 3. Tu sei molto caro; 4. Marco ha fame; 5. Giulia sta male; 6. Lo vedo qualche volta; 7. Come sempre sei in ritardo; 8. Arrivi sempre così tardi!; 9. Sarà troppo grande; 10. Ciao, a presto.